YO-CAT-190

# Asesino en la oscuridad

# ANNE PERRY

## Asesino en la oscuridad

Traducción de Borja Folch

EDICIONES B
GRUPO ZETA

Barcelona • Bogotá • Buenos Aires • Caracas • Madrid • México D.F. • Montevideo • Quito • Santiago de Chile

Título original: *Dark Assassin*

Traducción: Borja Folch

1.ª edición: junio 2007

© 2006 Anne Perry
© Ediciones B, S. A., 2007
  Bailén, 84 - 08009 Barcelona (España)
  *www.edicionesb.com*

Printed in Spain
ISBN: 978-84-666-3114-3
Depósito legal: B. 21.836-2007

Impreso por LIMPERGRAF, S.L.
Mogoda, 29-31 Polígon Can Salvatella
08210 - Barberà del Vallès (Barcelona)

*Dedicado a Timothy Webb,
con sincero agradecimiento
por tu amistad y ayuda.*

# 1

El puente de Waterloo se alzaba a lo lejos mientras Monk se ponía un poco más cómodo en la proa de la lancha de la policía que patrullaba el Támesis al acecho de cargamentos robados, accidentes y embarcaciones desaparecidas. Eran cuatro hombres a bordo: él como oficial superior y tres más a cargo de los cuatro remos, empuñando dos el que iba sentado a media eslora y sólo uno los situados a proa y popa. Monk iba muy rígido enfundado en el chaquetón del uniforme. Corría enero y hacía un frío glacial. El viento rizaba el agua y cortaba la piel como el filo de un cuchillo, pero Monk no quería que le vieran temblar.

Hacía cinco semanas que había aceptado el puesto al frente de aquella sección de la Policía Fluvial. Aun siendo tan reciente, ya lamentaba haber tomado esa decisión, y ese sentimiento aumentaba con el paso de los días, gélidos y húmedos, mientras 1863 devenía 1864 y un invierno inmisericorde se adueñaba de Londres y de su transitado río.

La lancha se balanceó al penetrar en la estela de una hilera de gabarras que remontaba la corriente aprovechando la marea alta. Orme estabilizó la lancha con destreza desde su puesto en la popa. Era un hombre de estatura mediana y agilidad y fortaleza engañosas, como mostraba en el manejo del remo. Tal vez tras tantos años en el agua había aprendido que con un movimiento brusco resultaba muy fácil hacer volcar una barca.

Se aproximaban al puente. En la tarde gris, antes de que se encendieran las farolas, veían el tráfico que lo cruzaba: sombras oscuras de coches de dos y cuatro ruedas. Aún estaban demasiado lejos para oír el sonido de los cascos de los caballos por encima del ruido del agua. Un hombre y una mujer se habían detenido en la acera cara a cara, junto a la barandilla, como si conversaran. Monk pensó distraídamente que lo que se estuvieran diciendo debía de importarles sobremanera para prestar tanta atención en un lugar sombrío y expuesto como aquél. El viento tiraba de las faldas de la mujer. A esa altura y sin resguardo alguno debía de estar pasando más frío que el propio Monk.

Orme guió la lancha hacia el centro del río. Volvían a bajarlo para regresar a la comisaría de Wapping, donde tenían su jefatura. Seis semanas antes Durban estaba al mando y Monk era investigador privado. Aún no podía pensar en ello sin que se le hiciera un nudo en la garganta, sin una sensación de soledad y culpabilidad que dudaba mucho que algún día remitiera. Cada vez que veía a un grupo de la Policía Fluvial, y entre ellos la silueta de un hombre que caminaba despreocupado y sin prisa, con la espalda un poco encorvada, creía que esa figura iba a volverse, y que en ella vería el rostro de Durban. Pero entonces la memoria lo devolvía a la realidad, y Monk comprendía que eso no iba a suceder nunca más.

El puente estaba ya a poco más de cincuenta metros. La pareja seguía allí arriba, junto a la balaustrada. El hombre sostenía a la mujer por los hombros, como si fuera a abrazarla. Tal vez fuesen amantes. Monk, por descontado, no alcanzaba a oír lo que decían. El viento arrancaba las palabras de sus labios, pero sus rostros estaban encendidos con una pasión que se iba haciendo más patente a medida que la lancha avanzaba hacia ellos. Monk se preguntó a qué respondería: ¿una riña, un último adiós, ambas cosas?

Los remeros de la policía tenían que bogar con ahínco contra la marea entrante.

Monk volvió a levantar la vista justo a tiempo de ver al hombre forcejear con la mujer, sujetándola con fiereza mientras ella se aferraba a él, de espaldas a la barandilla y demasiado inclinada hacia atrás. El instinto impelía a Monk a gritar. ¡Unos centímetros más y caería!

Orme también contemplaba la escena que se desarrollaba en el puente.

El hombre agarró a la mujer y ella lo apartó. Pareció que perdía el equilibrio y él se abalanzó sobre ella. Estrechamente entrelazados, se tambalearon durante un terrible instante en el borde, hasta que ella cayó hacia atrás. Él intentó atraparla a la desesperada, y ella estiró el brazo para agarrarlo, pero era demasiado tarde. Ambos se precipitaron agitando brazos y piernas, como un gigantesco pájaro con las alas rotas, hasta estrellarse contra la corriente mugrienta que se los llevó, sin que opusieran resistencia, mientras el agua empezaba a tragarlos.

Orme gritó y los remeros batieron los remos hundiendo las palas a cada estrepada. Cargaban con los hombros contra la fuerza del río y avanzaban penosamente.

Monk, con el corazón en un puño, aguzaba los ojos para no perder los cuerpos de vista. Sólo estaban a una treintena de metros y, sin embargo, presentía que ya era demasiado tarde. El impacto contra la superficie del río los habría dejado sin sentido vaciándoles los pulmones de aire. Cuando al fin resollaran para inhalar, tragarían agua negra y helada y se ahogarían. Con todo, aunque careciera de sentido, se asomó sobre la proa gritando:

—¡Deprisa, deprisa! ¡Allí! No... ¡Allí!

La lancha los alcanzó arrimándose por la amura. Los remeros la mantuvieron firme contra la corriente y el balanceo mientras Orme izaba el cuerpo de la joven por encima de la borda. Con torpeza y tanto cuidado como pudo, la tendió en el interior. Monk veía el otro cuerpo pero estaba demasiado lejos para alcanzarlo y si lo intentaba inclinaría peligrosamente la lancha.

—¡A babor! —ordenó aunque los remeros ya estaban efectuando la maniobra pertinente. Agarró con cuidado el cuerpo medio sumergido del joven, cuyo abrigo flotaba hinchado por el agua y cuyas botas tiraban de las piernas hacia abajo. Haciéndose daño en los hombros, Monk lo izó por encima de la borda y lo tendió en el fondo de la lancha junto a la muchacha. Había visto muchos cadáveres con anterioridad pero la sensación de pérdida nunca disminuía. Mirando aquel rostro pálido, manchado por la suciedad del agua y con el pelo pegado a la frente, Monk calculó que debía de tener unos treinta años. Lucía bigote, pero por lo demás iba perfectamente afeitado. Su ropa estaba bien cortada y el tejido era de primera calidad. Había perdido el sombrero que le había visto en el puente.

Orme, de pie, manteniendo el equilibrio con facilidad, contemplaba a Monk y al joven.

—No podemos hacer nada por ninguno de los dos, señor —dijo—. Se habrán ahogado enseguida cayendo del puente de esa manera. Lástima —agregó en voz más baja—. La chica no parece tener más de veinte. Bonita cara.

Monk se retrepó en el banco.

—¿Algo que indique quién era? —preguntó.

Orme negó con la cabeza.

—Si tenía uno de esos bolsitos que llevan las damas, se ha perdido, aunque hay una carta en el bolsillo dirigida a la señorita Mary Havilland, de Charles Street. Lleva matasellos, así que podría ser ella.

Monk se inclinó y registró minuciosamente los bolsillos del fallecido manteniendo el equilibrio con menos garbo que Orme mientras la lancha reanudaba el viaje río abajo, de regreso a Wapping. No tenía sentido enviar un hombre a tierra en busca de testigos que hubiesen presenciado la pelea, si de una pelea se había tratado. Resultaba imposible identificar los vehículos que pasaban por el puente en ese momento, y en el agua ellos mismos habían visto cuanto se podía ver. Dos personas discutiendo... ¿Besándose? Dos personas que se separaban, perdían el equilibrio y caían. ¿Qué podía añadirse a eso?

En realidad, que Monk recordara, ningún transeúnte había pasado en ese preciso momento. En aquella hora del anochecer las farolas todavía no están encendidas, pero la luz va menguando y se diría que el gris del aire engaña al ojo. Las cosas se ven a medias; la imaginación llena el resto, a veces con inexactitud.

En uno de los bolsillos encontró una cartera de piel con un poco de dinero y un estuche con tarjetas de visita. Al parecer se trataba de Toby Argyll, de Walnut Tree Walk, Lambeth. Aquello también quedaba al sur del río, no lejos de la dirección de la chica en Charles Street, calle que desembocaba en el paseo de Lambeth. Monk la leyó en voz alta para Orme.

La lancha avanzaba despacio, ya que sólo remaban dos hombres. Orme se puso en cuclillas, muy cerca del cadáver de Argyll. En la orilla, las farolas que comenzaban a encenderse semejaban lunas amarillas entre la niebla cada vez más densa. El viento era un soplo de hielo. Había llegado la hora de encender las luces de navegación si no querían que los embistieran las gabarras o los transbordadores que atravesaban la corriente transportando pasajeros de una ribera a la otra.

Monk encendió el farol y retrocedió con cuidado hasta el cadáver de la mujer. Yacía tendida de espaldas. Orme le había cruzado las manos sobre el pecho y apartado el pelo de la cara. Tenía los ojos cerrados y la piel cenicienta, como si llevara más de unos pocos minutos muerta.

Su boca era grande, sus pómulos altos y sus cejas delicadamente arqueadas. Se trataba de un rostro muy femenino, intenso y vulnerable a la vez, como si en vida hubiese estado a merced de encendidas pasiones.

—Pobre criatura —dijo Orme en voz baja—. Supongo que nunca sabremos por qué lo hizo. Quizás él quisiera romper su compromiso, o algo así.

La expresión de su rostro quedaba oculta por las sombras, pero Monk percibió la intensa compasión de su voz.

De repente Monk se dio cuenta de que estaba mojado hasta las axilas por haber sacado el cadáver del agua. Tiritaba de frío y le costaba hablar sin que le castañetearan los dientes. Habría dado todo el dinero que llevaba en el bolsillo por un tazón de té bien caliente con un chorrito de ron. No recordaba haber padecido un frío semejante estando en tierra.

El suicidio era un delito no sólo contra el Estado, sino también a los ojos de la Iglesia. Si aquél fuese el dictamen del forense, la chica sería enterrada en tierra no consagrada. Y también estaba la cuestión de la muerte del joven. Quizá careciera de objeto discutirla, pero Monk lo hizo instintivamente.

—¿Estaba intentando detenerla?

La lancha avanzaba despacio contra la corriente. El agua estaba picada, golpeaba los costados de madera y hacía difícil que dos remeros la mantuvieran en un rumbo fijo.

Orme vaciló unos instantes antes de contestar.

—No lo sé, señor Monk, la verdad. Podría ser. Podría tratarse de un accidente como dice o al revés. —Bajó la voz—. Podría ser que él la empujara. Ha sido muy rápido.

—¿Se ha formado una opinión?

Monk a duras penas consiguió formular la pregunta con claridad de tanto como temblaba.

—Iría mejor a los remos, señor —dijo Orme con gravedad—. Hacen que circule la sangre.

Monk aceptó la sugerencia. Quizá se supusiera que los oficiales al mando no debían remar como agentes ordinarios pero tampoco resultaban de mucha utilidad entumecidos de frío o enfermos de neumonía.

Se desplazó hasta el centro y fue a tomar uno de los remos al lado de Orme. Tuvo que dar varias paladas antes de acoplarse al ritmo pero entonces comenzó a encontrarse mejor y, por supuesto, la lancha cogió velocidad, cortando el agua más limpiamente. Juntos remaron un buen trecho sin volver a hablar. Pasaron por debajo del puente de Blackfriars hacia el de Southwark que resultaba visible en la distancia sólo gracias a sus luces. El frío robaba el aliento casi antes de que alcanzara los pulmones.

Monk había aceptado aquel cargo en la Policía Fluvial en parte como una deuda de honor. Ocho años atrás, al despertar en un hospital, había perdido la memoria por completo. Recopilando un dato tras otro había establecido una identidad, descubriendo cosas acerca de sí mismo que no siempre resultaron de su agrado. Por aquel entonces era policía y su jefe inmediato, el comisario Runcorn, le tenía verdadera aversión. La relación entre ambos se había deteriorado hasta el punto de que resultaba difícil determinar si Monk había dimitido antes o después de que Runcorn lo despidiese. Puesto que la investigación y resolución de delitos era la única profesión que conocía, y dado que necesitaba ganarse la vida, había emprendido el mismo trabajo en el ámbito privado.

Sin embargo, las circunstancias habían cambiado a finales de otoño del año anterior. La necesidad de dinero le había empujado a aceptar el caso Louvain, su primera experiencia en el río, y debido a ello conoció a Durban y lo involucró en el asunto del *Maude Idris* y su terrible cargamento. Ahora Durban estaba muerto y, por más increíble que pudiera parecer, había recomendado a Monk para que le sucediera en su puesto en la comisaría de Wapping.

Durban no podía haber tenido idea de lo malas que habían sido las dotes de mando de Monk en el pasado. Era brillante, implacable, ingenioso, pero nunca se le había dado bien trabajar en equipo, ya fuese dando órdenes o acatándolas. Runcorn se lo habría explicado a Durban; le habría contado que, inteligente o no, valiente o no, Monk le causaría más problemas de los que merecía la pena aguantar. El tiempo, las circunstancias y, quizá por encima de todo, su matrimonio con Hester Latterly habían suavizado el carácter de Monk. Ella había sido enfermera en Crimea con Florence Nightingale y era una mujer considerablemente más franca y directa que la mayoría de jóvenes. Amaba a Monk con una lealtad inquebrantable y una pasión asombrosa, pero eso no le impedía manifestar abiertamente sus propias opiniones. Aun así, Runcorn hubiese aconsejado al comisario Farnham que buscara a otro para ocupar el puesto de un hombre que, como Durban, siempre había sido prudente, experimentado y profundamente admirado.

Pero Durban había querido a Monk y Monk necesitaba el empleo. Durante sus años de independencia, lady Callandra Daviot, amiga de Hester, había dispuesto de dinero e interés suficientes para implicarse en sus casos y sustentar a los Monk en los meses de escasez. Ahora Callandra se había marchado a vivir a Viena y la cruda elección se daba entre que Monk consiguiera un empleo estable y seguro o que Hester volviera a ejercer de enfermera particular, lo cual implicaría las más de las veces que viviera en los domicilios de los pacientes que reclamaran sus servicios. Para Monk, verla tan poco era una opción última y desesperada. De modo que ahí estaba, sentado en la bancada de una lancha, arrojando su peso contra el remo mientras pasaban por debajo del Puente de Londres dirigiéndose al sur, hacia la Torre y Wapping Stairs. Todavía sentía el frío en los huesos, mojado hasta los hombros y con dos cadáveres tendidos a sus pies.

Finalmente llegaron a la escalera que llevaba a la comisaría. Con cuidado y una cierta rigidez Monk subió el remo, se levantó y ayudó a llevar los cuerpos inertes y empapados escaleras arriba y a través del muelle hasta el interior del edificio.

Allí al menos hacía calor. La estufa negra de hierro estaba encendida llenando toda la sala de un agradable olor a humo y había té caliente aguardándolos. En realidad, ninguno de los hombres conocía bien a Monk y todavía lloraban la muerte de Durban. Trataban a su nuevo superior con cortesía; si deseaba algo más tendría que ganárselo. El río era un lugar peligroso con sus inciertas mareas y corrientes, esporádicos obstáculos sumergidos, tráfico rápido y repentinos cambios de tiempo. Exigía coraje, destreza e incluso más lealtad entre los hombres que la misma profesión en tierra firme. No obstante, la dignidad humana dictaba que ofrecieran a Monk un tazón de té con un chorrito de ron, tal como harían con cualquier otro hombre y, probablemente, incluso con un perro callejero en aquella época del año. De hecho, *Humphrey*, el gato de la comisaría, un enorme animal blanco con la cola pelirroja, tenía a su disposición una canasta junto a la estufa y toda la leche que fuese capaz de beber. La caza de ratones era asunto suyo, y se dedicaba a esta actividad cuando se le antojaba o si nadie lo alimentaba con otras exquisiteces.

—Gracias.

Monk se bebió el té y notó que algo semejante a la vida regresaba a su cuerpo mientras el calor se extendía desde dentro hacia afuera.

—¿Un accidente? —preguntó el sargento Palmer mirando los cuerpos que yacían en el suelo con el rostro cubierto con sendos chaquetones.

—Aún no lo sé —contestó Monk—. Cayeron del puente de Waterloo justo delante de nosotros, pero no estoy seguro de cómo ocurrió.

Palmer, un tanto desconcertado, frunció el entrecejo. Albergaba sus dudas acerca de la competencia de Monk, y aquella indecisión no hacía más que confirmarlas.

Orme apuró su tazón de té.

—Cayeron juntos —dijo mirando inexpresivamente a Palmer—. Cuesta decir si él intentaba salvarla; puede que la empujara. Lo que está claro es lo que los mató, pobres diablos. Un buen golpe contra el agua, como pasa siempre. Pero me da que nunca sabremos con certeza por qué cayeron.

Palmer aguardó a que Monk dijera algo. De repente la sala se sumió en el silencio. Los otros dos hombres de la lancha, Jones y Butterworth, permanecían expectantes, mirando a uno y a otro, para ver qué haría Monk. Se trataba, una vez más, de una prueba. ¿Estaría Monk a la altura de Durban?

—Que el forense los examine por si hay algo que ahora no advertimos —contestó Monk—. Es probable que no, pero no vamos a correr el riesgo de parecer tontos.

—Ahogados —dijo Palmer con amargura, volviéndose—. Cuando caen de los puentes, siempre lo están. Todo el mundo lo sabe. El agua los aturde, y al respirar, la tragan. Los mata. La rapidez es casi lo único bueno que tiene esa manera de morir.

—¿Y qué cara nos tocará poner si decimos que ella es una suicida y resulta que la habían apuñalado, o estrangulado, sin que nos hayamos percatado? —preguntó Monk sin perder la calma—. Sólo quiero asegurarme. ¿Y si está embarazada y tampoco lo hemos sabido ver? Fíjese en la calidad de su ropa. No es una mujer de la calle. Vivía en un barrio respetable y es posible que tenga familia. Les debemos la verdad.

Palmer se sonrojó, con expresión de tristeza.

—Que estuviera embarazada no va a hacer que se sientan mejor —observó sin volverse para mirar a Monk.

—No buscamos las respuestas que hacen que la gente se sienta mejor —repuso Monk—. Tenemos que tratar con las que consideramos más próximas a la verdad. Sabemos quiénes son y dónde vivían. Orme y yo iremos a informar a sus familias. Usted haga que el forense los examine.

—Sí, señor —dijo Palmer con fría formalidad—. Pasará usted por su casa para ponerse ropa seca, me figuro —agregó enarcando las cejas.

Monk ya había aprendido aquella lección.

—Tengo una camisa seca y otro chaquetón en el armario. Con eso me basta.

Orme se volvió aunque no antes de que Monk observase su sonrisa.

Monk y Orme tomaron un coche de alquiler en Wapping para dirigirse al oeste a lo largo de High Street. Las luces titilaban, intermitentes, desde el río, y el viento, que olía a sal y algas, azotaba enfurecido los callejones que se abrían entre las casas de la orilla. Rodearon la mole imponente de la Torre de Londres y regresaron junto al agua para proseguir por Lower Thames Street. Finalmente cruzaron el río por el puente de Southwark y atravesaron zonas residenciales más elegantes hasta llegar a la gran confluencia de St. George's Circus. Tanto Charles Street como Walnut Tree Walk quedaban bastante cerca de allí.

Informar a las familias de los fallecidos era la parte de cualquier investigación que todos los policías detestaban, y ese deber correspondía al oficial de rango mayor. Sería una muestra de cobardía y de infame descortesía para con los deudos del difunto delegar tal misión en un subordinado.

Monk pagó al conductor y lo despachó. Ignoraba cuánto tiempo iba a llevarle dar la noticia y también con qué podían encontrarse él y Orme.

La casa donde había vivido Toby Argyll presentaba cierta prestancia, aunque saltaba a la vista que estaba dividida en apartamentos de alquiler destinados más a solteros solventes que a familias. Una casera con vestido negro y delantal abrió la puerta, inmediatamente azorada al ver a dos desconocidos en el umbral. Orme era de rasgos corrientes y agradables, pero llevaba uniforme de miembro de la Policía Fluvial. Monk era más alto y poseía la gracia de un hombre consciente de su propio magnetismo. Su rostro, enjuto de carnes, de nariz aguileña, alta de caballete, y mirada imperturbable, transmitía fuerza, inteligencia, incluso sensibilidad, pero por lo general incomodaba a la gente.

—Buenas noches, señora —dijo gentilmente. La voz era excelente, la dicción muy cuidada. Le había costado mucho trabajo perder el acento vulgar de Northumberland que revelaba sus orígenes. Había deseado ardientemente ser todo un caballero. Tal deseo pertenecía ya a un pasado remoto, pero la entonación en su voz persistía.

—Buenas, señor —contestó la mujer con cautela.

—Soy el inspector Monk y él el sargento Orme, de la Policía Fluvial del Támesis. ¿Es éste el domicilio del señor Toby Argyll?

La casera tragó saliva.

—Sí, señor. ¡No me diga que ha habido un accidente en uno de esos túneles! —Se llevó la mano a la boca como para sofocar un grito—. Siento no poder ayudarle, señor. El señor Argyll no está en casa.

—No, señora, no lo ha habido, que yo sepa —contestó Monk—. Pero me temo que ha sucedido una tragedia. Lo lamento profundamente. ¿El señor Argyll vive solo aquí?

Ella le miró fijamente, cada vez más pálida al comenzar a comprender que se habían presentado allí para dar la peor noticia posible.

—¿Quiere que vayamos dentro y nos sentemos? —propuso Monk.

La casera asintió y los dejó pasar, abriendo luego el camino por el pasillo hasta la cocina. Se percibía allí el aroma de la cena que estaba guisando, lo que hizo recordar a Monk que llevaba muchas horas sin probar bocado. La casera se dejó caer en una de las sillas con respaldo de madera, apoyó los codos en la mesa y se tapó la cara con las manos. Varias cacerolas humeaban sobre la enorme cocina económica cuyo horno desprendía el apetitoso perfume de un pastel de carne. En la pared, los cacharros de cobre brillaban a la trémula luz de gas y varias ristras de cebollas colgaban del techo.

De nada serviría posponer lo que ella sin duda ya sabía que se avecinaba.

—Lamento decirle que el señor Argyll se ha caído del puente de Waterloo —dijo Monk—, señora...

Ella le miró con los ojos muy abiertos.

—Porter —dijo—. He cuidado del señor Argyll desde que llegó aquí. ¿Cómo es posible que se haya caído del puente? ¡No tiene sentido! ¡Hay barandillas! ¡Uno no se cae así como así! ¿Pretende decirme que estaba de juerga y le dio por trepar o hacer alguna otra tontería? —Ahora temblaba de enojo—. ¡No le creo! ¡Él no era así! ¡Era un joven caballero muy formal y trabajador! Se confunde de persona. ¡Se ha equivocado, se lo digo yo! —Levantó el mentón y clavó los ojos en él—. Debería tener más cuidado y no dar estos sustos a la gente.

—Nada indica que estuviera borracho, señora Porter. —Monk no solía recurrir a evasivas ni eufemismos—. El joven que encontramos llevaba consigo tarjetas en las que figuraba el nombre de Toby Argyll y esta dirección. Tendría mi estatura, o quizás un poco menos, y el pelo rubio. Afeitado pero con bigote. —Se detuvo. Al ver el modo en que la mujer lo miraba y el mohín de su boca dedujo que acababa de describirle a Argyll—. Lo lamento —repitió.

Los labios de la señora Porter temblaban.

—¿Qué ha pasado? Si no estaba borracho, ¿cómo es que se ha caído al río? ¡No tiene sentido! —Seguía desafiante, aferrándose al último hilo de esperanza como si la incredulidad pudiera evitar que lo que acababa de oír fuera cierto.

—Iba en compañía de una señorita —prosiguió Monk—. Daban la impresión de estar sosteniendo una conversación bastante acalorada. Se agarraron mutuamente y se balancearon un poco, entonces ella cayó de espaldas contra la barandilla. Forcejearon un poco más...

—¿Qué quiere usted decir con eso de «forcejearon»? —inquirió la señora Porter—. ¿Pretende insinuar que se peleaban?

Aquello era peor de lo que se había figurado. ¿Qué estaban haciendo cuando los vio? ¿Qué había visto él, exactamente? Trató de apartar de su mente todas las ideas posteriores, los intentos por comprender, por interpretar los hechos y rememorar con precisión lo que había ocurrido. Ambas figuras estaban sobre el puente, la mujer más próxima a la barandilla. ¿Lo estaba? Sí, era ella. El viento soplaba desde detrás de ellos y Monk había visto sus faldas infladas colándose entre los balaustres del antepecho. Ella agitó los brazos y apoyó las manos en los hombros del hombre. ¿Una caricia? ¿O empujándolo? Él retiró el brazo levantándolo hacia atrás. ¿Apartándose de ella? ¿O preparándose para golpear? Él la tenía agarrada. ¿Para salvarla o para empujarla?

La señora Porter aguardaba, con los brazos cruzados, y todavía temblaba en la cocina caldeada con sus aromas a hora de cenar.

—No lo sé —dijo Monk despacio—. Estaban sobre nosotros, se recortaban contra la luz, y a casi sesenta metros.

La señora Porter miró a Orme.

—¿Usted también estaba allí, señor?

—Sí, señora —contestó Orme, plantado como un poste en medio del suelo fregado—. Y el señor Monk dice verdad. Cuanto más lo pienso menos seguro estoy de saber qué he visto exactamente. Era esa hora del anochecer... justo antes de que enciendan las farolas. Crees que ves bien pero te equivocas.

—¿Quién era ella? —preguntó la señora Porter—. La mujer que se cayó con él.

—¿Acaso piensa en alguien que no le sorprendería? —intervino Monk—. Suponiendo que estuvieran peleando, claro.

El disgusto de la señora Porter era más que patente.

—Bueno... No me gusta decirlo... —vaciló.

—Sabemos quién era, señora Porter —la interrumpió Monk—. Tenemos que averiguar lo que ha ocurrido, para no permitir que nadie cargue con la culpa de algo de lo que no es responsable.

—Ya no puede hacerles daño —respondió la señora Porter ignorando las lágrimas que le surcaban las mejillas—. Están muertos, pobres criaturas.

—Pero tendrán familiares interesados —señaló Monk—. Y un entierro en tierra consagrada... O no.

La señora Porter soltó un grito ahogado y se estremeció.

—¿Señora Porter?

—¿Era la señorita Havilland? —preguntó con voz ronca.

—¿Qué puede decirme de ella?

—Pero ¿era ella? ¡Claro, seguro! Desde que la conoció no tuvo ojos para otra.

—¿Estaba enamorado de ella?

Por descontado, aquello podía significar muchas cosas, desde la verdadera y desinteresada entrega del corazón, que pasaba por la generosidad y la necesidad, hasta la dominación y la obsesión. Y el rechazo podía significar cualquier cosa entre la resignación y el enojo pasando por el sufrimiento, o la ira y la sed de venganza, quizás incluso de destrucción.

La casera titubeaba.

—¿Señora Porter?

—Sí —dijo enseguida—. Estaban prometidos, o al menos él parecía dar por hecho que lo estaban, y entonces ella quiso romper. Tampoco es que fuese un compromiso formal, vaya. No lo habían anunciado.

—¿Sabe por qué?

—¿Yo? —dijo ella, perpleja—. Claro que no.

—¿Había una tercera persona?

—Por parte de él no, y de ella yo diría que tampoco. Al menos eso es lo que él aseguraba. —La señora Porter sorbió por la nariz y tragó saliva—. Esto es terrible. Nunca había oído nada igual, entre gente fina al menos. ¿Por qué les dio por ir a saltar de los puentes? Al señor Argyll esto va a afectarle muchísimo, pobre hombre.

—¿El señor Argyll? ¿Se refiera al padre? —preguntó Monk.

—No, al hermano. Le lleva unos cuantos años, o eso se diría. —La mujer volvió a sorber y buscó un pañuelo en el bolsillo del delantal—. Sólo lo he visto cinco o seis veces, cuando venía a buscar al señor Toby. Un caballero muy rico. Es el amo de esas grandes máquinas y cosas que están cavando las nuevas alcantarillas que diseñó el señor Bazalgette para limpiar Londres, y así no cogeremos más el tifus ni el cólera ni nada. El pobre príncipe Albert tuvo que morir y a la reina se le partió el corazón para que se decidieran a hacerlo. ¡Qué escándalo!

Monk guardaba con toda claridad en el recuerdo la Gran Peste del cincuenta y ocho, cuando el desbordamiento de aguas residuales fue tan grave que la ciudad de Londres entera devino una especie de inmensa cloaca abierta.

El olor del Támesis era tan repugnante que uno se atragantaba y un kilómetro antes de llegar al río ya le entraban náuseas. El nuevo alcantarillado iba a ser el más avanzado de Europa. Costaría una fortuna y proporcionaría trabajo y riqueza a miles de personas, a decenas de miles si se tomaba en consideración a todos los peones, enladrilladores y ferroviarios implicados, a los albañiles, carpinteros y suministradores de productos diversos. La mayor parte de las alcantarillas se construían mediante el sistema a cielo abierto, conocido como «cortar y cubrir», pero algunas eran tan profundas que requerían excavar túneles.

—Así pues el señor Argyll era un joven acaudalado...

—Oh, sí. —La señora Porter se enderezó un poco—. Tiene su clase. Esta zona, señor Monk... No es nada barato vivir aquí.

—¿Y la señorita Havilland? —preguntó él.

—Oh, ella también era muy fina, pobrecita —respondió la casera de inmediato—. Era toda una dama, pese a sus opiniones. A mí siempre me ha parecido bien decir lo que pienso, pero más de uno manifestaría que eso no era propio de una joven dama.

Habiéndose casado con una mujer de apasionadas opiniones sobre un montón de temas, Monk nada pudo argüir. En realidad, de repente vio a Mary Havilland no tal como era ahora, sino con la esbelta, temible y vulnerable figura de Hester, de hombros un poco demasiado estrechos, con su ligera angulosidad, pelo castaño y ojos de tan encendida inteligencia que nunca los había podido olvidar desde el día en que se conocieron... Desde que discutieron por primera vez.

Al volver a hablar lo hizo con voz ronca.

—¿Sabe por qué quiso romper la relación, señora Porter? ¿O acaso era una generosa ficción que el señor Argyll toleraba y en realidad fue él quien la acabó?

—No, fue cosa de ella —contestó la señora Porter sin vacilar—.

Él andaba muy disgustado, intentaba hacerla cambiar de parecer.
—Sorbió una vez más—. Nunca pensé que pudiera llegar a esto.

—Aún no sabemos qué ha sucedido —señaló Monk—, pero agradecemos su ayuda. ¿Podría usted facilitarnos las señas del hermano del señor Argyll? Tenemos que informarle del suceso. Me figuro que no sabrá usted quiénes son los familiares más próximos de la señorita Havilland. Sus padres, supongo.

—Eso no lo sé, señor. Pero voy a darle la dirección del señor Argyll ahora mismo, no se apure. Pobre hombre, se quedará destrozado. ¡Con lo unidos que estaban!


Alan Argyll vivía a poca distancia de allí, en Westminster Bridge Road, y Monk y Orme sólo tardaron unos diez minutos a pie hasta la magnífica casa cuya dirección les había facilitado la señora Porter. Las cortinas estaban corridas contra la temprana noche invernal, pero las farolas de gas de la calle mostraban la elegante línea de las ventanas y la escalinata de piedra que subía hasta una amplia puerta labrada en la que brillaba con el tenue resplandor del latón la cabeza de león que hacía las veces de aldaba.

Orme miró a Monk pero no dijo nada. Dar una noticia como aquélla a la familia era infinitamente peor que a una casera, por más comprensiva que fuera. Monk hizo ademán de asentir pero no había nada que decir. Orme trabajaba en el río; estaba acostumbrado a la muerte.

Acudió a abrir la puerta un mayordomo bajo y corpulento cuyo pelo canoso clareaba en lo alto de la cabeza. Por su mirada firme y poco sorprendida resultó obvio que los tomaba por conocidos de trabajo de su patrón.

—El señor Argyll está cenando, señor —dijo a Monk—. Si tiene la bondad de aguardar en la sala de día estoy seguro de que vendrá a verlos en su debido momento.

—Somos de la Policía Fluvial del Támesis —respondió Monk, que en un principio sólo había dado su nombre—. Me temo que traemos malas noticias que no pueden esperar. Quizá sería aconsejable tener a punto una copa de brandy, por si acaso. Lo lamento.

El mayordomo titubeó.

—Desde luego, señor. ¿Me permite preguntar qué ha ocurrido?

¿Ha sido uno de esos túneles, señor? Es muy triste, pero al parecer esas cosas son inevitables.

Monk era consciente de que excavaciones tan impresionantes como las que se estaban efectuando de vez en cuando causaban corrimientos de tierras e incluso desplomes de paredes que enterraban las máquinas y en ocasiones herían a los trabajadores. Se había producido un desastre espectacular por la parte de Fleet Street hacía apenas unos días.

—Algo parecido, sí —convino Monk—. Pero el asunto que nos ocupa ha tenido lugar en el río, y por desgracia se trata de una mala noticia de carácter personal para el señor Argyll. Debe ser informado cuanto antes.

—Ay por Dios —dijo el mayordomo en voz baja—, eso sí que es terrible. Sí, señor. —Inhaló profundamente y soltó el aire en silencio—. Si me acompañan a la sala de día, enseguida avisaré al señor Argyll.

La sala de día era muy sombría, de tonos marrones y dorados. El fuego se había dejado apagar, pero ya había caído la noche y por lo general no debían de usarla a esas horas. Monk y Orme aguardaron de pie y en silencio en el centro de una alfombra de Aubusson. Monk se fijó en el cuadro de encima de la chimenea, que representaba un paisaje de las Highlands, y en un pequeño roedor disecado dentro de una urna de cristal sobre una mesa arrimada a la pared. Constituían tímidos intentos para demostrar que la riqueza de los Argyll era de rancio abolengo, lo que llevó a Monk a pensar que probablemente no lo era.

La puerta se abrió de par en par y Alan Argyll se plantó en la entrada, muy pálido y con los ojos oscuros bajo la luz de la lámpara. Era de estatura superior a la media y delgado, con una insinuación de fuerza física además de mental. Sus rasgos estaban bien proporcionados pero emanaban la frialdad de quien no solía reír fácilmente.

En esas circunstancias resultaba ridículo decir «buenas noches». Monk se adelantó un paso.

—Soy William Monk, de la Policía Fluvial del Támesis, señor. Él es el sargento Orme. Lamento mucho decirle que su hermano, el señor Toby Argyll, se ha caído del puente de Westminster a primera hora de esta noche, y aunque le hemos dado alcance pocos minutos después de la caída, ya había fallecido.

Argyll le miraba fijamente balanceándose un poco, como si hubiese recibido un golpe.

—¿Usted estaba presente? ¡Por Dios! ¿Y por qué no... —Soltó un grito ahogado y tuvo dificultades para recobrar el aliento. Daba la impresión de estar a punto de desmoronarse.

—Estábamos patrullando el río —contestó Monk—. Lo lamento, señor, nadie hubiese podido auxiliarlo. En tales circunstancias, un hombre se ahoga muy deprisa. Pienso que seguramente no ha sentido nada. Me consta que es un magro consuelo, pero tal vez le sirva en su momento.

—¡Tenía veintinueve años! —gritó Argyll. Se adentró en la sala y la luz brilló en su rostro. Monk enseguida vio el parecido con su hermano: la línea de la boca, el color de sus bien formados ojos, el modo en que le crecía el pelo gris—. ¿Cómo puede uno caerse de un puente? —inquirió—. ¿No habrá sido un crimen y me lo está ocultando? ¿Le agredieron?

La rabia le ahogó la voz y apretó los puños.

—No estaba solo —dijo Monk con premura para que Argyll no perdiera el control. A la congoja estaba acostumbrado, incluso al enojo, pero en aquel hombre, justo debajo de la superficie, había un hilo de violencia que se desenredaba deprisa—. Una joven llamada Mary Havilland se encontraba con él...

Argyll miró a Monk azorado.

—¿Mary? ¿Dónde está? ¿Se encuentra bien? ¿Qué ha sucedido? ¿Qué es lo que me está ocultando, hombre? ¡No se quede ahí como un pasmarote! ¡Me está hablando de mi familia...!

Otra vez los puños apretados, la piel de los nudillos tensa y pálida sobre el hueso.

—Perdone, la señorita Havilland ha caído con él —dijo Monk con gravedad—. Se agarraban el uno al otro.

—¿Qué quiere decir con que «se agarraban»? —inquirió Argyll—. ¿Qué insinúa?

—Que han caído juntos, señor —repitió Monk—. Se hallaban junto a la barandilla, enfrascados en lo que parecía una discusión acalorada. Nosotros nos encontrábamos demasiado lejos para oír nada. Cuando hemos vuelto a mirar se apoyaban en la barandilla y un instante después perdían el equilibrio y caían.

—¿Ha visto a un hombre peleando con una mujer y se ha puesto a mirar hacia otro lado? —dijo Argyll en tono de incredulidad—. ¿Hacia dónde, por el amor de Dios? ¿Qué diantre podía haber más...?

—Íbamos de patrulla —lo interrumpió Monk—. Vigilamos el río entero. Ni siquiera habríamos llegado a ver lo poco que hemos visto si no se hubiesen puesto tan cerca de la barandilla. Parecía una conversación normal y corriente, quizás una riña amorosa, una reconciliación. De haber seguido mirando habríamos pecado de indiscretos.

Argyll permaneció inmóvil, de pie, pestañeando.

—Sí —dijo por fin—. Sí, por supuesto. Lo siento. Toby... Toby era mi único pariente. Al menos... —Se pasó la mano por la cara casi como para recobrar el equilibrio, y de un modo u otro aclararse la vista—. Mi esposa. ¿Dice que Mary Havilland también ha fallecido?

—Sí. Lo siento. Tengo entendido que estaba muy unida a su hermano.

—¡Unida! —La voz de Argyll volvió a subir con una peligrosa nota de histeria—. Era mi cuñada. Toby era su prometido, al menos iban a casarse. Ella... ella lo suspendió. Estaba muy trastornada...

Monk no acababa de enternderlo.

—¿Hubiese sido su cuñada?

—¡No! Lo era. Mary era hermana de mi esposa —dijo Argyll. Respiró hondo y añadió—: Mi esposa se quedará... anonadada. Esperábamos que...

Se interrumpió.

Monk tenía que continuar con el interrogatorio, por doloroso que fuera para Argyll contestar a más preguntas. En esos momentos bajaría la guardia, y tal vez le desvelara una verdad que más adelante, por decencia o compasión, habría encubierto. Según había dicho la casera, Mary era una mujer de carácter fuerte y convicciones firmes.

—¿Sí, señor? ¿Qué esperaban...? —apuntó Monk.

—Oh... —Argyll suspiró y apartó la mirada. Anduvo a tientas hasta un sillón y se sentó pesadamente. Aparentaba estar en la cuarentena, lo que significaba que era considerablemente mayor que su hermano. Pero eso sólo confirmaba lo que había dicho la señora Porter.

Monk también tomó asiento para ponerse a la misma altura que Argyll. Orme se quedó discretamente de pie a un par de metros.

Argyll miró a Monk.

—El padre de Mary se suicidó hace menos de dos meses —dijo en voz baja—. Fue algo muy penoso. Tanto Mary como Jenny, mi esposa, quedaron destrozadas de dolor. Su madre había muerto muchos años antes, y era un golpe terrible. Mi esposa lo ha sobrellevado con gran entereza, pero Mary había dado muestras de estar perdiendo su... su equilibrio mental. Se negaba a aceptar que aquella muerte fuera en efecto un suicidio, aun cuando la policía lo había investigado, naturalmente, y había llegado a aquella conclusión. Esperábamos... esperábamos que ella...

—Lo lamento —dijo Monk con sinceridad. Imaginó a Mary tal como debía de haber sido en vida, el pálido y terso rostro animado por la emoción, el enojo, el asombro, el pesar—. Es una carga muy dura de llevar. —Como un golpe físico recordó que el padre de Hester también se había quitado la vida y que el dolor que había causado seguía siendo próximo y real, de un modo que las palabras no pueden expresar por sí solas—. De veras que lo siento —dijo otra vez.

Argyll le miró con expresión de sorpresa, como si hubiese percibido la emoción contenida tras las frases educadas.

—Sí, sí. Es duro. —Saltaba a la vista que no había esperado que Monk se permitiera mostrar sus propios sentimientos—. No quiero ni imaginar cómo reaccionará la pobre Jenny ante esta tragedia. Es...

No logró dar con las palabras apropiadas para lo que quería decir, quizás incluso a sí mismo.

—¿Cree que le sería más fácil a la señora Argyll si estamos presentes para que pueda formularnos cuantas preguntas desee? —preguntó Monk—. ¿O prefiere contárselo usted en privado?

Argyll titubeó. Parecía sinceramente indeciso.

Monk aguardó. El reloj de la repisa de la chimenea tocó los cuartos; por lo demás, reinaba el silencio.

—Quizá no debería negarle la ocasión de hablar con ustedes —dijo Argyll por fin—. Si tienen la bondad de excusarme, le daré la noticia a solas y entonces veremos qué prefiere. —Dio por hecho que contaba con la aquiescencia de Monk y se levantó. Salió de la sala con paso inseguro, evitando a duras penas darse de bruces contra la jamba de la puerta en el último instante y dejando ésta abierta.

—¡Pobre hombre! —dijo Orme en voz baja—. Ojalá pudiéramos decirle que fue un accidente.

Interrogó a Monk con la mirada.

—Ojalá —convino Monk. Empezaba a parecer como si Mary Havilland hubiese sufrido un desequilibrio mental, aunque fuese temporal, pero aún no quería decir nada al respecto, ni siquiera a Orme.

El mayordomo entró y se apostó como una sombra justo ante la puerta.

—La señora Argyll me ha pedido que vea si quieren que sirva algo a los caballeros. ¿Tal vez una cerveza? —No iba a ofrecerles un buen jerez que no apreciarían ni, por descontado, el mejor brandy.

Monk se dio cuenta de que tenía un hambre lobuna. Seguro que Orme también. Quizás al menos en parte fuese el motivo de que siguiera teniendo frío.

—Gracias —aceptó—. Hemos venido directamente del río. Un bocadillo y una jarra de cerveza sería muy gentil de su parte.

El mayordomo se mostró levemente incómodo, como si pensara que tendría que habérsele ocurrido a él.

—Inmediatamente, señor —contestó—. ¿Ternera asada y mostaza les parece bien?

—Sería perfecto —contestó Monk.

Orme le dio las gracias calurosamente en cuanto la puerta se cerró.

—Espero que venga antes de que vuelva el señor Argyll —agregó—. No sería correcto comer delante de él, sobre todo si también viene la señora Argyll. Aunque me da que no va a venir. Casi todas las damas encajan muy mal las malas noticias.

Los bocadillos llegaron y Monk y Orme dieron cuenta de ellos vorazmente, terminando justo antes de que Argyll regresara. Pero Orme había errado en su segunda suposición: Jenny Argyll decidió verles. Entró delante de su marido. Era una mujer guapa cuyos ojos y boca guardaban una asombrosa semejanza con los de su hermana difunta, pero con el cabello más oscuro y sin los mismos pómulos altos. Ahora también ella estaba desprovista de color y tenía los párpados hinchados por haber llorado, pero mantenía notablemente bien la compostura, habida cuenta de las circunstancias. Lucía un vestido rojo oscuro de lana con una falda muy amplia y un elaborado peinado que la doncella sin duda había tardado más de media hora en terminar. Miró a Monk con educación pero sin el menor interés.

Argyll cerró la puerta a sus espaldas y aguardó a que su esposa se sentara.

Monk le dio el pésame.

—Gracias —dijo la señora Argyll escuetamente—. Dice mi marido que Mary se ha caído del puente de Westminster. Toby estaba con ella. A lo mejor intentó detenerla y no lo logró. ¡Pobre Toby! Creo que todavía la amaba, a pesar de todo. —Se le llenaron los ojos de lágrimas, pero conservó la compostura. Resultaba imposible decir el esfuerzo que le costaba. No miró a su marido, ni siquiera intentó tocarlo.

Monk tendría que haber aceptado la respuesta implícita en sus palabras y, sin embargo, contra toda lógica, se negaba a hacerlo. Cuando el padre de Hester se pegó un tiro por culpa de una deuda impagable fruto de una trampa que le habían tendido, ella regresó de Crimea, donde había estado sirviendo como enfermera militar, y redobló sus esfuerzos para fortalecer a su familia y luchar contra todos los agravios que encontró. Habían sido su entereza y su determinación los que habían dado fuerzas a Monk para luchar contra una carga que a él le había parecido imposible de soportar. Hester era mordaz, al menos eso pensó entonces, dogmática e imprudente al exponer sus ideas, presurosa de juicio y de genio vivo, pero incluso él, que la había encontrado tan irritante, nunca había dudado de su coraje y su voluntad de hierro.

Por descontado, Monk había conocido la pasión, la alegría y la vulnerabilidad de ella desde entonces. ¿Estaba imaginando en Mary Havilland algo que ella jamás había poseído? Costara lo que le costase a la señora Argyll, Monk deseaba saberlo.

—Tengo entendido que su padre falleció recientemente —dijo con gravedad—, y que a la señorita Havilland le resultaba muy difícil aceptarlo.

Ella le miró con recelo.

—Nunca lo hizo —contestó—. Se negaba a aceptar que se hubiese quitado la vida. No lo aceptaba a pesar de todas las pruebas en ese sentido. Me temo que el tema la... obsesionaba. —Pestañeó—. Mary era muy... voluntariosa, para decirlo suavemente. Estaba muy unida a papá y no se creía que algo le hubiera ido tan mal y no se lo hubiese confiado. Me temo que quizá no estuvieran tan... unidos como ella imaginaba.

—¿Cabe pensar que se sintiera afligida por la ruptura del compromiso con el señor Argyll? —preguntó Monk tratando de aferrarse a algún motivo para que una muchacha saludable hiciera algo tan desesperado como arrojarse desde un puente. Y ¿había tenido intención de llevarse a Argyll consigo o era que él, aun a riesgo de su propia vida, había intentado salvarla? ¿O lo hizo movido por la culpabilidad porque la había abandonado, posiblemente por otra mujer? Desde luego, era preciso que el forense dilucidara si estaba embarazada. Eso quizás explicaría buena parte... La idea era repulsiva, pero quizás había pensado que el suicidio era la única solución, si él no iba a casarse con ella, y estaba resuelta a llevárselo consigo. En tal caso, él era, en cierto sentido, el causante de su pecado. Pero eso sólo podía ser cierto si estaba encinta, y si además lo sabía con seguridad.

—No —dijo la señora Argyll cansinamente—. Fue ella quien rompió. En todo caso, era Toby el afligido. Mary... se volvió muy rara, señor Monk. Parecía resentida con todos nosotros. Estaba obcecada con la idea de que iba ocurrir una tragedia espantosa en los nuevos túneles de alcantarillado que está construyendo la empresa de mi marido. —Se la veía agotada, como si visitara de nuevo un dolor antiguo y arduamente combatido—. Mi padre tenía un miedo morboso a los espacios cerrados y era bastante reaccionario. Le daban miedo las máquinas nuevas que hacen el trabajo mucho más deprisa. Me figuro que es usted consciente de la acuciante necesidad de construir una nueva red de alcantarillado para la ciudad...

—Sí, señora Argyll, creo que todos los somos —contestó Monk. No le gustaba la imagen que estaba emergiendo y, sin embargo, no podía negarla. Fue sólo su propia emoción lo que le empujó a combatirla, un vínculo mental completamente irracional entre Mary Havilland y Hester. Ni siquiera se trataba de algo tan definido como un pensamiento. De momento eran sólo las palabras que una casera que apenas la conocía había empleado para describirla, añadidas a una protectora aflicción por el suicidio de un padre.

—Mi padre permitió que se convirtiera en una obsesión para él —prosiguió la señora Argyll—. Dedicaba el tiempo a recabar información y hacer campaña para que la empresa cambiase sus métodos. Mi marido hizo cuanto pudo para que entrase en razón y aceptara que en la construcción es inevitable que se produzcan muertes de vez en cuando. Los hombres pueden tener un descuido. Hay corrimientos de tierra; el suelo arcilloso de Londres es peligroso de por sí. La Argyll Company tiene menos accidentes que casi todas las demás. Esto es un dato que podría haber corroborado fácilmente, y lo hizo. No podía señalar ningún percance de consideración, pero eso no alivió sus temores.

—La razón no mitiga los temores irracionales —terció Argyll con voz ronca por la emoción, incapaz de tocar a su esposa. Quizá temiera que si lo hacía, ambos perderían la poca compostura que les quedaba—. Deja de atormentarte. No podía hacer nada entonces, y tampoco ahora. Sus terrores finalmente se adueñaron de él. ¿Quién sabe qué ve otra persona en las horas oscuras de la noche?

—¿Se quitó la vida de noche? —preguntó Monk.

Fue Argyll quien contestó en un tono glacial.

—Sí, pero le agradecería que no insistiera más sobre el asunto. Ya fue debidamente investigado en su momento. Nadie más tuvo la menor culpa de nada. ¿Cómo podía alguien percatarse de que su locura había progresado tanto? Ahora todo indica que la pobre Mary también era mucho más inestable de lo que creíamos y que la muerte de su padre hizo presa en ella hasta el punto de incapacitarla también para tener un juicio humano y cristiano de las cosas.

Jenny se volvió hacia él frunciendo el entrecejo.

—¿Cristiano? —soltó desafiante—. Si alguien está tan sumido en la desesperación que considera la muerte como su única solución, ¿no podemos tener un poco de... piedad? —Su mirada era de enojo.

—¡Perdona! —dijo Argyll enseguida, pero sin mirarla—. No era mi intención dar a entender una blasfemia contra tu padre. Nunca sabremos qué demonios le empujaron a servirse de semejante recurso. ¡Incluso perdonaría a Mary, si no se hubiese llevado a Toby con ella! Eso... Eso es... —No pudo continuar. Las lágrimas comenzaron a correr por sus mejillas, y se volvió para ocultar el rostro.

Jenny se levantó, rígida y vacilante.

—Gracias por venir, señor Monk. Me temo que no somos de mucha ayuda. Les ruego que nos disculpen. Pendle los acompañará hasta la puerta.

Fue hasta el cordón de la campanilla y tiró de él. El mayordomo se presentó casi en el acto y Monk y Orme se marcharon, no sin antes entregar al señor Argyll una tarjeta y pedirle que al día siguiente, cuando se hubiera recobrado, fuera a reconocer los cadáveres.

—Pobre diablo —dijo Orme cuando se encontraron otra vez en la gélida acera. La neblina envolvía las farolas como una gasa. La frágil luna con forma de hoz surcaba el cielo—. Los dos han perdido un pariente la misma noche. Es curioso cómo un instante puede cambiarlo todo. ¿Cree que lo ha hecho aposta?

—¿El qué, saltar o llevárselo a él? —preguntó Monk comenzando a caminar hacia el puente de Westminster, donde sería más probable encontrar un coche libre. Aún abrigaba la esperanza de que fuese un accidente.

—No es que lo sepa seguro —respondió Orme—, pero a mí no me ha parecido que intentaran saltar. Estaba de espaldas, para empezar. Los saltadores suelen ponerse de cara al agua.

Monk notó que lo invadía una ola de calor incluso a pesar de que la resbaladiza humedad de la acera se estuviera congelando bajo sus pies. No iba a abandonar la esperanza, todavía no.

Monk llegó a casa antes de las nueve. Regresaba mucho más tarde un día normal y corriente, aunque muy poca cosa era rutinaria en su nuevo trabajo. Hasta el mejor de sus empeños podía no bastar; el segundo mejor desde luego que no bastaría. Cada día aprendía más acerca de las aptitudes, los conocimientos y el respeto que había poseído Durban. Admiraba las cualidades que se lo habían granjeado y se intimidaba. Tenía la impresión de ir siempre un paso por detrás de Durban. Aunque no, eso era absurdo, puesto que iba metros por detrás de él.

Conocía a la gente y el crimen; tenía un olfato especial para percibir el miedo y esclarecer mentiras; sabía cuándo enfrentarse y cuándo ser indirecto. Lo que no conocía Monk eran las pautas, los delitos y las escapatorias, las trampas y ardides que sólo se daban en el río; y, por otra parte, nunca había sabido despertar el afecto y la lealtad de los hombres bajo sus órdenes. ¡Runcorn daría testimonio de ello! Admiraban su inteligencia, sus conocimientos y su fuerza, y los atemorizaba su lengua, pero no les caía bien. Brillaban por su ausencia el honor y la amistad que de buen principio percibiera entre Durban y sus hombres.

Había cruzado el río en transbordador, puesto que tan abajo no había puentes, y ahora se hallaba en la ribera sur, adonde él y Hester se habían mudado en cuanto aceptó el nuevo empleo. Les era prácticamente imposible seguir viviendo en Grafton Street. Quedaba a kilómetros de la jefatura de Wapping.

Subía la cuesta de Paradise Street y las farolas le parecían lunas neblinosas. Olía el río y oía alguna que otra sirena mientras la niebla reptaba sobre las aguas. Los pequeños charcos de la calle estaban helados. Aquel paraje aún le resultaba extraño, nada le era familiar.

Metió la llave en la cerradura de la puerta y abrió.

—¡Hester!

Ella apareció de inmediato, con un delantal atado a la cintura y el cabello recogido apresuradamente con horquillas. Llevaba una escoba en la mano, y nada más verlo la soltó y corrió a su encuentro. Tomó aire como para decir que era tarde, pero cambió de parecer. Estudió el semblante de Monk e interpretó la emoción que encerraba.

—¿Qué ha ocurrido? —preguntó.

Monk sabía lo que ella temía. Había entendido por qué tenía que aceptar el empleo en el puesto de Durban, tanto en lo moral como en lo económico. Con Callandra en Viena no podían permitirse la libertad o la incertidumbre de encargarse sólo de casos privados. En ocasiones las recompensas eran excelentes pero con demasiada frecuencia más bien pecaban de exiguas. Había casos irresolubles y otros en los que el cliente sólo disponía de posibles para recompensarle modestamente. Nunca podían hacer planes con antelación y, a diferencia de antes, no tenían a quién recurrir en un mal mes. Haciendo honor a la verdad, a su edad tampoco deberían necesitarlo. Era hora de proveer, no de ser provisto.

Hester podría haber salido a trabajar fuera de casa y, de haber sido imprescindible, lo hubiese hecho. Pero para ejercer de enfermera había que estar al pie del cañón día y noche, y ninguno de los dos deseaba que ella viviera en otra parte. Después del horror del año precedente, para tener paz de mente y corazón, Monk la necesitaba en casa.

—¿Qué pasa? ¿Algo ha ido mal? —preguntó Hester al ver que no contestaba.

—Un suicidio en el puente de Waterloo —respondió Monk—. De hecho, en cierto modo dos. Un hombre y una mujer cayeron juntos, pero no sabemos si fue accidental o no.

Un destello de alivio iluminó el semblante de Hester para acto seguido dar paso a la compasión.

—Lo siento. ¿Os mandaron aviso?

—No, en realidad estábamos allí. Vimos cómo ocurría.

Hester sonrió con ternura y acarició el rostro de Monk con el dorso de la mano, tal vez consciente de tenerla sucia de polvo. ¿Había estado atareada con las faenas de la casa hasta tan entrada la noche para no preocuparse por él?

—Qué horror —dijo apenada—. Tenían que estar muy desesperados para saltar al río en esta época del año.

—Hubiesen muerto en cualquier estación —contestó Monk—. La corriente es muy fuerte y el agua absolutamente inmunda.

A otra mujer le habría dado una respuesta más comedida, ahorrándose los detalles macabros, pero Hester había visto agonizar y morir a mucha más gente que él. El trabajo policial, por muy desalentador que fuera a veces, no podía compararse con el campo de batalla o las pérdidas posteriores por causa de la gangrena y las fiebres.

—Sí, ya lo sé —contestó ella—. Pero ¿supones que lo sabían antes de saltar?

De repente lo ocurrido devino algo inmediato, dolorosa y angustiosamente real. Mary Havilland había sido una mujer como Hester, afectuosa y llena de sentimientos, capaz de reír y de sufrir; ahora sólo era un caparazón vacío del que el alma había huido. Ya no era nadie. Apoyó las manos en los hombros de Hester y la atrajo hacia sí, la estrechó entre sus brazos y sintió ceder su cuerpo esbelto, como si ella pudiera ablandar su osamenta amoldándose a él.

—No sé si esa muchacha iba a saltar y él trató de impedirlo —susurró a los cabellos de Hester—, ni si él la empujó y ella se aferró a él, llevándoselo consigo, ni si lo hizo adrede. No sé cómo voy a averiguarlo pero lo haré.

Hester prolongó el abrazo un momento, en silencio, y luego se apartó y le miró.

—Estás helado —dijo con sentido práctico—. Y me figuro que no habrás comido. Todavía no he terminado con la cocina, la verdad, pero tengo sopa caliente y pan fresco, y también tarta de manzana, si te apetece.

Llevaba razón: aún le duraba el frío del largo trayecto desde Waterloo Bridge Road hasta Wapping y de la todavía más fría travesía del río. Los bocadillos del mayordomo parecían de tiempos remotos. Monk aceptó el ofrecimiento. Entre bocados se interesó por el día que había tenido Hester y por sus progresos en la redecoración de la casa. Entonces se sentó constatando lo a gusto que se sentía en todo lo que de verdad importaba.

—¿Quién era ella? —preguntó Hester.

Monk no tenía ganas de pensar en ello, pero sabía que Hester no lo dejaría correr. Ella ya había percibido el sentimiento que lo embargaba. Resultaba a un tiempo ventajoso y molesto que a uno le conocieran tan bien. Años atrás le habría entrado el pánico. Habría sentido que se inmiscuían en su vida, incluso como si de un modo u otro su seguridad se viera amenazada. Le asombraba lo deprisa que se había acostumbrado. Había mucha más dulzura de la que se había figurado en eso de no estar solo, en no tener que explicarse, puesto que ya se le comprendía, y en que se le aceptara tal como era.

Pero también significaba que no se podía esconder, ni siquiera cuando hubiese preferido hacerlo. No podía eludir las preguntas desagradables o peligrosas, las respuestas que preferiría ignorar, porque ambos las veían, no sólo él.

—¿Quién era ella, William? —repitió Hester.

—Mary Havilland —contestó él. ¿Merecía la pena evitar la pregunta de por qué le importaba? Hacerlo no le brindaría ninguna paz, pues implícitamente sería una mentira que cerraría una puerta entre ellos y eso era lo último que Monk deseaba. ¿Alguien había dejado fuera a Mary? ¿Alguien a quien ella amaba, como su padre? ¿Se habría negado a contarle qué le había llevado a las puertas de la desesperación?—. Su padre se quitó la vida hace un par de meses —añadió mirando el rostro de Hester. Vio una sombra de aflicción en su mirada y también la tensión de los labios—. Su hermana cree que no había podido recobrarse del disgusto —agregó—. Lo siento.

Hester desvió la mirada.

—Ya pasó —dijo en voz baja. Se refería a su propio padre, no a Havilland—. ¿Por qué lo hizo? —preguntó—. ¿También fue por una deuda?

Monk padecía por ella, anhelaba curar aquella herida que de tan dolorida no se podía tocar. Quizá siempre lo estaría.

—Según parece, no —respondió—. Trabajaba para la Argyll Company y creía que había cierto peligro de accidente en los túneles. Están construyendo parte de las nuevas cloacas...

—¡Y ya iba siendo hora! —apuntó Hester—. ¿Qué clase de accidente?

—No lo sé. —Monk explicó las relaciones de la familia escuetamente—. Argyll dice que tenía terror a los corrimientos de tierras, a los hundimientos y demás. Acabó obsesionado, no del todo en su sano juicio.

—¿Y eso es verdad? —insistió Hester forzándose a pensar sólo en el caso presente.

—No lo sé —respondió Monk. A continuación le refirió el compromiso de Mary con Toby Argyll, le explicó que ella lo había roto y el único motivo que se daba era la aflicción por la muerte de su padre y su negativa a creer que se la hubiese causado él mismo. Era incapaz de pasar página.

—¿Y qué ocurrió en realidad? —preguntó Hester—. ¿Un accidente? ¿O un asesinato?

Aunque estaba siendo rigurosamente práctica, Monk percibió su tensión, el control deliberado y el esfuerzo.

—No lo sé. Pero la policía lo investigó. Fue en la zona de Runcorn.

La miró fijamente con una sonrisa triste.

Hester comprendió por qué aquello añadía ironía y dolor al caso. Más de lo que él hubiese deseado, ella había visto su ambición de autoridad, el modo en que había peleado, aplastado y enfurecido a Runcorn en el pasado. Hester desconocía los destellos de recuerdo y vergüenza que Monk había tenido al darse cuenta de cómo había utilizado a Runcorn para alcanzar el éxito antes del accidente que le hizo perder la memoria. El olvido había tenido la gentileza de limpiar de la mente ciertas cosas.

—Pero vas a averiguarlo —dijo Hester observándole.

—Sí, tengo que hacerlo. Si lo hizo a propósito la enterrarán en terreno no consagrado.

—Lo sé. —Los ojos de Hester se llenaron de lágrimas.

Al instante Monk deseó no haberlo dicho en voz alta. Se habría dado de bofetadas por tan estúpida sinceridad. Tendría que haberla protegido, incluso mentir.

Ella le leyó el pensamiento otra vez.

—En realidad no existe ningún terreno no consagrado. —Tragó saliva con dificultad—. Toda la tierra es terreno consagrado, ¿no? Sólo es lo que piensa la gente. Pero hay personas que dan mucha importancia a que las entierren con los suyos, de estar juntas incluso en la muerte. A ver qué puedes averiguar. Su hermana necesitará saber la verdad, pobre mujer.

# 2

A la mañana siguiente la marea estaba alta y el río, que olía a fango y a sal, a peces muertos y madera podrida, parecía querer lamer las puertas cuando Monk cruzó el muelle. Ya no hacía tanto viento y la superficie del agua apenas se rizaba al subir rozando los postes del embarcadero y los escalones que conducían a los muelles y terraplenes. La escarcha nocturna se había derretido en algunos lugares, pero aún había zonas tan resbaladizas como vidrio untado de aceite.

—Buenos días, señor —lo saludó Orme cuando hubo entrado en la comisaría. La estufa había permanecido encendida toda la noche, con lo que la habitación estaba caldeada.

—Buenos días, Orme —correspondió Monk cerrando la puerta a sus espaldas. Había otros tres hombres presentes: Jones y Kelly, muy ocupados revisando papeles, y Clacton, de pie junto a la estufa.

Monk los saludó y fue debidamente correspondido, pero nada más. Seguía siendo un extraño, el usurpador del puesto de Durban. Todos ellos sabían que Durban había contraído la terrible enfermedad que había precipitado su muerte ayudando a Monk, y le culpaban por ello. Para aquellos hombres, que Durban hubiese perecido porque en parte así lo deseaba, consciente de la enormidad del peligro, y porque consideraba que era su deber, era irrelevante frente al enojo por la injusticia que sentían. Monk había participado en la misma operación y estaba vivo. Eso no podían excusarlo. Hubiesen preferido que muriera Monk, todos y cada uno de ellos.

Kelly, un irlandés de voz atiplada, menudo y pulcro le entregó los informes de delitos de la noche.

—Nada fuera de lo común, señor —dijo mirando a Monk a los ojos antes de apartar la mirada—. Una gabarra embarrancó durante la bajamar pero ya la han puesto a flote.

—¿Embarrancó intencionadamente? —preguntó Monk.

—Yo diría que sí, señor. Sin duda los armadores denunciarán que les falta parte del cargamento.

Kelly sonrió con fastidio.

—¿La arrastraron por el fango durante la marea baja? —cuestionó Monk—. Si trabajaran con tanto ahínco en algo legal seguramente ganarían más.

—Listo e inteligente nunca han significado lo mismo, señor —dijo Kelly secamente antes de volver a su trabajo.

Monk también recibió informes de Jones y Clacton, y habló brevemente con Butterworth cuando llegó. Kelly preparó té, muy caliente y oscuro como la caoba. Pasaría mucho tiempo antes de que Monk aprendiera a beberlo con gusto, pero si lo rechazara marcaría distancias. Además el té poseía la virtud de calentar las entrañas y levantar el ánimo, incluso cuando no llevara el chorrito de ron que con frecuencia le añadían.

Tras recibir el informe de las últimas patrullas en atracar y con la siguiente ya en el río, Monk les comunicó su decisión.

—Las dos personas que cayeron ayer del puente de Waterloo —comenzó.

—Suicidas —dijo Clacton poniendo mala cara—. Una riña entre amantes. Parece estúpido que ninguno de ellos saltara por voluntad propia.

Era un joven delgado y fuerte de estatura superior a la media que se tomaba muy en serio a sí mismo y era propenso a ofenderse sin motivo. Podía ser de gran ayuda o poner dificultades a todo, a tenor de su opinión, la cual rara vez cambiaba fueran cuales fuesen las circunstancias. A Monk le resultaba irritante y fue consciente de que se estaba enfureciendo. Los demás hombres lo observaban para ver cómo manejaría a Clacton. Otra prueba.

—Sí, en efecto —convino Monk en voz alta—. De ahí que me pregunte si fue eso lo que ocurrió.

—Pensaba que usted lo había presenciado —dijo Clacton en tono desafiante—. Señor —agregó con aspereza.

—Desde el río —contestó Monk—. Pudo ser un accidente durante una pelea o que ella saltara y él tratara de impedírselo. O incluso que él la empujara.

Clacton le miraba a los ojos.

—¿Por qué iba a hacer eso? ¡Nadie más lo ha dicho!

—A mí me pareció posible —le contradijo Orme. También le irritaba la actitud de Clacton. Su rostro franco y castigado por los elementos mostró una silenciosa ira.

—Si tenía intención de empujarla, ¿por qué no esperó media hora a que oscureciera? —inquirió Clacton endureciendo el semblante. Se acercó un poco más a la estufa—. No tiene sentido. ¡Y con una lancha de policía delante de sus narices! No, ella saltó y él perdió el equilibrio al intentar salvarla.

—No creo que nos viera —le contestó Jones—. La estaría mirando a ella, no a nosotros abajo en el agua.

—Sigue teniendo más sentido esperar a que oscurezca —repuso Clacton.

—¿Y si ella no estaba dispuesta a quedarse plantada en medio del puente hasta que se hiciera de noche? —replicó Jones—. A lo mejor no era tan complaciente...

Se sirvió más té acabándolo aposta.

—¡Si hubiese tenido previsto tirarla habría planeado las cosas para llegar a la hora oportuna! —dijo Clacton enojado mirando la tetera para luego desplazarse y taparle la estufa a Jones.

—Y por descontado los planes salen siempre a pedir de boca —agregó Jones con sarcasmo—. ¡No me vengas con ésas!

Hubo una explosión de risotadas, probablemente causadas por alguna pifia que hiciera Clacton en el pasado. Monk todavía se aplicaba en aprender no sólo el trabajo en sí mismo sino también, cosa en ocasiones más importante, las relaciones entre sus hombres, sus virtudes y sus defectos. Podían depender vidas de ello. El río era un lugar más peligroso que la ciudad. Incluso los barrios más bajos, con sus casas de vecinos llenas de chirridos y goteras, sus callejones sin salida y con alguna que otra trampilla te daban un suelo que pisar y un aire que respirar. Ni subían las mareas, ni había limo en las escaleras, ni había nada que transportar corriente arriba o abajo. No estaban llenos de remolinos y resacas que te engullían, ni desperdicios a la deriva, justo debajo de la superficie, que te impidieran salir a flote.

—No podemos estar seguros —dijo Monk—. El padre de Mary Havilland murió hace poco y según su hermana Mary estaba convencida de que lo asesinaron. Hay que investigar esa posibilidad. Si lo fue, tal vez ella corriera la misma suerte. Y también es probable que su muerte y la de Toby Argyll fuese el fruto de una riña que acabó en tragedia, no un caso de suicidio.

Kelly dejó de revisar documentos.

—Y así podríamos enterrarlos como es debido. Es lo que querrán sus familias.

—Y tanto —convino Monk.

—Pero si no la asesinaron no es nuestro trabajo —comentó Clacton mirando a Kelly y luego a Monk.

Monk se sintió montar en cólera. Tarde o temprano iba a tener que encargarse de Clacton.

—Ahora es mi trabajo —contestó con un dejo en la voz que tendría que haberle servido de advertencia a Clacton y a cualquiera que estuviera escuchando—. Cuando lo haya concluido, daré los resultados a quienquiera que los necesite, la familia, la Iglesia o el magistrado. Mientras tanto, ocúpese del robo de Horseferry Stairs y luego compruebe si se puede rastrear la gabarra de Watson & Sons.

Cruzó cuatro palabras con Orme para asegurarse de que todo quedaba en orden hasta que regresara, y de que si el comisario Farnham preguntaba por él éste pudiera darle la respuesta adecuada.

—Sí, señor —dijo Orme resueltamente—. Hay que saber si fue accidente, suicidio o asesinato. Si esa pobre muchacha estaba trastornada con la muerte de su padre, quizá no la culpen tanto.

Con aquella idea en la cabeza Monk emprendió el largo viaje en coche de alquiler desde Wapping hasta el domicilio de Mary Havilland en Charles Street, a un tiro de piedra del cruce con Lambeth Walk.

La casa no era ostentosa pese a su notable belleza y parecía ofrecer todas las comodidades. En la parte trasera tenía unas caballerizas, de modo que los residentes debían de estar acostumbrados a los lujos que implicaban. Tal como esperaba, las cortinas estaban corridas y había una corona en la puerta. Hasta habían esparcido aserrín por la calle para amortiguar el golpeteo de las pezuñas de los caballos.

Abrió la puerta un lacayo que no tendría más de dieciocho años, con la tez muy blanca y los ojos enrojecidos. Tardó unos instantes en recuperarse de la sorpresa de ver a un desconocido en el umbral.

—¿Sí, señor?

Monk se presentó y preguntó si podría hablar con el mayordomo. Ya sabía que allí no vivía ningún otro familiar. Jenny Argyll había dicho que Mary era su único pariente.

En el interior se guardaba el luto tradicional. Los espejos estaban cubiertos, los relojes parados y las azucenas dispuestas en varios jarrones despedían un leve perfume a invernadero. Su propia falta de naturalidad en pleno enero era un recordatorio de que la vida tal como se conocía allí había terminado.

El mayordomo fue al encuentro de Monk en la muy formal y austera sala de día. Hacía un frío glacial, pues no habían encendido ninguna chimenea, y las cristaleras de las librerías reflejaban la fría luz diurna que se colaba entre las cortinas medio descorridas como hielo en un estanque profundo.

El mayordomo, Cardman, era un hombre alto y enjuto de abundante cabello gris y rostro huesudo. Quizá fuera bastante atractivo en su juventud, pero ahora presentaba rasgos demasiado duros en los pómulos y la nariz. Sus ojos azul claro eran inteligentes y, a diferencia del lacayo, había dominado sus sentimientos de modo que apenas se percibieran.

—Usted dirá, señor —dijo cerrando la puerta a sus espaldas—. ¿Qué se le ofrece?

Monk empezó por dar el pésame. No sólo parecía lo más apropiado, aun tratándose de un mayordomo, sino lo más natural.

—Gracias, señor —dijo Cardman. Estuvo a punto de añadir algo, pero se contuvo.

—No estamos seguros de lo que sucedió —comenzó Monk—. Por muchas razones, necesitamos saber mucho más.

Una sombra de dolor cruzó el rostro impasible de Cardman.

—El señor Argyll nos dijo que la señorita Havilland se había quitado la vida, señor. ¿Es preciso inmiscuirse más en su desgracia?

Tal delicadeza era admirable pero aquella investigación tanto podía definir culpabilidad como pronunciar inocencia y eso era muy importante, incluso para los muertos. Monk no podía permitirse dejar ningún frente al descubierto ni buscar el modo menos ofensivo de hacer sus preguntas si con ello perdía eficiencia.

—¿Le constaba que fuese desdichada? —preguntó con tanta delicadeza como pudo.

—El señor Havilland falleció hace menos de dos meses —dijo Cardman con fría formalidad—. Una herida así no se cierra tan pronto.

Era una respuesta socialmente correcta; no decía nada y transmitía toda la desaprobación que un mayordomo se atrevía a mostrar.

Monk fue brutal.

—¿Vive todavía su padre, señor Cardman?

Cardman endureció el semblante. La luz del entendimiento llameaba en sus ojos brillantes y enojados.

—No, señor.

Monk sonrió.

—Seguro que lloró su muerte pero usted no desesperó.

Pensó por un momento que parte de su pérdida de memoria tras el accidente consistía en la destrucción total de cuanto tuviera que ver con su propio padre, o de hecho con su propia madre. Conocía a su hermana Beth, pero sólo gracias a que ella había procurado mantenerse en contacto. Él rara vez le escribía. La vergüenza le hincó el diente sin previo aviso y notó el calor en su rostro.

—No, señor —repuso Cardman fríamente.

Monk se sentó en uno de los grandes sillones de piel y cruzó las piernas.

—Señor Cardman, tengo intención de esclarecer si esto fue un suicidio u otra cosa —dijo—. He investigado muertes de muchas clases y no me doy por vencido hasta que obtengo lo que busco. Usted va a ayudarme, lo quiera o no. Puede quedarse de pie si lo desea, pero yo prefiero que se siente. No me gusta levantar la vista para dirigirme a usted.

Cardman obedeció. Monk percibió cierta rigidez en sus movimientos, como si no estuviera acostumbrado a sentarse en presencia de un huésped y mucho menos en aquel salón. Probablemente había sido sirviente toda la vida, quizá ya de niño, como lacayo, cuarenta años atrás, si no más. Aunque tal vez hubiese pasado una temporada en el ejército. Emanaba formalidad y rectitud, disciplina y cierto sentido de dignidad.

—¿Se quedó sorprendido? —preguntó Monk de improviso.

—¿Sorprendido? —dijo Cardman.

—De que la señorita Havilland se arrojara desde el puente de Waterloo.

—Sí, señor. Nos quedamos todos atónitos.

—¿Cómo era ella? ¿Retraída o dogmática? ¿Inteligente o de pocas luces? —Monk estaba decidido a obtener de aquel hombre una respuesta significativa, no las anodinas alabanzas que un sirviente solía dedicar a su patrón, ni las que cualquiera dirigiría a los muertos—. ¿Era guapa? ¿Flirteaba? ¿Estaba enamorada del señor Argyll o tal vez prefería a otro hombre? ¿Pudo haberse sentido atrapada en un matrimonio con él?

—¿Atrapada? —Cardman estaba atónito.

—Vamos, hombre —replicó Monk—. ¡Sabe tan bien como yo que no todas las jovencitas se casan por amor! Muchas lo hacen por conveniencia, o cuando se les presenta una oportunidad.

Estaba enterado de ello por Hester y por alguno de los casos que había aceptado a título personal. La presión y la humillación de semejante contrato apenas rozaban los límites de su propia experiencia, pero había visto el mercado del matrimonio en acción, las muchachas exhibidas como ganado para que se pujara por ellas.

Cardman estaba atrapado en una situación peliaguda. En su expresión traslucía la incomodidad y el entendimiento. Quizá la pena, junto con la certeza de que ya no tenía una patrona a quien servir, rompió sus defensas.

—Sí, señor, en efecto —admitió con embarazo—. Pienso que la señorita Havilland más bien sentía que estaba aprovechando la mejor propuesta que tenía y que lo más apropiado que podía hacer era aceptar al señorito Toby.

Monk había contado con aquella respuesta pero no obstante se apenó. La joven de rostro apasionado que había sacado del río merecía algo mejor que aquello.

—¿Y rompió el compromiso después de que falleciera su padre?

—Sí, señor. —La voz de Cardman se hizo más grave y ronca, poniendo de manifiesto su emoción otra vez—. Estaba muy afligida. Todos lo estábamos.

—¿Cómo sucedió?

Cardman volvió a vacilar, pero sabía que Monk no le dejaría

tranquilo hasta que se lo hubiese contado. Y quizás una parte de él deseaba compartir su perplejidad y su dolor con al menos otra persona ante la cual no tuviera que conservar la dignidad, ni hacer como si tuviera controlada cualquier situación. Él también era líder de una comunidad jerarquizada y muy unida, regida por las reglas más estrictas del mundo.

—El señor Havilland era un caballero en el viejo sentido del término, señor —comenzó—. Sin título, entiéndase, y sin una gran fortuna. Para él se trataba de una cuestión de honor. Era justo con todo el mundo y nunca guardaba rencor a nadie. Si alguien le jugaba una mala pasada pero luego se disculpaba, el señor Havilland olvidaba el asunto por completo. Era un buen amigo, pero nunca antepuso la amistad a sus principios, y si un hombre hacía honor a su palabra, lo respetaba por igual fuera pobre o rico.

Monk era consciente de que Cardman le estaba observando para ver si captaba lo que daba a entender entre líneas.

—Ya veo —corroboró Monk—. Un hombre digno de encomio pero que no siempre seguía el dictado de la mayoría ni en sociedad ni en los negocios.

Monk no recordaba su época en la banca mercantil, había desaparecido con el resto de sus recuerdos, pero había averiguado, juntando una pieza tras otra, buena parte del coste y el deshonor de algunos de sus propios actos, así como aquéllos de personas que se habían arruinado y a quienes amaba.

—Efectivamente, señor, me temo que no lo hacía —convino Cardman—. Tenía muchos amigos, pero creo que tampoco debían de faltarle los enemigos. Antes de morir le inquietaba mucho que la construcción de las nuevas cloacas según los planes del señor Bazalgette se estuviera realizando con demasiada precipitación, y que el uso de grandes máquinas provocara un accidente grave. Mostraba la mayor preocupación y dedicaba casi todo su tiempo a investigar el asunto, tratando de demostrar que llevaba razón.

—¿Y lo demostró? —preguntó Monk.

—Que yo sepa, no, señor. Provocó alguna reacción desagradable por parte del señor Alan Argyll, y también del señor Toby, pero el señor Havilland quería llegar hasta el fondo. Intuía que tenía razón.

—Eso debió de resultarle muy difícil, con sus dos hijas vinculadas a los hermanos Argyll —observó Monk.

—Desde luego, señor. Hubo momentos de considerable tensión. Me temo que los sentimientos estaban bastante exaltados. La señorita Mary se puso del lado de su padre y entonces fue cuando las cosas empezaron a ir mal entre ella y el señor Toby.

—¿Y rompió el compromiso?

—No, señor, no fue entonces. —Saltaba a la vista que Cardman se sentía desdichado hablando de aquello y, sin embargo, Monk percibía el peso del asunto dentro de aquel hombre como una presa que necesitara soltar agua antes de que la presión la reventara.

—El señor Havilland estaba muy preocupado —apuntó Monk—. Sin duda usted le veía con frecuencia, incluso a diario. ¿Le pareció que estuviera a punto de perder el dominio de sí mismo?

—¡No, señor, ni mucho menos! —dijo Cardman con vehemencia—. ¡Su estado de ánimo no era ni por asomo desesperado! Se lo veía eufórico, en todo caso. Creía que estaba a punto de encontrar la prueba que tanto temía. No se había producido ningún accidente, ¡más bien presentía que iba a ocurrir! Algo devastador, que costaría un montón de vidas, y quería evitarlo a toda costa. —La admiración que reflejaban sus ojos era más profunda que la mera lealtad. Había creído en Havilland como un hombre cree en otro cuando ambos comparten la misma causa, si no de hecho, en espíritu.

—¿Siempre ha sido usted sirviente, Cardman? —preguntó Monk llevado por un impulso.

—¿Cómo dice?

Había sorprendido a Cardman desprevenido. Monk repitió la pregunta.

—No, señor —respondió Cardman—. Serví seis años en el ejército. Pero no veo qué tiene eso que ver con la muerte del señor Havilland.

—Sólo su capacidad de juicio sobre hombres que están sometidos a un medio hostil.

—Oh. Vaya. —Cardman estaba avergonzado y no sabía cómo aceptar lo que entendía que era un cumplido. Se sonrojó levemente y desvió la mirada.

—¿Le sorprendió que el señor Havilland se quitara la vida? —preguntó Monk.

—Sí, señor. Francamente, me costó mucho creerlo, sobre todo…
—Cardman se tomó un momento para dominarse. Permanecía sentado perfectamente inmóvil, con las manos crispadas—. Sobre todo que lo hiciera en su propia casa, donde la señorita Mary iba a ser la primera en enterarse. Un hombre puede hacer que esas cosas parezcan un accidente. —Respiró hondo—. Le partió el corazón. Nunca volvió a ser la misma —añadió. Su rostro expresaba enojo. Un hombre que admiraba le había fallado inexplicablemente; peor todavía, les había fallado a todos, y más que a nadie a la hija que había confiado en él.

—Pero ¿usted se lo creyó, pese a todo? —preguntó Monk, que se sentía como un cirujano abriendo en canal a un hombre aún consciente que sintiera cada movimiento del bisturí.

—No tuve más remedio —contestó Cardman en voz baja—. El mozo de cuadra lo encontró en las caballerizas de buena mañana con un tiro en la cabeza y el arma en la mano. La policía demostró que la había comprado en una tienda de empeños pocos días antes.

Estaba claro que podría haber dicho mucho más, pues los sentimientos asomaban a sus ojos, pero toda una vida de discreción se lo impedía.

—¿Había explicado por qué compraba un arma?

—No, señor —respondió Cardman con expresión sombría.

—¿Dejó una nota explicando los motivos para hacer algo semejante?

—No, señor.

—¿Le dijo algo a usted o a algún otro miembro del servicio?

—No, señor, sólo que tenía previsto acostarse tarde pero que no nos preocupáramos, que nos retirásemos a la hora acostumbrada.

—¿Percibió usted algo fuera de lo corriente en su actitud, quizás ayudado por la perspectiva que le ha dado el tiempo?

—He reflexionado sobre ello, como es natural, preguntándome si hubo algo que tendría que haber visto —admitió Cardman, ruborizándose un poco. Presentaba el aspecto de un hombre que ha pasado por una pesadilla—. Parecía ensimismado, como a la expectativa de algo que supiera que iba a ocurrir, pero, a decir verdad, entonces pensé que estaba irritado, no desesperado.

—¿Irritado? —insistió Monk—. ¿Furioso?

Cardman frunció el entrecejo.

—Yo no lo hubiese expresado con tanta dureza, señor. Más bien como si un viejo amigo le hubiese decepcionado, o como si tuviera que encargarse otra vez de algo pesado y aburrido. Me formé la opinión de que se trataba de un problema conocido, más que de uno nuevo. Desde luego no parecía asustado... ni desesperado.

—¿De modo que se quedó impresionado a la mañana siguiente?

—Sí, señor, de una pieza.

—¿Y la señorita Mary?

Cardman contrajo el rostro y unas lágrimas que no podía permitirse derramar brillaron en sus ojos.

—No he visto jamás a nadie más profundamente dolido, señor. La señora Kitching, el ama de llaves, temía por su vida, de tan fuera de sí como la veía. Se negaba en redondo a aceptar que su padre pudiera haber hecho aquello.

—¿Qué pensaba que había ocurrido?

Monk evitó imaginarse el rostro de Mary Havilland, así como recordar a Hester con aquella herida en su fuero interno que todavía no se atrevía a mirar. Lo que era sentir, cuando ya era demasiado tarde para cambiar nada, la culpa de no haber estado en casa en lugar de en Crimea, de no haber hecho algo para evitarlo de un modo u otro, o al menos para salvar a su madre de morir lentamente de vergüenza y soledad. Para su madre, la deshonra de la deuda y el suicidio había sido demasiado difícil de soportar.

¿Qué demonios había conducido a Havilland a hacerle aquello a su hija? Al menos en el caso del padre de Hester era la única manera que tenía para responder a la vergüenza que le habían endilgado valiéndose de su buen corazón. Como tantos otros, se había dejado engañar. Consideraba que la muerte era el único acto que le quedaba a un hombre honorable. ¿Qué había asustado o desesperado tanto a Havilland para empujarlo a cometer ese mismo acto?

—¿Por qué le costaba tanto creerlo? —dijo Monk más bruscamente de lo que pretendía.

Cardman reparó con sorpresa en la emoción que reflejaba la voz de Monk.

—No había motivo —dijo gravemente—. De ahí que la señorita Mary creyera que lo habían asesinado. Poco a poco se fue convenciendo de que si todavía no había hallado algo en las obras de los túneles, poco le faltaba, y que por eso lo habían matado.

—¿Qué acabó de convencerla? —dijo Monk enseguida—. ¿Ocurrió algo o fue simplemente su necesidad de absolver a su padre de su presunto suicidio?

—Si lo supiera, señor, se lo diría —contestó Cardman mirando a Monk fijamente. Había una especie de urgencia en él, como si se estuviera aferrando a un último rayo de esperanza demasiado delicado para mencionarlo—. La señorita Mary leyó todos los documentos de su padre. Se pasaba el día y buena parte de la noche estudiándolos, una y otra vez. Cualquiera que fuese la hora a la que iba al despacho del señor, la encontraba allí sentada a su escritorio o dormida en el sillón con uno de los libros de su padre en el regazo.

—¿De qué clase de libros se trataba?

Monk no sabía lo que andaba buscando pero la emoción de Cardman también hizo presa en él.

—De ingeniería —respondió Cardman como si Monk tuviera que haberlo sabido.

Monk se quedó atónito.

—¿Ingeniería, dice?

—Sí. El señor Havilland fue ingeniero jefe de la empresa del señor Argyll hasta el día en que murió. Por eso riñeron. La empresa del señor Argyll nunca ha sufrido un accidente grave, de hecho son mejores que la mayoría en materia de seguridad, pero el señor Havilland creía que iba a ocurrir.

—¿Y se lo dijo al señor Argyll?

Cardman cambió ligeramente de postura.

—Sí, por supuesto, pero el señor Argyll respondió que sólo se trataba de lo que sentía al estar bajo tierra, encerrado, y nada más. Que le daba vergüenza reconocerlo. Era como si Argyll le estuviera llamando cobarde, aunque lo hacía educadamente. Por descontado, en ningún momento empleó esa palabra.

—¿Y a eso se dedicaba también la señorita Havilland, a informarse sobre ingeniería aplicada a los túneles?

—Sí, señor. Me consta.

—¿Y tampoco encontró nada?

—No, señor; que yo sepa, no —contestó Cardman, apesadumbrado.

—¿Siguió viendo al señor Toby Argyll?

—Ella rompió el compromiso, pero, por supuesto, siguió viéndolo en sociedad de vez en cuando. Poco podía hacer a ese respecto siendo él el cuñado de la señorita Jennifer y con lo unidos que estaban los hermanos.

—¿Sabe algo sobre la postura de la señora Argyll en esta situación? —preguntó Monk—. Sin duda se vería atrapada en medio, de la forma más desafortunada.

Cardman endureció su expresión y apretó los labios con fuerza antes de hablar.

—Fue leal a su marido, señor. Estaba convencida de que los temores de su padre le habían mermado el juicio, y se mostraba molesta con la señorita Mary por hacerle el juego en lugar de alentarlo a abandonar el asunto. —Había una tremenda carga de enojo y tristeza en su voz.

Monk fue amargamente consciente de que la casa donde vivía Cardman era el centro de una doble desgracia y al parecer no quedaba nadie a cargo de ella salvo él mismo y los demás sirvientes de los que era responsable. Ya se habían quedado sin empleo y pronto se verían sin alojamiento, además. Eso le llevó a preguntarse quién heredaría la casa. Era de suponer que sería Jenny Argyll en calidad de último miembro superviviente de la familia. Monk estaba seguro de que a Cardman no le hacía ni pizca de gracia semejante perspectiva. Quizá la vendiera y la servidumbre pudiera quedarse, al menos hasta que los nuevos amos tomaran posesión.

—Entiendo. Le agradezco mucho su sinceridad —dijo Monk levantándose—. Sólo una cosa más: ¿quién investigó la muerte del señor Havilland?

—Un tal comisario Runcorn —contestó Cardman—. Se mostró muy cortés, y me pareció una persona concienzuda. No se me ocurre que dejara ningún cabo suelto.

Se levantó a su vez.

¡Así que lo había llevado Runcorn en persona! Era la peor respuesta que podían haberle dado. El pasado regresó en busca de Monk como una corriente de aire frío. ¿Cuántas veces había cuestionado a posteriori a Runcorn, revisado su trabajo y corregido algún que otro error aquí y allí, alterando la conclusión? Parecía que siempre hubiese necesitado demostrar que era más inteligente. Cada vez le gustaba menos el hombre que había sido él anteriormente. El hecho que aún le gustase menos Runcorn no mitigaba nada.

—¿El señor Argyll no dudó sobre la corrección del veredicto? —preguntó Monk con la voz áspera de emoción.

—No, señor, sólo la señorita Mary —dijo Cardman sin avergonzarse, como si por fin delante de Monk no se sintiera obligado a seguir ocultándolo. Tragó con dificultad y añadió—: Señor, le quedaría muy reconocido si tuviera a bien informarnos cuando... cuando ella... si la señorita Argyll no... —No sabía cómo terminar.

—Me aseguraré de que se lo comuniquen —dijo Monk con voz ronca—. Aunque... aunque quizá debería considerar si el personal femenino deseará asistir. En ocasiones los entierros son... muy duros.

—Me está diciendo que se hará en terreno no sagrado. Ya lo sé, señor. Si la señorita Mary fue lo bastante fuerte para ir al entierro de su padre, nosotros podremos ir al suyo.

Monk asintió con la cabeza. Sentía un nudo en la garganta por Mary Havilland, por el padre de Hester, por un sinnúmero de personas desesperadas.

Cardman lo acompañó hasta la puerta guardando un comprensivo silencio.

Una vez de vuelta, Monk emprendió a pie el descenso de la colina en dirección al puente de Waterloo. Sería el mejor sitio para coger un coche, aunque no tuviese prisa. Debía enfrentarse a Runcorn en su propia comisaría y una vez más cuestionar su capacidad de juicio. Pero aún no estaba preparado para hacerlo. De no ser por el pensamiento de Mary Havilland enterrada en la tumba de una paria, cuyo coraje y lealtad a su padre habían sido tachados poco menos que de demencia de mujer afligida, habría aceptado el veredicto y considerado que había hecho todo lo que el deber le exigía.

Pero recordaba su rostro, la tez blanca, los huesos fuertes y la boca amable. Era una luchadora que había sido vencida. Y él se negaba a aceptar que se hubiese rendido. No, todavía no podía aceptarlo.

Quiso preparar lo que iba a decirle a Runcorn, medir sus palabras para despojarlas de toda crítica, quizás incluso para ganarse su apoyo. Soplaba un viento frío, los pantalones aleteaban en torno a los tobillos, y la humedad del río hacía picar la piel y se colaba por las rendijas entre la bufanda y el cuello del abrigo. La magnífica estampa gótica de las Casas del Parlamento dominaba la orilla opuesta. El reloj de la torre que albergaba el Big Ben informaba de que eran las once menos veinte. Había pasado con Cardman más tiempo del que había creído.

Encorvó los hombros y apretó el paso. Pasaron algunos coches de punto, pero todos ocupados. ¿Tendría que haber preguntado sin rodeos a Cardman si creía que Havilland se había suicidado? El mayordomo parecía un buen juez de personas, un hombre fuerte.

No. También era leal. Pensara lo que pensase, no le diría a un extraño que tanto su patrón como, más tarde, el que lo sucedió habían cometido semejante acto de cobardía ante las leyes del hombre y de Dios. Sus propias opiniones quizá fuesen más prudentes y amables, pero no las dejaría expuestas a la crítica del mundo.

Monk llegó a la mitad del puente y vio un taxi libre circulando por el otro lado. Saltó a la calzada, lo paró y dio al conductor la dirección de la comisaría.

El viaje fue demasiado corto. Todavía no estaba listo cuando llegó, aunque tal vez, en realidad, no fuese a estarlo nunca. Pagó al cochero, subió la escalinata y entró en la comisaría. Lo reconocieron de inmediato.

—Buenos días, señor Monk —dijo el sargento del mostrador con cautela—. ¿En qué puedo servirle, señor?

Monk no recordaba a aquel hombre, pero eso no significaba nada, excepto que no había trabajado con él después del accidente que había sufrido casi ocho años atrás. ¿Tanto tiempo hacía que conocía a Hester? ¿Por qué había costado años reunir el coraje y la sinceridad necesarios para reconocer sus sentimientos por ella? La respuesta era sencilla: no quería otorgar a nadie el poder de hacerle tanto daño. Y, por supuesto, al cerrarle la puerta a la posibilidad de dolor también se la cerraba a la ocasión de ser feliz.

—Buenos días, sargento —contestó deteniéndose ante el mostrador—. Me gustaría hablar con el comisario Runcorn, por favor. Es en relación con un caso que llevó hace poco.

—Sí, señor —dijo el sargento con una insinuación de satisfacción ante la falta de autoridad en la voz de Monk—. ¿En nombre de quién, señor?

Monk se abstuvo de reír, aunque ganas no le faltaban.

—En nombre de la Policía Fluvial del Támesis —contestó abriendo un poco el chaquetón para mostrar el uniforme que llevaba debajo.

El sargento lo miró sorprendido.

—¡Sí, señor! —dijo dando media vuelta y marchó a dar la noticia.

Cinco minutos después Monk se encontraba de pie en el despacho de Runcorn. Había un gran escritorio muy cómodo y la estufa del rincón lo mantenía caldeado; libros en la estantería de enfrente y, en el medio, encima de un pedestal, una talla de madera de un oso, bastante buena. Todo inmaculado y pulcro como siempre; formaba parte de la necesidad de Runcorn de ser conformista y de impresionar.

El propio Runcorn había cambiado muy poco. Era alto, fornido, con grandes ojos una pizca demasiado juntos y una larga nariz. Aún tenía el pelo abundante y entrecano. Había ganado unos cuantos kilos en forma de barriga.

—De modo que es verdad —dijo enarcando las cejas pero con voz cuidadosamente inexpresiva—. ¡Ingresaste en la Policía Fluvial! Le dije a Watkins que estaba chiflado pero al parecer no era así. —Sonrió ante su propia autoridad para dar o negar su ayuda—. Bueno, ¿qué puedo hacer por ti, inspector; porque eres inspector, ¿verdad? —Las palabras, la inflexión y la curva de la boca estaban cargadas de significado. Una vez, tiempo atrás, habían tenido el mismo rango. Fue la lengua lo que llevó a Monk a perder su superioridad. Había sido más elegante que Runcorn, más inteligente, infinitamente más caballeroso y siempre lo sería. Ambos lo sabían. Pero Runcorn era paciente y estaba dispuesto a atenerse a las reglas del juego, contener su insolencia, refrenar su impaciencia, trepar lentamente. Ahora obtenía su recompensa en superioridad de rango y no podía evitar saborearla.

—Sí, así es —contestó Monk. Ansiaba mostrarse áspero pero no podía permitírselo. ¿Qué era un momento de orgullo herido comparado con el entierro sin santificar de Mary Havilland?

—¿En Wapping? ¿También vives allí?

Runcorn abundaba en el tema de la caída de Monk en el mundo. Wapping era un lugar menos elegante y salubre que Grafton Street, o al menos de lo que había parecido.

—Sí —corroboró Monk otra vez.

—Vaya, vaya —caviló Runcorn—. ¡Quién iba a decir que un día harías eso! ¿Te gusta?

—Sólo llevo allí unas pocas semanas —dijo Monk.

Una vez más, Runcorn no pudo resistir la tentación.

—¿Te cansaste de trabajar por tu cuenta, entonces? —preguntó—. Un poco duro, me figuro. Habría momentos de apuro. —Aún sonreía—. Al fin y al cabo casi todo el mundo puede llamar a la policía sin pagar. ¿Por qué iban a pagarle a otro? Sabía que tarde o temprano acabarías por volver. ¿Para qué necesitas mi ayuda? ¿Ya no haces pie? —inquirió rezumando placer.

Monk estuvo a un paso de contraatacar. Tuvo que recordarse de nuevo que no se lo podía permitir.

—James Havilland —contestó—. Hace un par de meses. Charles Street.

El rostro de Runcorn se ensombreció un poco, el placer se desvaneció.

—Me acuerdo. El pobre hombre se levantó la tapa de los sesos en su propia cuadra. ¿Qué relación hay con la Policía Fluvial? Eso no queda cerca del agua.

—¿Recuerdas a su hija Mary?

Monk permanecía de pie. Runcorn no le había ofrecido asiento pero ponerse cómodo le parecía poco apropiado para aquella conversación, con todo el pasado que se interponía entre ellos.

—Por supuesto que sí —dijo Runcorn con gravedad. Se mostraba infeliz, como si la presencia de los muertos se hubiese entrometido de improviso en su silencioso y ordenado despacho de policía desde donde gobernaba su pequeño reino—. ¿Se ha... se ha quejado a ti por el asesinato de su padre?

Monk se quedó pasmado, no ya por la pregunta sino por el hecho de que no acertaba a ver indignación alguna en Runcorn, ningún sentido de invasión territorial en que Monk, precisamente, se entrometiera en un caso suyo.

—¿Quién pensaba ella que era el responsable? —preguntó Monk.

Runcorn fue demasiado rápido para él.

—¿Pensaba? —repitió desafiante—. ¿Por qué dices «pensaba»?

—Cayó del puente de Waterloo ayer por la tarde —respondió Monk.

Runcorn se quedó anonadado. Permaneció inmóvil y fue palideciendo. Por un absurdo momento le recordó a Monk al mayordomo que también se había apenado tanto por Mary Havilland. Sin embargo, Runcorn apenas la conocía.

—¿Suicidio? —preguntó con voz ronca.

—No estoy seguro —contestó Monk—. Al principio lo parecía. Estaban de pie cerca de la barandilla y un instante después ambos se apretaban contra ella, hasta que perdieron el equilibrio y cayeron.

—¿Un hombre? —Runcorn abrió los ojos como platos—. ¿Quién? ¿Argyll?

—¿Por qué piensas que era Argyll? —inquirió Monk.

Runcorn perdió los estribos, las mejillas se le encendieron.

—¡No me vengas con esos jueguecitos tuyos, Monk! —dijo bruscamente—. ¡Siempre has sido un cabrón desalmado! ¡Esa chica perdió a su padre y ahora también está muerta! Es mi caso, y como intentes servirte de él para demostrar que estás en condiciones de volver a ser policía, haré que te expulsen de la Policía Fluvial y de cualquier otro cuerpo de seguridad de Londres. ¿Me oyes bien?

Monk también montó en cólera, pero enseguida se dominó. Prosiguió con voz perfectamente desapasionada.

—Si eres apto para ser policía del rango que sea, y más el de comisario, te preocuparás por el caso en vez de proteger tu pequeña parcela de autoridad —replicó—. No sé si Mary Havilland saltó de ese puente, cayó o la empujaron. Yo presencié la escena, pero me hallaba demasiado lejos y estaba demasiado oscuro para ver los detalles, y menos mirando hacia arriba desde unos sesenta metros. —No iba a contarle a Runcorn por qué le importaba tanto. No tenía derecho a enterarse de la historia de Hester—. Quizá me ayudaría saber con exactitud qué le sucedió a Havilland.

Runcorn gruñó. Inhaló profundamente y exhaló despacio. Encorvó un poco los hombros.

—Vaya. Bueno, supongo que tienes que saberlo. Siéntate. —Indicó una silla de madera con un montón de papeles encima y se acomodó en su sillón tapizado de piel detrás del escritorio.

Monk dejó los papeles en el suelo y se sentó.

Runcorn torció el gesto. Había tratado con la muerte, tanto accidental como provocada, durante toda su vida adulta, pero al parecer ésa en concreto le conmovía, aun de sólo recordarla.

—El mozo de cuadras lo encontró por la mañana —comenzó, mirando más sus manazas que a Monk—. Al parecer el chico vivía fuera, a un par de kilómetros, y cada mañana iba a pie a trabajar.

Las caballerizas de la casa son pequeñas y en el cuarto de encima de la cuadra se guardan los arneses y demás. Podría haber dormido en la paja, pero resulta que tenía una tía en la zona con una casa de inquilinato donde también echaba una mano a cambio de alimento y hospedaje. Parecía un chico sincero. Lo comprobamos todo y era verdad. Estuvo en esa casa toda la noche y el mayordomo de Havilland dijo que nunca le había dado motivo de queja.

Monk asintió con la cabeza.

—El mozo llegó hacia las seis —prosiguió Runcorn—. Encontró a su patrón en el suelo del cuarto donde guardan la paja y el forraje. Tendido de espaldas, con un tiro en la cabeza. Un balazo limpio en los sesos. Debía de estar de pie más o menos en medio de la habitación y cayó hacia atrás. Había sangre exactamente donde esperas encontrarla. El arma había caído de la mano, pero estaba a poco más de un palmo.

Monk sintió un escalofrío.

—El chico fue adentro y avisó al mayordomo; no me acuerdo del nombre —continuó Runcorn—. Carter o algo por el estilo.

—Cardman —puntualizó Monk.

—Eso es. —Runcorn pestañeó varias veces—. Salió a mirar. Vio exactamente lo que le había dicho el chico y envió al lacayo a buscar a la policía. Cuando llegué iban a dar las ocho. No conocía a Havilland en persona, pero sí su reputación. Era un hombre muy honrado. Costaba creer que se hubiese quitado la vida. —De repente levantó la vista hacia Monk—. Pero el trabajo de policía te enseña una cosa: nunca sabes lo que pasa por la cabeza de otras personas. Amores y odios con los que sus propias familias no han soñado siquiera.

Monk asintió. Por una vez no tenía objeciones. Trató de imaginarse a Runcorn y la escena: la pequeña cuadra, la paja, el ruido y olor de los caballos, correajes de piel, el reflejo de la luz de un farol en los latones pulidos, el cadáver tendido en el suelo y el olor nauseabundo de la sangre.

—¿Estaban asustados los caballos? —preguntó—. ¿Alguna herida?

Runcorn frunció la frente.

—No. Un poco nerviosos. Habían olido la sangre y tuvieron que oír el disparo, pero nada indicaba que hubiese habido una pelea. Ni heridas, ni marcas de patadas, ni cortes... En realidad, ninguno parecía asustado. Y antes de que lo preguntes te diré que el cadáver no presentaba más señales, ninguna magulladura; la ropa estaba tan pulcra como cabía esperar. Apostaría mi reputación a que nadie forcejeó ni peleó con él antes de que le dispararan. Y por la manera en que estaba tendido, o bien se disparó él mismo o quienquiera que lo hiciera se hallaba a medio metro de él, pues no había más sitio donde estar de pie en un cuarto de ese tamaño.

—¿Y no se llevaron nada, no faltaba nada? —preguntó Monk ya sin esperanza. En el pasado había sido más listo que Runcorn, pero de eso hacía muchos años. En el tiempo transcurrido ambos habían aprendido: Monk a ser un poco más amable y más sincero en sus motivos para derrochar inteligencia; Runcorn a reflexionar un poco más antes de sacar conclusiones, y quizá también a mantener su atención más centrada en el caso y menos en su propia vanidad.

—En la cuadra no había nada que llevarse —contestó Runcorn—. A no ser algún que otro medallón de latón, aunque el mozo de cuadras dijo que estaban todos allí.

—¿El cochero lo confirmó? —preguntó Monk.

—Según parece un lacayo también trabajaba de cochero —respondió Runcorn—. Se le daba bien, y con un mayordomo y un lacayo jovencito que también hacía de limpiabotas no necesitaban más personal.

—¿Y la casa? —insistió Monk—. ¿Entró alguien por la noche? ¿O es imposible saberlo porque Havilland dejó la puerta abierta? ¿Fue así?

—Sí. El mayordomo declaró que estuvo levantado hasta tarde. Les dijo que quería trabajar en el estudio y los mandó a la cama. Pero efectuamos un registro concienzudo y tanto la propia señorita Havilland como el ama de llaves no vieron que faltara nada, todo estaba intacto. Y había un montón de objetos valiosos, fáciles de llevar, si un ladrón se lo proponía, y de vender.

—¿A qué hora murió? —Monk todavía no estaba dispuesto a darse por vencido, aunque comenzaba a ver cada vez más claro que la creencia de Mary Havilland en el asesinato de su padre era, simplemente, la desesperada negación de una muchacha a admitir que en verdad se había suicidado.

—El médico forense calculó que entre medianoche y las tres, no pudo precisar más. Hacía bastante frío en la cuadra a finales de otoño. La helada fue bastante severa aquella noche. El trece de noviembre, para ser exactos. Recuerdo que cuando cruzamos el jardín las hojas de los arbustos tenían blancos los bordes.

—¿Nadie oyó el disparo?

—No. —Runcorn torció los labios—. Eso es algo inusual. Parecía obvio que alguien tenía que oírlo. Disparé para hacer la prueba, y sonó muy fuerte. En una noche serena como aquélla se oiría perfectamente a más de cien metros. Hice indagaciones en ese sentido pero si alguien lo oyó no quiso admitirlo.

Su rostro traslucía una vasta experiencia y, luchando contra ella, un leve rayo de esperanza. Monk se sorprendió al constatar que Runcorn deseaba que Mary Havilland estuviera en lo cierto; simplemente no veía que fuese posible.

—¿Amortiguado con algo? —preguntó Monk.

Runcorn negó con la cabeza.

—No había nada allí —dijo—. Quemaduras de pólvora en la piel… Si hubiesen envuelto el arma con una toalla o un trapo para reducir el sonido, eso explicaría por qué nadie lo oyó o identificó el ruido como de un disparo, pero entonces el trapo aún seguiría allí, y no era el caso. A no ser… ¡que alguien se lo llevara! —No lo formuló como pregunta pero ésta brillaba en sus ojos.

—¿Ni rastro de otra persona? —inquirió Monk, hurgando en la misma esperanza.

—Nada, y lo comprobé en persona.

Monk le creyó. Aparte de que Runcorn no mentía con facilidad, saltaba a la vista que ansiaba dolorosamente pensar mejor de Havilland de lo que las circunstancias justificaban. Incluso ahora, dos meses después, seguía en el empeño.

Monk hizo la siguiente pregunta obvia.

—¿Por qué? ¿Qué iba tan mal como para pegarse un tiro en su propia cuadra en plena noche?

Runcorn apretó los labios y encorvó los hombros un poco más.

—Investigué —dijo, sutilmente a la defensiva—. Todos coincidían en que su salud era excelente. Tenía buen apetito, dormía bastante bien, caminaba a menudo. Revisamos sus asuntos y, desde luego, su posición era más que desahogada. Ningún gasto injustificado. No apostaba. Y si alguien le estaba haciendo chantaje, no era por dinero. Si tenía una amante, nunca la encontramos. Si tenía malos hábitos, tampoco encontramos indicios de ellos. Bebía muy poco. Nadie le había visto ebrio jamás. La esposa murió hace siete años. Tenía dos hijas. Jenny, la mayor, casada con Alan Argyll, un hombre de negocios muy próspero.

Runcorn inhaló profundamente y soltó el aire con lentitud.

—Havilland trabajaba en su empresa como ingeniero de la gran reconstrucción de la cloaca —continuó—. Respetado, bien pagado. Parecía que todo iba bien hasta hace poco, cuando a Havilland se le metió en la cabeza que los túneles eran peligrosos y que un día habría un accidente. No hallamos ninguna prueba de ello. El historial de seguridad de Argyll es bueno, mejor que la mayoría. Y todos sabemos que las cloacas son necesarias, y con urgencia. Nadie ha olvidado la Gran Peste ni es tan tonto para imaginar que no volverá a suceder si no hacemos algo al respecto.

—¿Y Mary? —preguntó Monk. Quería encontrarle defectos a Runcorn, algo que hubiese olvidado, algo mal hecho, pero no podía.

—La pobre chica estaba desbordada por la tristeza —dijo Runcorn, a la defensiva, como si sintiera necesidad de proteger su recuerdo contra la intromisión de Monk.

Monk apreció con simpatía aquel gesto.

—No daba crédito a que su padre hubiese hecho algo semejante —prosiguió Runcorn—. Decía de él que estaba en una cruzada y que en las cruzadas a veces morían personas pero nadie se pegaba un tiro. Decía que estaba a punto de averiguar algo acerca de los túneles y que alguien le había matado para impedírselo. Hay un montón de dinero en juego. Hay fortunas que amasar y supongo que también perder, en ese asunto. Y reputaciones.

—¿Cuál es tu opinión? —preguntó Monk.

—Hice unas cuantas preguntas sobre él —dijo Runcorn con desaliento—. Según los hombres de las obras, se había vuelto un poco excéntrico. Le daban pavor los túneles y galerías, dijeron. Se ponía a temblar, palidecía y empezaba a sudar. —Levantó un poco un hombro—. Hay gente a quien le pasa. Para otros son las alturas o las arañas. O las serpientes. Lo que sea. Normalmente pensamos que es cosa de mujeres asustarse de esas cosas, pero no es forzosamente así. Una vez trabajé en un caso con una mujer que se desmayaba si veía un ratón. Me parece inexplicable, pero esos miedos no tienen por qué tener un motivo. Conocí a un tipo a quien le aterraban los pájaros, incluso un inofensivo canario. —Se calló. De pronto pareció mayor y cansado—. Según parece Havilland se fue obsesionando con el terror a un accidente y, hasta donde yo supe ver, le faltaban motivos.

—¿Y la señora Argyll? ¿Qué pensaba de lo que su padre había hecho? —preguntó Monk recordando la espalda tiesa de Jenny Argyll y su expresión cuidadosamente controlada.

—Se culpaba de no haberse dado cuenta de lo lejos que había llegado la locura de su padre —contestó Runcorn con mirada de hastío—. Dijo que se habría encargado de que estuviera mejor atendido, de haberlo sabido. Aunque tampoco habría podido hacer gran cosa, tal como le decía su marido. En la medida en que no quebrante la ley, y Havilland no lo hacía, un hombre tiene derecho a volverse tan loco como quiera.

—¿Y Mary?

Runcorn suspiró.

—Ésa es la cuestión. La pobre chica se negó a aceptarlo. Decidió que su padre estaba en lo cierto y que no lo dejaría correr. Comenzó a leer todos sus libros, a hacer preguntas. Rompió su compromiso con Toby Argyll y se dedicó por entero a limpiar el nombre de su padre. Quería enterrarlo en terreno consagrado aunque le llevara el trabajo de toda su vida. —Su voz se hizo aún más grave—. Y ahora todo indica que la pobre criatura descansará junto a su padre. ¿Sabes cuándo van a hacerlo? Lo digo porque... —Se interrumpió y carraspeó, y acto seguido lanzó una mirada fulminante a Monk, como si lo retara a mofarse.

Monk no abrigaba el menor deseo de hacerlo. En la imaginación veía una y otra vez la figura de Mary inclinándose sobre la barandilla, agarrada a Toby Argyll, y ambos cayendo al río gélido. Él aún no sabía qué había sucedido, nada estaba claro, y había terminado por imaginar en vez de recordar, porque deseaba que ella no hubiese obrado por su propia voluntad.

Y recordó los rasgos marcados, la boca tierna y el rostro blanco del cadáver que habían sacado del río, y también que la señora Porter había dicho que era una mujer con opiniones propias y valiente a la hora de defenderlos.

—No, aún no. Pero te lo haré saber en cuanto me entere. También tengo que avisar a Cardman, el mayordomo.

Runcorn asintió y acto seguido desvió la mirada.

—Has dicho que habías descubierto dónde compró el arma —apuntó Monk cambiando de tema.

Runcorn no le miró.

—Una tienda de empeños a menos de un kilómetro de su casa. El propietario lo describió con bastante precisión. Llevaba un buen abrigo de lana oscura y bufanda. No tenía nada de raro, y menos en una noche de noviembre.

—No es muy concreto. Podría haber sido cualquiera.

—Podría, salvo que era la misma pistola. Presentaba un par de muescas y arañazos. Estaba más que seguro.

—Pero ¿por qué iba Havilland a quitarse la vida? —insistió Monk.

Runcorn sacudió la cabeza.

—Argyll me dijo que se estaba convirtiendo en un estorbo para la empresa. Lo admitió a regañadientes, pero iba a despedirlo. Havilland estaba alterando a los hombres, causaba problemas. Argyll lo lamentaba mucho pero no tenía elección. No podía dejar que todos sufrieran las consecuencias de la obsesión de un solo hombre. Explicó que no se lo había dicho a su esposa, y desde luego Mary no lo sabía, pero que ya se lo había insinuado al propio Havilland. Nos suplicó que no se lo contáramos a las hermanas, sobre todo a Mary. Hacerlo no cambiaría el hecho de su suicidio y lo degradaría ante sus ojos. En realidad, haría que el suicidio pareciera más racional. Quizás al final él mismo se lo contara, después de todo. —No había asomo de alivio en su cara, ninguna resolución.

Monk volvió a recordar la súbita expresión de ternura que había visto en el rostro de Runcorn ante la tumba de otra mujer. Había creído que Runcorn la menospreciaba, y su error de juicio puso en evidencia su propia precipitación.

—Pobre hombre —dijo escuetamente—. Si de verdad se lo dijo y ella saltó del puente llevándose a Toby Argyll consigo, no se quitará la culpa de encima hasta el fin de sus días.

—¿Qué otra cosa podía hacer? —dijo Runcorn.

—Si Havilland fue asesinado, ¿a quién responsabilizaba Mary?

—A su cuñado —respondió Runcorn sin vacilar—. Pero no lo hizo él. Comprobamos su coartada y pasó la velada en una recepción para luego, poco después de medianoche, marcharse a casa con su esposa. Ella estaba dispuesta a declarar, y los sirvientes también. El lacayo aguardó despierto, al igual que la doncella de la señora. Imposible que hubiese estado allí. Y su hermano tampoco, antes de que lo preguntes.

—Vive bastante cerca. Sin servidumbre que pueda declarar —señaló Monk.

—La noche de autos se hallaba fuera de Londres —dijo Runcorn—. A más de ciento cincuenta kilómetros. También lo comprobamos.

—Entiendo. —No había más que discutir. Monk se puso de pie sintiendo un extraño vacío en su interior—. Gracias.

Runcorn también se levantó.

—¿Vas a darte por vencido?

Sonó como un desafío aunque con una nota de desesperación.

—¡No! —negó Monk sin saber qué quería decir. Era tanto un acto de rebeldía ante Runcorn como un propósito en el que quería perseverar. No tenía ni idea de dónde buscar más pruebas. Algo inevitable se cernía sobre él.

—Si averiguas algo, dímelo —dijo Runcorn frunciendo el entrecejo—. Y...

—Sí, lo haré —prometió Monk. Le dio las gracias y se marchó antes de que la reunión se enrareciera aún más. Ya no tenían nada que decirse el uno al otro y más valía no forzar la breve tregua con su insistencia.


Monk regresó a Wapping y pasó la tarde ocupado en las tareas generales que formaban parte de su nuevo empleo. Detestaba la rutina, sobre todo redactar informes y, peor aún, leer los de los demás, pero no podía permitirse bajar la guardia ni un instante. Cualquier error u omisión podría ser el que anunciara su fracaso. Estaba obligado a tener éxito. No tenía más aptitudes que las que exigía aquel trabajo y con seguridad no disponía de ningún otro amigo como Callandra Daviot que pudiera y quisiera ayudarle económicamente.

A las cinco ya era oscuro por completo. Peor aún, desde el este se extendía una niebla espesa que envolvía el río hasta tal punto que Monk sabía que no encontraría a ningún barquero dispuesto a llevarlo a la otra orilla. Las farolas ya eran tenues y borrosos fantasmas amarillos que se desvanecían del todo a unos veinte metros, de modo que la noche era impenetrable. El lastimero aullido de las sirenas de niebla en el río rompía el silencio y apenas se oía nada más que goteo de agua y los sorbetones de la marea en las escaleras y contra los muros de contención.

Monk salió a las cinco y media para iniciar la larga caminata río arriba hacia el Puente de Londres, donde, con un poco de suerte, quizás encontraría un coche de punto que lo llevara hasta Southwark Park y a su casa.

Se abrochó el abrigo, se subió el cuello y echó a caminar.

Habría recorrido menos de medio kilómetro cuando se percató de que alguien lo seguía. Se detuvo justo después de una de las farolas envueltas en bruma y aguardó.

Un pilluelo entró en el pálido círculo de luz. Aparentaba unos nueve años, por lo poco que uno dilucidaba de su rostro a través de la suciedad. Llevaba un chaquetón largo y botas disparejas pero al menos no pisaba descalzo la piedra helada del suelo.

—Hola, Scuff —dijo Monk con agrado. Aquel rapiñador* le había ayudado en el caso del *Maude Idris* y lo había vuelto a ver una docena de veces desde entonces, si bien era cierto que por poco tiempo. En un par de ocasiones habían compartido una empanada de carne. Aquélla era la primera vez que le veía calzado—. ¿Un nuevo hallazgo? —preguntó admirando las botas.

—Una encontrada, la otra comprada —contestó Scuff al llegar junto a él.

Monk reanudó la marcha. Hacía demasiado frío para quedarse parado.

—¿Qué tal te va? —preguntó Monk para entablar conversación.

Scuff se encogió de hombros.

—Tengo botas. ¿Usted está bien?

Lo segundo fue dicho con un matiz de inquietud. Scuff pensaba que Monk era un inocente, un lastre para sí mismo, y no se guardaba de expresar tal opinión.

* En inglés, *mudlark*, nombre que recibían quienes se adentraban en el río durante la bajamar para recuperar materiales diversos que vender o aprovechar, preferentemente los que arrojaban adrede desde las gabarras sus compinches «sisadores». *(N. del T.)*

—Voy tirando, gracias —contestó Monk—. ¿Te apetece una empanada, si encuentro un puesto abierto?

—No lo encontrará —dijo Scuff con franqueza—. Vamos a tener un invierno muy duro. Ándese con ojo. Hará mal tiempo.

—Cada invierno hace mal tiempo —repuso Monk. No podía permitirse abundar demasiado en el sufrimiento de quienes trabajaban y dormían a la intemperie porque era impotente para hacer algo al respecto. ¿Qué significaba una empanada caliente de vez en cuando para un chiquillo?

—Éste no será igual —replicó Scuff manteniendo el paso de Monk dando un saltito de vez en cuando—. Esos túneles gigantes que andan excavando están molestando a la gente de ahí abajo. Los alcantarilleros no están contentos.

Los alcantarilleros eran los hombres que se ganaban la vida buscando o recogiendo pequeños objetos de valor que acababan en la cloaca, lo que incluía una notable cantidad de joyas. Solían trabajar en grupo por miedo a los ejércitos de ratas que podían dejar a un hombre reducido a un montón de huesos en un abrir y cerrar de ojos si éste tenía la mala suerte de perder el equilibrio y herirse, aunque no se ahogara. Y siempre cabía la posibilidad de toparse con una acumulación de metano liberado por los contenidos de la cloaca, y, por supuesto, con una ola de agua si la lluvia era lo bastante torrencial.

—¿A qué se debe el descontento de los alcantarilleros? —preguntó Monk—. Seguirá habiendo cloacas, sólo que serán mejores.

—Al cambio —dijo Scuff simple y llanamente—. Cada cual tiene su trecho, su ronda, si prefiere, ahora que es usted una especie de policía.

—¿Una especie de policía? ¡Soy un policía perfectamente normal! —dijo Monk, a la defensiva.

Scuff respondió a esa aseveración con el silencio que merecía. En su opinión Monk era un novato peligroso que había ocupado el puesto de Durban debido a una idea equivocada de la lealtad. No servía en absoluto para el trabajo y tenía mucha necesidad de orientación e incluso protección por parte de alguien que supiera lo que debía hacerse, como el propio Scuff. Él había nacido en el río y a los nueve años de edad, o quizá diez, no estaba seguro, sabía muchísimas cosas, pero el orgullo no le impedía seguir aprendiendo más cada día. No obstante, era una pesada responsabilidad cuidar de un hombre adulto que pensaba que sabía tanto como él.

—¿Va a haber una pelea por los nuevos tramos? —preguntó Monk.

—Pues claro —contestó Scuff, sorbiéndose los mocos—. Y muchos tendrán que cambiar de sitio. ¿Cómo le sentaría que un puñetero trasto fuera y destruyese toda su calle sin decirle ni pío, eh?

Scuff se refería a todas esas comunidades que vivían entre la pobreza honrada, rayana en la indigencia, y los bajos fondos semi-criminales, que pasaban casi toda su vida en las alcantarillas y el subsuelo de Londres. Abrir un nuevo túnel a través de los viejos era como meter un atizador caliente en un nido de avispas. La analogía era de Orme.

—Ya lo sé —contestó Monk—. El señor Orme ya me lo ha advertido. No estoy haciendo esto solo, ¿sabes?

Miró a derecha e izquierda a través de la niebla cada vez más densa en busca de las luces de un vendedor ambulante de comida de cualquier clase, o incluso de bebidas calientes. El frío era como un tornillo de banco que los apretara por todos lados, exprimiendo el calor de sus cuerpos. ¿Cómo sobrevivía un golfillo como Scuff, tan flaco que era todo huesos y pellejo? El siniestro lamento de las sirenas de niebla sonaba con mayor frecuencia en el agua y resultaba imposible ubicarlas a causa de la distorsión que producía la bruma.

—Por allí hay un vendedor de castañas asadas —dijo Scuff, esperanzado.

—¿A estas horas? —Monk lo dudaba. Era una mala noche para los puestos callejeros; nadie los vería con tanta niebla.

—Charlie —dijo Scuff, como si fuese suficiente explicación.

—¿Tú crees?

—¡Por supuesto!

—No veo nada. ¿Por dónde es?

—Yo sé dónde estará. ¿Le gustan las castañas? —le preguntó Scuff.

—Me comería lo que fuera con tal de que estuviese caliente. Sí, me gustan.

Scuff vaciló, como si sopesara la posibilidad de proponerle un acuerdo, pero su generosidad le ganó la batalla a su sentido de los negocios. Monk necesitaba toda la ayuda que pudiera obtener.

—Le enseñaré dónde está —propuso magnánimamente.

—Gracias —aceptó Monk—. A lo mejor te apetece acompañarme.

—No me importaría —repuso Scuff.

## 3

La casa de socorro de Portpool Lane era un establecimiento muy grande, aunque no con salas abiertas que facilitasen las tareas de enfermería, sino con una serie de habitaciones independientes. No obstante, presentaba todas las ventajas que pudiera tener cualquier institución dedicada a la atención sanitaria de los pobres, y además no se pagaba alquiler por ella. En otro tiempo había sido un burdel de mala fama dirigido por un tal Squeaky Robinson, un hombre con notables aptitudes comerciales y organizativas. En el pasado había cometido un grave error técnico que Hester, con la ayuda de sir Oliver Rathbone, había sabido capitalizar. Fue entonces cuando se clausuró el burdel, poniendo fin a su negocio de extorsión y convirtiendo el edificio en una clínica para el tratamiento de cualquier mujer de la calle que estuviera herida o enferma.

Algunos de sus antiguos ocupantes se habían quedado para trabajar, encargándose de tareas más tediosas pero mucho más seguras, como la limpieza y la lavandería. El propio Squeaky Robinson vivía allí y, si bien protestaba ruidosamente sin cesar, llevaba los libros de contabilidad y administraba los recursos financieros. Nunca dejaba que Hester olvidara que estaba allí bajo coacción y porque le habían tendido una trampa, pese a que ella era consciente de que en realidad, aun sabiendo que se trataba de un error, había desarrollado un fiero orgullo sobre su participación en la empresa.

Tras el terrible período durante el que Claudine Burroughs había permanecido en la casa de socorro y experimentado tan mayúsculo cambio en su vida, Margaret Ballinger finalmente había aceptado la proposición de matrimonio que le hiciera Oliver Rathbone. Ambas mujeres trabajaban en el dispensario y tenían la firme intención de seguir haciéndolo, aliviando así la carga de responsabilidad de Hester tanto en la recaudación de fondos para pagar la comida, el combustible y los medicamentos, como en las tareas cotidianas.

La misma aciaga mañana en que Monk comenzó a investigar la muerte de James Havilland, Hester estaba revisando los libros de cuentas en la oficina del dispensario por última vez.

Después de las devastadoras semanas del otoño anterior, cuando faltó tan poco para que muriese, Monk había exigido que renunciara a trabajar allí. Hester detestaba desprenderse de aquello. Para ella significaba mucho más que un simple refugio necesario para las mujeres de la calle. Era algo más que una obra de beneficencia. Llenaba su necesidad de curar, de hacer lo que estuviera en su mano para aliviar parte del dolor que había presenciado y que nunca podría olvidar por completo.

Pero Monk tenía tanto miedo por ella que Hester había perdido cada discusión con él acerca de su permanencia en el lugar. Vio el temor en su rostro y lo notó en su contacto. No tuvo más remedio que dar su brazo a torcer. No podía explicarle por qué ocuparse de la casa, cocinar, limpiar y cuidar de él no era bastante para ella. Podía servirle para llenar el tiempo, pero no para satisfacer su afán de luchar contra la dificultad, de tender la mano a personas de las que nadie se preocupaba. Era capaz de trabajar hasta el agotamiento, unas veces logrando curarlas y otras no, pero ponía en ello todas las fuerzas y aptitudes que poseía. Y eso era gratificante para su corazón.

Sin embargo, no sabía cómo transmitírselo a Monk. Éste se sentiría rechazado, y eso sí que Hester no lo soportaría. Por eso prolongaba sus últimas obligaciones en el dispensario, posponiendo el momento de la marcha.

Habría preferido llevar a cabo aquella tarea en la cocina que los fogones mantenían caldeada, donde las lámparas daban un agradable brillo amarillo a los cacharros viejos pulidos por el uso y al variopinto surtido de porcelana de distintos colores y diseños. Ristras de cebollas colgaban de las vigas desnudas del techo junto con manojos de hierbas secas, y como mínimo una cuerda de tender estaba siempre engalanada con vendas lavadas listas para ser usadas en el próximo desastre.

Pero los libros de contabilidad, las facturas y recibos, así como el dinero en metálico se guardaban en la oficina, de modo que se sentó a la mesa, con los pies fríos y las manos entumecidas, a sumar cifras con el propósito de que las cuentas cuadrasen.

Llamaron con brío a la puerta y en cuanto contestó entró Claudine. Era una mujer alta, estrecha de hombros y ancha de caderas. Su rostro había sido bonito en su juventud, pero los años de infelicidad le habían ajado el cutis y marcado sus rasgos con una expresión de descontento. Un par de meses de entregada determinación y la súbita constatación de que en realidad era útil y apreciada sólo habían comenzado a cambiar eso. Seguía poniéndose su ropa más vieja, de buena calidad aunque pasada de moda. Los vestidos más nuevos los dejaba en casa para lucirlos en sus cada vez más infrecuentes incursiones en la vida social. Su marido estaba inquieto y perplejo por su preferencia por una «buena obra» en detrimento de la búsqueda del placer, pero ella había dejado de creer que poseyera el derecho a imponerle más felicidad, y rara vez hablaba de él. Si tenía otras amistades aparte de las del dispensario, tampoco hacía referencia a ellas salvo que intentara persuadirlas de que donasen dinero a la causa.

—Buenos días, Claudine —dijo Hester, procurando mostrarse alegre—. ¿Cómo está?

Claudine no daba por sentados los cumplidos y cortesías.

—Buenos días —contestó, todavía insegura sobre si dirigirse a Hester por su nombre de pila—. Me encuentro muy bien, gracias. Pero me temo que nos caerán encima muchos casos de bronquitis con este tiempo, y de pulmonía también. Anoche tuvimos una herida de arma blanca. La muy tonta ha perdido el poco juicio con el que nació, para ir a trabajar a un lugar como Fleet Row.

—¿Podremos salvarla? —preguntó Hester con preocupación, incluyéndose sin querer en la causa.

—Oh, sí. —Claudine era un tanto petulante a propósito de sus recientemente adquiridos conocimientos de medicina, pese a que éstos eran fruto de la observación más que de la experiencia—. Si he venido a interrumpir ha sido por las sábanas. Nos las arreglaremos una temporadita, pero pronto tendrá que pedir más fondos a Margaret. Necesitaremos al menos una docena, y con eso apenas bastará.

—¿Podemos aguardar unas pocas semanas?

Hester contemplaba la columna de cifras que tenía delante. Debía decirle a Claudine que se marchaba pero aún no se veía con ánimos para hacerlo.

—Tres, a lo mejor —contestó Claudine—. Puedo traer un par de casa, pero no dispongo de doce.

—Gracias —dijo Hester. Que Claudine trajera cualquier cosa de su propia casa para que lo usaran mujeres de la calle era un paso de gigante respecto a la hiriente aversión que había sentido tan sólo tres meses antes. Las obras de caridad a las que estaba acostumbrada entonces eran las de corte discreto y nada perturbador en las que damas que compartían la misma inclinación organizaban ferias benéficas con vistas a recaudar fondos para causas respetables, como los hospitales de infecciosos, las misiones religiosas y los pobres dignos de ayuda. Algún profundo trastorno de su vida privada había empujado a Claudine hacia un cambio radical de costumbres. Nunca había confiado a nadie de qué se trataba, y no sería Hester quien se lo preguntara.

—El desayuno estará listo dentro de media hora —respondió Claudine—. Debería comer algo. —Sin aguardar respuesta se marchó, cerrando la puerta a sus espaldas.

Hester sonrió y volvió a sus números.

La siguiente persona que entró fue Margaret Ballinger, con el rostro sonrosado por el frío pero sin rastro de la actitud defensiva que cabía esperar para enfrentarse a él. Emanaba la confianza y la elegancia inconsciente de quien es feliz en su fuero interno y considera que toda circunstancia externa es meramente secundaria.

—El desayuno está listo —dijo alegremente. Sabía que Hester iba a marcharse pero se negaba a pensar en ello—. Y Sutton ha venido a verla. Parece un tanto... preocupado.

Hester se sorprendió. Sutton era el exterminador de ratas que les había ayudado el otoño pasado llegando a poner en peligro su propia vida. Nada de cuanto pudiera hacer por él sería demasiado. Sólo tenía que pedirlo. Se levantó de inmediato.

—¿Se encuentra bien?

—No está herido... —comenzó Margaret.

—¿Y *Snoot*?

Hester se refería al entusiasta terrier del exterminador.

Margaret sonrió.

—En perfecto estado de salud —contestó—. Sea lo que sea lo que inquieta a Sutton, está claro que no es *Snoot*.

Hester sintió un gran alivio. Sabía lo mucho que quería Sutton a aquel animal. Probablemente fuese toda la familia que tenía, y era un hecho que no hablaba de nadie más.

Abajo, en la cocina, había gachas de avena en el gran fogón que se mantenía encendido casi todo el tiempo. Había dos teteras hirviendo y otras tantas paneras que contenían tostadas y crujientes rebanadas de pan. En la mesa también había mantequilla, mermelada y jalea de arándanos. Saltaba a la vista que no estaban pasando un período de estrechez.

Sutton, un hombre delgado apenas más alto que Hester, estaba sentado en una de las pocas sillas no astilladas. Se levantó nada más verla. El terrier Jack Russell que estaba a sus pies meneaba la cola vigorosamente pero un estricto adiestramiento le impedía salir disparado hacia ella.

El rostro enjuto de Sutton se iluminó de placer y de lo que pareció ser alivio.

—Buenas, señorita Hester. ¿Qué tal está?

—La mar de bien, Sutton —contestó ella—. ¿Y usted? Seguro que le apetecerá desayunar.

—Muy gentil de su parte —aceptó Sutton, que aguardó para sentarse a que ella lo hiciera.

Margaret ya había desayunado en su casa; sólo comía en el dispensario cuando permanecía allí demasiado tiempo como para abstenerse. Recaudaba la mayor parte de los fondos del dispensario en su círculo social y sabía demasiado bien lo difícil que resultaba dicha tarea, así que no desperdiciaba un solo penique, ni consumía lo que podía servir a las pacientes. Sería una excelente directora del dispensario en ausencia de Hester.

Sutton tomó gachas y una tostada con mermelada. Hester sólo tostada con jalea de arándanos. Ambos iban por su segunda taza de té cuando Claudine se excusó y los dejó a solas. En contra de todas sus convicciones, Claudine había dado a *Snoot* gachas y un poco de leche, y ahora el perro dormitaba felizmente delante del hogar.

—Esa mujer lo va a malcriar —dijo Sutton en cuanto Claudine

cerró la puerta—. ¿Cómo quiere que cace ratas si le sirven el desayuno en bandeja?

Hester no se tomó la molestia de contestar. Aquel gesto formaba parte de la lenta retirada mediante la cual Claudine iba a dejar que Sutton entendiera que le profesaba un renuente respeto. Ella era una dama y él cazaba ratas. No se avendría a tratarle como a un igual, cosa que podría incomodarlos a ambos, pero sería más que amable con su perro. Eso era distinto, y ambos lo comprendían a la perfección.

—¿Qué ocurre? —preguntó Hester antes de que volvieran a interrumpirlos con alguna novedad de la jornada.

Sutton no se anduvo con evasivas. Habían llegado a conocerse bastante bien durante la crisis del otoño anterior. La miró muy serio con el entrecejo fruncido.

—No sé si podrá hacer algo, pero tengo que probar todo lo que se me ocurra. Todos sabemos lo que fue la Gran Peste y lo mal que huele el río, y por fin están haciendo algo al respecto. Y así es como tiene que ser. —Sacudió la cabeza—. Pero la mayoría de la gente que vive encima del suelo no tiene ni idea de lo que ocurre debajo.

—Es verdad —convino Hester con un mero asomo de preocupación—. ¿Acaso deberíamos?

—Si van a ponerse a excavar por ahí con picos, palas y máquinas, pues sí, deberían —dijo él con una pasión y un miedo en la voz que Hester no había oído antes en él. Se había mostrado muy fuerte en otoño, pero aquello era algo nuevo y parecía evidente que él creía que no podía controlar aquel asunto de ningún modo.

—¿Qué hay ahí abajo? —preguntó Hester—. ¿Se refiere a cementerios y fosas comunes, esa clase de cosas?

—Los hay, pero en lo que pienso es en los ríos. Hay manantiales y arroyos por todas partes. Casi todo Londres se levanta sobre suelo arcilloso, ¿sabe usted? —Su rostro estaba tenso, su mirada muy viva—. Lo sé por mi padre. Era alcantarillero. Uno de los mejores. Conocía todos los ríos subterráneos de la ciudad, desde Battersea hasta Greenwich, sí señor, y también la mayor parte de los pozos. ¿Tiene idea de cuántos pozos hay, señorita?

—Debe de haber... —Hester intentó calcularlo y se dio cuenta de que no tenía ni idea—. Cientos, supongo.

—No me refiero a los que usamos para sacar agua —dijo Sutton—, sino a lo que están cegados y fluyen en secreto, como quien dice.

—Caramba. —Hester no entendía por qué eso le preocupaba tanto y menos aún que hubiese ido a contárselo a ella. Sutton se dio cuenta y sonrió ante su propia estupidez.

—El caso es, señorita Hester, que hay cientos de peones trabajando en todas esas excavaciones. Ha sido así durante años, en un túnel u otro para las cloacas, calles, trenes y demás. Es un trabajo duro y peligroso, y siempre ha habido accidentes. Gajes del oficio. Pero la cosa ha empeorado desde que empezaron las excavaciones nuevas y todo el mundo quiere sacar tajada. Y todo con muchas prisas por culpa de la fiebre tifoidea, la Gran Peste y demás, y con los nuevos planes del señor Bazalgette el peligro aumenta. Las máquinas que usan son cada vez más grandes y nadie se preocupa de averiguar dónde están los arroyos y manantiales. —El miedo le crispaba el rostro—. Si se hace mal, la arcilla se corre de mala manera. Ha habido un par de hundimientos, pero calculo que habrá muchos más, y peores, si esa gente no pone más cuidado y dedica más tiempo a lo que anda haciendo.

Hester escrutó el semblante demacrado y cansado de Sutton y adivinó que tras sus palabras había más cosas de las que le podía decir.

—¿Qué piensa que puedo hacer yo, señor Sutton? —preguntó—. No sé cómo atender a obreros heridos. Me faltan conocimientos. Y desde luego no gozo de la confianza de ninguna persona influyente para hacer que las empresas vayan con más cuidado.

Sutton encorvó un poco los hombros, que parecieron más estrechos bajo su chaqueta lisa oscura. Hester calculaba que tendría cincuenta y tantos años aunque el trabajo duro, en buena parte peligroso y desagradable, sumado a muchos años de pobreza quizá pasara una factura más alta de lo que se imaginaba. Tal vez fuese más joven. Recordó cómo les había ayudado a todos, y en especial a ella, con ternura y sin temor.

—¿Qué le gustaría que hiciera? —preguntó.

Sutton sonrió al darse cuenta de que Hester cedía. Ella esperó con toda su alma que él no supiera por qué.

—Si alguien me hubiese dicho hace un año que una dama que estuvo en Crimea cogería el local del viejo Squeaky Robinson para convertirlo en un hospital para las fulanas que hacen la calle —contestó Sutton—, y que luego pondría a otras damas a cocinar y limpiar, le habría arrojado cubos de agua fría hasta que se le pasara la borrachera. Pero si hay alguien que pueda hacer algo para que esos constructores pongan más atención en la seguridad, ese alguien es usted. —Apuró el té y se levantó—. Si viene conmigo le enseñaré las máquinas de las que le estoy hablando.

Hester se mostró asustada.

—Será bastante seguro —la tranquilizó Sutton—. Iremos a ver una que esté al aire libre. Con eso se hará una idea de lo que ocurre bajo tierra. Hay túneles que primero se abren y luego se tapan. Cortar y tapar, lo llaman. Pero otros son muy profundos, como ratoneras, y corren siempre enterrados. —Se estremeció levemente—. Son ésos los que me dan miedo. Los ingenieros igual son muy listos para inventar toda clase de máquinas y tener grandes ideas pero no se enteran ni de la mitad de lo que hay ahí abajo, secretos guardados durante cientos de años, serpenteando y filtrando.

Hester sintió un escalofrío sólo de pensarlo, se le hizo un nudo en la boca del estómago. La luz diurna entraba más brillante por las ventanas de la cocina. Se oían pasos en el patio adoquinado por el que llegaban los repartos y donde en los peores momentos del otoño pasado los hombres habían patrullado con perros.

Se puso de pie.

—¿Hasta dónde dejarán que me acerque?

—Si coge prestado el chal de una paciente y mantiene la cabeza gacha, podrá ir sin problemas conmigo.

—Voy a avisar a la señorita Ballinger.

Pero fue a Claudine a quien encontró justo al otro lado de la puerta de la cocina. Hester comenzó a explicarle que iba a ausentarse durante unas horas. Los libros tendrían que esperar. Estaba encantada de tener una excusa más para prolongar la tarea tanto como pudiera.

—Lo he oído —dijo Claudine, evidentemente preocupada. No fue consciente de ello, pero estaba tan enojada que por un momento su rostro dejó de acusar su conciencia de clase—. Es monstruoso. Si hay personas que resultan heridas porque trabajan con prisas, debemos hacer lo que esté en nuestra mano para cambiar su situación. —Sin darse cuenta se había incluido en la batalla—. Aquí nos las podemos arreglar perfectamente. Sólo hay que hacer la colada y la limpieza, y si no somos capaces de hacerlo, ya va siendo hora de que aprendamos. ¡Pero tenga cuidado!

Esta última advertencia fue dada con una expresión admonitoria, como si de algún modo Claudine fuese la responsable de la seguridad de Hester.

Hester sonrió.

—Lo tendré —prometió, consciente de que Claudine le había cobrado más afecto del que quizás ella misma supiera—. Sutton cuidará de mí.

Claudine soltó un gruñido. No iba a reconocer que confiaba en Sutton; eso sería llevar las cosas un poco demasiado lejos.

A pesar de que apenas soplaba viento, las angostas calles parecían conservar el gélido frío nocturno. Las pisadas resonaban en las losas de la acera. Aquélla era la época del año en que la gente que dormía acurrucada en los portales podía aparecer muerta por congelación al amanecer.

Hester caminó al lado de Sutton con *Snoot* pegado a los talones hasta que llegaron a la primera parada de ómnibus de Farringdon Road. Los caballos iban toscamente abrigados contra los rigores invernales y emanaban vapor mientras los pasajeros subían y bajaban. Hester y Sutton subieron la escalera de caracol hasta el piso de arriba, ya que iban hasta casi el final de la línea. *Snoot* se sentó en el regazo de Sutton y Hester envidió el calor que le daría el cuerpo del perrillo.

Conversaron casi todo el camino, porque Hester le estuvo haciendo preguntas sobre los ríos del subsuelo de Londres. Sutton se mostró entusiasmado de contarle cuanto sabía y se le iluminó el semblante al describirle cauces subterráneos como el Walbrook, el Tyburn, el Counter's Creek, el Stamford Brook, el Effra y sobre todo el Fleet, cuyas aguas antaño corrían rojas por los vertidos de las curtidurías. Le habló de fuentes como la de St. Chad, St. Agnes, St. Bride, y de los manantiales de St. Pancras Wells y Holywell. Todos habían sido considerados sagrados en una época u otra y algunos devinieron balnearios, como los de Hampstead Wells y Sadler's Wells. Conocía los cursos fluviales subterráneos y los puentes, algunos de los cuales, se creía, databan de tiempos de los romanos.

—Walbrook está tan arriba como se podía llegar en barco cuando los romanos ocupaban estas tierras —dijo con aire triunfante. Estaba tan enfrascado en el relato de viajes antiguos, sin olvidar el peligro que suponían bandoleros como el tristemente célebre Dick Turpin, que por poco pasaron de largo su parada.

Se apearon en una calle concurrida, cerca de un puesto ambulante de bocadillos y empanadas calientes en torno al cual se apiñaban buen número de obreros. Para rodearlos se vieron obligados a saltar la alcantarilla hasta la calzada adoquinada y faltó poco para que los arrollara una carreta cargada de verduras tirada por un caballo jadeante.

En la esquina, media docena de hombres se calentaba junto a un brasero improvisado, charlando y riendo, calentándose las manos con tazones de hojalata llenos de té humeante.

—No estoy seguro de que me gusten tantos cambios —dijo Sutton con aire dubitativo—. Pero qué se le va a hacer.

Hester no discutió. Faltaban sólo unos metros para llegar al punto donde vería el enorme cráter del túnel por el que discurrirían no sólo la cloaca sino también las tuberías de gas para las casas que dispusieran de tales lujos. Los esqueletos de carpintería de las grúas y las torres de perforación asomaban por encima del hoyo como dedos que apuntaran al cielo. De dentro llegaba un lejano ruido sordo de muelas, trituradoras, corrimientos y vertidos, de vez en cuando algún grito y el traqueteo de las ruedas.

Hester permaneció parada en la tierra helada y notó que el frío viento procedente del río olía a sal y aguas servidas. Se volvió hacia la izquierda y vio tejados de casas no muy lejos de allí y, más cerca, las paredes rotas de las que habían derribado para hacer sitio a la obra. Hacia la derecha ocurría lo mismo: calles cortadas por la mitad como por un hacha gigante. Miró a Sutton y vio la compasión pintada en su rostro, así como la furia que intentaba reprimir. Para construir lo nuevo habían destruido mucho de lo viejo.

—Arrímese a mí y no mire a nadie a los ojos —dijo en voz baja—. Tenemos que parecer atareados, que no se note que hemos venido a husmear. Algunos obreros me conocen.

Dicho esto pasó delante abriendo camino entre los escombros y guardando distancia con los grupos de hombres. De vez en cuando tendía la mano a Hester para que se sujetara, cosa que ella agradeció, porque el terreno era muy irregular y resbaladizo. *Snoot* iba trotando pisándoles los talones.

En torno al hoyo propiamente dicho en el que trabajaban los hombres había una valla probablemente para impedir que entraran holgazanes y que algún despistado cayera en él.

—Hay que rodear aquel extremo de allí —dijo Sutton señalando. Acto seguido la condujo a través de un inestable y resbaladizo terreno cubierto de escombros. La línea de las tuberías era bastante fácil de seguir con la vista junto a las ruinas que bordeaban el sendero. En dos ocasiones les dieron el alto para preguntarles quiénes eran y qué hacían allí, pero Sutton contestó por ambos de forma satisfactoria.

Hester guardaba silencio y le seguía con paciencia. Finalmente, con los pies doloridos y los botines y la falda salpicados de barro, llegó a la boca del túnel. Allí los hombres escarbaban a mayor profundidad de lo que había esperado. Se hallaba muy próxima al borde y por un instante sintió vértigo al bajar la vista hacia el enladrillado, unos treinta metros más abajo. Vio con bastante claridad el suelo de lo que sería la nueva cloaca y los muros curvados a medio levantar. El andamiaje dispuesto encima estaba destinado a aguantar separados los lados de la zanja hasta la superficie. Aquí y allá otras cañerías lo atravesaban. A unos cincuenta metros, ya en el otro lado, una máquina de vapor silbaba y golpeaba, moviendo las cadenas que sostenían pesadas cubas y portaderas para izar y vaciar el material de deshecho.

Se volvió hacia Sutton, que señaló abajo, donde los hombres aparecían reducidos a pequeñas manos y hombros en movimiento. Unos caminaban empujando carretillas, otros cavaban con picos y palas.

—Mire. —Sutton le indicó las paredes de la parte más alejada. Había recios tablones sosteniendo la tierra y, cada pocos metros, vigas transversales que los reforzaban a lo alto y largo de toda la obra. Hester vio el agua que se filtraba entre ellos, sólo un hilo aquí y allá, y el abultamiento de la madera donde los tablones habían soportado más presión y comenzaban a ceder.

En la otra orilla los fogoneros alimentaban la enorme máquina de vapor. Hester oía el golpeteo de los pistones y hasta ella llegaba el olor del vapor y el aceite.

Fue consciente de que Sutton la observaba. Trató de imaginar cómo sería trabajar dentro de aquella hendidura abierta en la tierra viendo sólo una raja de cielo sobre sí y sabiendo que era imposible salir.

—¿Dónde está la salida? —preguntó casi sin querer.

—A medio kilómetro aproximadamente —contestó Sutton—. Se puede ir caminando sin problema cuando todo va bien. Otra cosa es que tengas que moverte deprisa, como cuando se abre una fuga en los muros.

—¿Una fuga? ¿Se refiere a un arroyo... o algo por el estilo?

La imagen de aquella pared cediendo acudió a su mente: un chorro de agua manando a borbotones, no sólo goteando como en ese momento. ¿Llenaría el fondo? ¿Ahogaría a aquellos hombres? ¡Por supuesto que sí! ¿Quién podría nadar en una grieta como aquella con el agua gélida cayéndole encima?

—Eso es una cloaca —dijo Sutton en voz baja acercándose a ella—. Las cloacas de Londres se lo tragan todo: las aguas negras de todas las casas y los estercoleros de la ciudad entera, y las de los fregaderos, los canalones y los desagües de todas partes. Si eres alcantarillero o desembarrador,* has de conocer las corrientes y todos los ríos y manantiales, y estás pendiente de la lluvia, porque de lo contrario no durarás mucho. Y luego están las ratas. Nunca hay que ir bajo tierra a solas. Si resbalas y te caes, las ratas te devoran. Hay cientos de miles ahí abajo.

*Snoot* enderezó las orejas al oír la palabra «ratas».

Hester no dijo nada.

—Y tampoco hay que olvidar el gas —agregó Sutton.

—¿Para eso es esa tubería? —preguntó Hester señalando una que cruzaba el profundo tajo en la tierra unos cinco metros por debajo de ellos, siguiendo un trazado en diagonal bastante distinto del de la zanja.

—No, señorita Hester —repuso Sutton con una sonrisa—, eso es gas para luces y aparatos. Yo le hablo del gas que se acumula en el subsuelo por culpa de lo que arrastran las cloacas. La porquería

---

* Traducción libre de *ganger*, el que tenía por oficio desatascar los canales de las cloacas cuando los obturaban acumulaciones de barro y desperdicios. (*N. del T.*)

suelta metano, y si el agua o el aire no lo dispersan, puede asfixiar a un hombre. O si un idiota enciende una chispa con una yesca o la produce con la puntera metálica de una bota contra una piedra, pues ¡bum! —Separó las manos bruscamente para indicar una explosión—. Y si no, la humedad asfixiante, como la de las minas de carbón y otros sitios así. Eso también te mata.

Una vez más Hester guardó silencio tratando de imaginar cómo sería trabajar en tales condiciones. Y, sin embargo, había conocido peones en el pasado, en Crimea, y jamás había tratado con hombres más valientes y trabajadores. Habían tendido una vía férrea para los soldados a través de un terreno salvaje y casi sin mapas, en lo más crudo del invierno, en una época en que casi todos los demás habían considerado prácticamente imposible hacerlo. Y el resultado fue excelente, además. Aunque esas obras eran en la superficie.

La gran máquina de vapor seguía retumbando, sacudiendo la tierra con su potencia, superando con creces cualquier esfuerzo que efectuaran hombres y animales. Palmo a palmo iban cobrando forma las alcantarillas que debían hacer de Londres una ciudad limpia, a salvo de las epidemias de tifus y cólera que habían arrastrado a tantos habitantes a una muerte atroz.

—Es ese maldito artefacto lo que me tiene preocupado —dijo Sutton mirando fijamente la máquina de vapor—. Hay otras iguales, incluso más grandes, que no le puedo enseñar porque están en sitios más peliagudos. Todo el mundo va con prisas y no se toman las precauciones necesarias. Salta una rueda, se rompe una cadena en uno de esos puñeteros ingenios y antes de que te des cuenta le arranca el brazo a un hombre o parte una de las vigas de madera que aguanta la mitad del techo o lo que sea.

—Trabajan deprisa debido a la amenaza del tifus y el cólera, como los que tuvimos durante la Gran Peste —dijo Hester en voz baja.

—Ya lo sé. Pero también porque compiten entre sí para conseguir el contrato siguiente —agregó Sutton—. Y nadie dice nada porque no quieren perder el empleo, ni que los demás piensen que tienen miedo.

—¿Y lo tienen?

—Pues claro que tienen miedo. —La miró atribulado—. Debe

de estar helada. Voy a llevarla a ver a un tipo que nos dará una taza de té como Dios manda. Está a menos de un kilómetro de aquí. Vamos.

Y sin aguardar a que Hester aceptara el ofrecimiento se volvió y comenzó a desandar el camino, alejándose de la grieta entre montones de escombros y tablones apilados, muchos de ellos podridos. Como siempre, el perrillo iba a su lado, saltando sobre las piedras y meneando la cola.

Hester siguió al exterminador de ratas y tuvo que darse prisa para no rezagarse. No le molestaba que Sutton caminara con un paso tan vivo; sabía que lo movía la emoción, el miedo a que ocurriese una tragedia antes de que pudiera hacer algo para impedirlo aunque sólo fuese en parte.

Durante la media hora que les llevó zigzaguear por calles angostas y callejones hasta su destino no pronunciaron palabra, pero en todo momento se trató de un silencio cordial. Sutton tuvo la gentileza de contener un tanto el paso, y de vez en cuando avisaba a Hester de que iban a pasar por un tramo de calle especialmente desigual o resbaladizo, o si había que salvar un bordillo más alto de lo normal para subir a una de las poco frecuentes aceras de aquel vecindario.

Hester se preguntó si allí era donde se había criado Sutton. Durante el breve lapso que habían pasado juntos cuando se conocieron no habían tenido tiempo de hablar de esa clase de cosas, aun suponiendo que hubiesen tenido ganas de hacerlo. Hasta ese momento ella no había sabido que el padre de Sutton había sido alcantarillero, aunque rastrear las cloacas en busca de tesoros tirados al váter accidentalmente y mantener a raya a la inmensa población de ratas que emergía de aquel mundo subterráneo eran oficios estrechamente relacionados. Eso sí, el de exterminador resultaba más respetable. El alcantarillero habría estado orgulloso de su hijo. Y más orgulloso aún de su valentía y humanidad.

Las calles estaban concurridas. Un carro carbonero avanzaba lentamente por la calzada adoquinada. En la esquina por donde cruzaron había un puesto callejero de fruta y verdura. Un vendedor ambulante de botones hizo que Hester recordara que tenía que aprovisionar su canasta de costura. Se dio prisa para seguir el ritmo de los vivos andares de Sutton. Se cruzaron con mujeres que cargaban con cubos de agua, fardos de ropa y bolsas de comestibles. Esquivaron a media docena de críos que jugaban a la taba y saltaban a la comba. Por un instante Hester deseó hacer algo por ellos, darles botas, comida, lo que fuera. Apartó ese pensamiento de su mente a la fuerza. Gatos, perros e incluso un par de cerdos hurgaban esperanzados por ahí. Seguía haciendo un frío glacial.

La puerta ante la que Sutton se detuvo por fin era estrecha, con la pintura desconchada y sin ventanas ni buzón. En otras partes eso habría significado que se trataba de una fachada levantada para ocultar una vía férrea en lugar de una casa, pero allí sólo indicaba que nadie esperaba recibir cartas. Igual que el resto de puertas, también carecía de aldaba.

Sutton llamó a la puerta con la palma de la mano y dio un paso atrás. Momentos después abrió una niña de unos diez años. Llevaba el pelo recogido con una cinta de tela brillante y la cara bien lavada, pero iba descalza. Saltaba a la vista que su vestido había sido cortado de otro mayor, de modo que pudiera servirle al menos durante un par de años más.

—Hola, Essie. ¿Está en casa tu mamá? —preguntó Sutton.

La niña sonrió con timidez y asintió antes de volverse para conducirlos a la cocina.

Hester y Sutton la siguieron, impulsados ante todo por la promesa de calor.

Essie los guió por un pasillo estrecho y frío que olía a humedad y a comida rancia hasta la única habitación de la casa que estaba caldeada. Había una pequeña estufa negra con un hornillo en el que apenas cabían un caldero y una tetera. Su madre, una mujer huesuda que rondaría la cuarentena pero parecía mayor, estaba lavando y quitando los ojos a un montón de patatas. A su lado había cebollas, todavía sin preparar.

En el rincón de la habitación más cercano a la estufa estaba sentado un hombre corpulento con un abrigo viejo en las rodillas. Por el modo en que caían los pliegues, era evidente que le faltaba casi toda la pierna derecha. Hester se quedó pasmada al deducir, por su rostro, que seguramente tampoco tendría más de cuarenta años, como mucho.

Sutton ordenó a *Snoot* que se sentara y luego se volvió hacia la mujer.

—Señora Collard —dijo afectuosamente—, le presento a la señora Monk. Fue enfermera en Crimea y lleva una clínica para pobres en Portpool Lane. —Se abstuvo de especificar qué clase de «pobres»—. Y él es Andrew Collard. —Se volvió hacia el hombre—. Antes trabajaba en los túneles.

—Encantada de conocerles, señores Collard —dijo Hester con suma formalidad. Hacía mucho tiempo que había decidido hablar a todo el mundo del mismo modo en vez de hacer distinciones entre una clase social y otra adoptando lo que a su juicio sería su propio estilo de presentación. No era preciso preguntarse por qué Andrew Collard ya no trabajaba en los túneles.

Collard asintió contestando con palabras casi ininteligibles. Estaba turbado, era fácil darse cuenta, y quizás avergonzado por no poder ponerse de pie para recibir a una dama en su propia casa, por precaria que ésta fuese.

Hester no supo cómo hacer para que se sintiera menos incómodo. Debería haber sido capaz de recurrir a su experiencia en el trato con soldados heridos y mutilados. Había sabido desenvolverse con ellos, así como con quienes estaban consumidos por la enfermedad, padecían fiebres atroces o eran incapaces de controlar sus funciones corporales. Pero aquello resultaba diferente. Allí no era enfermera y esas personas no sabían a qué se debía su presencia. Por un instante se enfureció con Sutton por haber impuesto su voluntad a sus amigos y a ella misma. No osó mirarlo a los ojos por miedo a que se diera cuenta. Incluso cabía que arremetiera contra él para luego lamentarlo amargamente. Le debía algo más que eso, fueran cuales fueren sus propios sentimientos.

Como si detectara la rabia y el sufrimiento que encerraba el silencio reinante, Sutton habló.

—Hemos ido a echar un vistazo a la excavación —dijo dirigiéndose a Andrew Collard—. Ahora mismo estamos bajo cero, y casi no llueve, pero de todas maneras sigue goteando bastante.

La señora Collard miró a los presentes y acto seguido indicó a Essie que saliera a la calle a jugar.

—Avanzan tan deprisa que eso apenas importa —señaló Collard—. El problema no está en la madera podrida, sino en esas malditas máquinas que lo sacuden todo hasta hacerlo pedazos, sobre todo cuando no están ancladas como deberían. Sólo Dios sabe lo que se está moviendo debajo de esos aparatos del demonio.

—¿Ancladas? —preguntó Hester a bote pronto—. ¿Acaso no están sujetas al suelo de un modo u otro?

—Con estacas —explicó Collard—. Pero las sacudidas acaban aflojándolas, señorita. Esas máquinas son más fuertes que todos los caballos que usted haya visto juntos. Las estacas parecen muy firmes al principio, pero al cabo de una o dos horas ya no lo están. Hay que mover todo el motor al menos diez metros hasta suelo nuevo y empezar otra vez. Pero eso lleva tiempo. Significa que...

—Lo entiendo —lo interrumpió Hester—. Mientras retiran los pernos, trasladan la máquina, vuelven a estacarla y la ponen en marcha otra vez, pierden capacidad de carga. Y cuanto más sujetos estén los pernos, más se tarda en moverlas.

—Sí, eso es —dijo Collard un tanto perplejo por la rapidez con que Hester había captado la cuestión.

—¿No trabajan del mismo modo todas las empresas? —preguntó Hester.

—La mayoría —convino Collard—. Unas son más cuidadosas, otras menos. No todas tienen las mismas máquinas. Pero aparte de eso, lo que más cambia de un sitio a otro es el tipo de suelo. El de Chelsea es distinto del de Lambeth y el de Rotherhite es diferente del de Isle of Dogs. —Miró a Hester a la cara entornando los ojos cansados por el dolor—. Hay de todo: arcilla, roca, pizarra, arena... Y, por descontado, están los ríos y fuentes, como muy bien sabe Sutton. Aparte de eso, hay construcciones antiguas de toda clase: sumideros, alcantarillas, sótanos, túneles y fosas comunes de cuando la peste. Algunas de ellas se remontan a tiempos de los romanos. No es nada bueno ir tan rápido.

Se quedó mirando al vacío. Hester sólo podía imaginar lo que para él significaba saberse imposibilitado, sentado en una silla de por vida mientras el mundo se cernía sobre él. Veía el desastre que se avecinaba y no tenía modo de impedirlo. Si se lo contaba a ella era sólo porque había preguntado y gozaba de la confianza de Sutton, pero no creía que de verdad le importara o estuviese en condiciones de ayudar.

Su esposa perdió la paciencia.

—¿Por qué no le hablas claro? —exigió, apartando la tetera, que hervía, con un movimiento veloz. Si había tenido intención de prepararles un té, lo había olvidado—. Fue un derrumbe lo que se llevó la pierna de mi marido —añadió volviéndose hacia Hester—. Le cayó encima una de esas vigas enormes. La única manera de sacarlo de allí antes de que todo se hundiera fue cortándole la pierna. Si siguen usando esas máquinas que lo sacuden todo de mala manera encima de los sitios donde están trabajando, tarde o temprano las paredes se derrumbarán sobre los hombres que cavan y quitan escombros. O cuando vengan lluvias como las que tuvimos en febrero, una de las cloacas reventará, ¿y quién va a sacar a los hombres antes de que todo se inunde, eh? —inquirió con aspereza levantando la voz—. Conozco a un puñado de mujeres como yo, cuyos maridos han perdido brazos y piernas por culpa de esos condenados túneles. Y viudas también. ¡Ya tenemos demasiadas puñeteras vías férreas construidas sobre sangre y huesos!

—Siempre ha habido accidentes —dijo Hester con renuencia—. ¿Hay algún contratista especialmente malo?

Collard, enojado y con expresión sombría, negó con la cabeza.

—Que yo sepa, no. ¡Claro que hay accidentes, nadie lo discute! Haces un trabajo duro y corres tus riesgos. Mi esposa refunfuña porque para ella no resulta fácil de entender. Pero no es peor que ser minero o marinero, o montones de otras cosas. —Sonrió con tristeza—. Me figuro que la vida de soldado tampoco es coser y cantar, ¿verdad? —Aguardó la respuesta de Hester.

—No —corroboró Hester—. ¿Qué es, pues, lo que le preocupa?

La sonrisa se desvaneció.

—Estoy algo más que preocupado, señorita, estoy muerto de miedo. Han construido tramos enteros de cloaca nueva y, naturalmente, aún se siguen usando casi todas las viejas. Con que haya un par de corrimientos, tendremos a una cuadrilla atrapada allí abajo. Y si no mueren ahogados, morirán quemados, que es todavía peor.

—¿Quemados?

—Por el gas. En las alcantarillas también hay tuberías para el suministro de gas. Si hay un corrimiento de tierra y una tubería se agrieta, a la primera chispa prenderá no sólo el gas de la cloaca sino todas las casas que se alumbren con gas. ¿Entiende lo que quiero decir?

—Sí. —Hester lo entendía demasiado bien. Si ese hombre tenía razón, podría suponer un segundo Gran Incendio de Londres—. Sin duda lo habrán tenido en cuenta, ¿no cree?

Nadie sería tan irresponsable como para no prever tamaña catástrofe, pensó Hester. Un puñado de peones ahogados o asfixiados resultaba hasta cierto punto comprensible. Se había producido un derrumbe cuando el sillar del arco de la alcantarilla del Fleet se rompió. La vigas del andamiaje se habían partido como cerillas, la estructura entera se hundió y el fondo de la excavación corrió igual que un río, arrastrándolo, aplastándolo y enterrándolo todo a su paso.

—¿Se acuerda de lo del Fleet? —preguntó Sutton, mirándola.

Hester se sobresaltó. Naturalmente, Sutton le había hablado del río Fleet, que discurre por debajo de Londres, al referirle los relatos que su padre le había contado. Ahora entendía por qué. Le había descrito toda la trama de flujos, corrimientos, filtraciones y corrientes de agua.

—¿Y no está enterado todo el mundo de esto? —preguntó Hester con incredulidad—. Resulta...

Fue Lu Collard quien contestó.

—Claro que lo saben, señorita —dijo—. Pero ¿quién va a decirlo, eh? ¿Para quedarse sin trabajo? ¿Quién dará de comer a los hijos?

Collard se revolvió incómodo en el asiento que era su prisión. Estaba más debilitado por el dolor de lo que Hester había advertido de entrada. Debía de tener treinta y tantos años, y antes de quedar lisiado había sido un hombre apuesto.

—¡Venga, Andy, ella lo entiende! —intervino su esposa en tono de hastío—. ¡Es inútil fingir! ¡Eso es lo que dan por sentado esos mal nacidos! Todos son tan orgullosos que ninguno confesará lo asustado que está de ser la próxima víctima...

—¡Cállate, mujer! —espetó Collard—. No tienes ni idea de lo que dices. Los hombres no están...

—¡Claro que lo están! —replicó ella—. ¡No son idiotas! Saben que un día ocurrirá, y que muchos morirán. ¡Si no dicen nada es porque prefieren morir aplastados o ahogados mañana a pasar hambre hoy! Y dejar que sus críos pasen hambre. ¡Miran a otra parte porque ojos que no ven, corazón que no siente!

—¡Hay que vivir! —exclamó Collard.

Sutton miró a Hester con inquietud.

—Por supuesto que sí —intervino Hester—. Y también es preciso construir la nueva red de alcantarillado. No podemos permitir que una epidemia como la de la Gran Peste se repita, ni que el tifus y el cólera campen a sus anchas por las calles como hacían antaño. Pero nadie quiere otro desastre como el de la alcantarilla del Fleet, o aun peor. Hay demasiado dinero invertido como para que alguien lo cause por voluntad propia. Tiene que mediar una ley, una normativa de obligado cumplimiento.

—Nunca harán algo así —dijo Collard con amargura—. Sólo los hombres con dinero tienen derecho a votar, y el Parlamento hace las leyes.

—Las cloacas corren por debajo de las casas de los ricos más que por debajo de la suya o la mía —señaló Hester—. Se me ocurre que quizás encontremos un modo de recordárselo. Al menos podemos intentarlo.

Collard permaneció inmóvil hasta que miró a Sutton como queriendo descifrar en su semblante si era posible que Hester estuviera hablando en serio.

—Exactamente —dijo Sutton antes de volverse hacia la señora Collard—. ¿Qué tal, pues, una taza de té, Lu? Tenemos más frío que una... —se mordió la lengua al recordar súbitamente la presencia de Hester— vieja en cuaresma —concluyó.

Collard disimuló una sonrisa.

Lu lo fulminó con la mirada y dedicó una repentina sonrisa a Hester mostrando unos dientes en sorprendente buen estado.

—Pues claro. Faltaría más —contestó.


Aquella tarde Hester pasó un par de horas limpiando y ordenando una vez que el yesero hubo terminado. No sólo las paredes estaban perfectamente lisas y a punto para ser empapeladas, sino que además había unas elegantes molduras que cubrían la junta entre las paredes y el techo y un bello rosetón para la lámpara colgante. Pero mientras tuvo las manos ocupadas con escobas, recogedores, trapos y cepillos de fregar no dejó de pensar en la promesa que le había hecho a Andy Collard y, lo que era más importante, a Sutton. Tal como había señalado Collard, el Parlamento aprobaba las leyes. Ése era el único sitio por el que merecía la pena empezar. Tenía que averiguar quién era el parlamentario más adecuado para plantearle el asunto.

Cuando Monk llegó a casa ella le mostró satisfecha los progresos en la decoración de la casa y le preguntó por el éxito de su jornada. No dijo nada acerca de Sutton, ni sobre su interés en la construcción del nuevo alcantarillado. Le resultó fácil ocultarlo sin sentirse embustera. Estaba muy preocupada por el presunto suicidio de la joven Mary Havilland, quien en fechas muy recientes había perdido a su padre de un modo que Hester podía entender mucho mejor de lo que quisiera recordar. Había dado por resuelta su propia pérdida, creyendo que la herida ya había cicatrizado. Pero volvía a sentirla, como un hueso roto mucho tiempo atrás pero que vuelve a doler cuando hace frío: un dolor muy profundo que despierta inesperadamente, demasiado cubierto de cicatrices para llegar hasta él y que, sin embargo, a veces duele tanto como cuando es reciente.

Su deseo era ocultárselo a Monk. Veía en la sombra de sus ojos, en la línea de sus labios, que él era consciente del recuerdo que ella conservaba, y que si proseguía con la investigación del caso Havilland se debía, al menos en parte, a que Mary le hacía pensar en Hester. En su fuero interno reaccionaba al mismo tiempo contra la antigua injusticia y contra la nueva.

Quería sonreír y decirle que ya no sufría. Pero no iba a mentirle. Y más le iba a doler en la soledad de la casa donde sólo tendría las tareas domésticas para mantenerse ocupada, ningún desafío, nada por lo que luchar. Alargó la mano para tocarlo, para estar cerca de él y no decir nada. Las palabras estaban de más. A veces las explicaciones interferían tanto en el mutuo entendimiento que más valía mantenerse en silencio.


Por la mañana Hester visitó a un caballero del que había sido su enfermera durante una enfermedad grave. Estuvo encantada al comprobar que su salud había mejorado mucho, aunque se cansara más deprisa que antes de su dolencia. Fue a verle con el propósito de que le indicara a qué miembro del Parlamento dirigirse en relación con los métodos y normativas de la construcción del nuevo alcantarillado.

Salió convencida de que sin duda se trataba de Morgan Applegate. Incluso obtuvo una cordial carta de presentación para que se presentara a él de inmediato.

Puesto que iba vestida con la mejor ropa que tenía, y que casualmente era la más abrigada, almorzó en un puesto callejero, algo a lo que se había acostumbrado desde hacía un tiempo, y a primera hora de la tarde se encontraba ante la puerta principal del domicilio del parlamentario Morgan Applegate.

Abrió la puerta un mayordomo bajito y regordete que cogió su carta de presentación. La hizo pasar a una sala de día muy bonita en cuya chimenea ardía un fuego agradable que arrancaba destellos rojos y dorados a los muebles pulidos y a las bolas de cobre que decoraban la hermosa pantalla.

Transcurrió algo más de un cuarto de hora antes de que Morgan Applegate se presentara. Se trataba de un hombre de aspecto afable, estatura mediana y un rostro que revelaba una inteligencia aguda. Su cabello rubio presentaba entradas, e iba bien afeitado.

Saludó a Hester con cortesía, la invitó a tomar asiento y le preguntó en qué podía servirle.

Hester le refirió la visita de la víspera a las excavaciones sin mencionar el nombre de Sutton ni su ocupación.

Applegate la interrumpió a media frase.

—Soy consciente de ese problema, señora Monk.

A Hester se le cayó el alma a los pies. Quizás había pecado de ingenua al confiar en que discrepara en un asunto tan cargado de emotividad. El miedo al tifus reinaba en todas partes y la reina se mostraba muy pesarosa desde que el príncipe Alberto falleciera a causa de esa enfermedad. Si Applegate era un hombre ambicioso no arriesgaría su carrera manifestando una opinión que sin duda enojaría y ofendería a muchos.

—Señor Applegate —dijo Hester con seriedad—, comprendo muy bien la apremiante necesidad que tenemos de una nueva y eficaz red de alcantarillado. En Crimea atendí a muchos hombres que murieron de tifus, y eso es algo que jamás olvidaré ni tomaré a la ligera. Pero si hubiese visto los peligros...

—Señora Monk —la interrumpió de nuevo Applegate—, estoy enterado del asunto porque me hizo reparar en él otra persona, una mujer incluso más trastornada por la posibilidad de un desastre que usted. Entregó todo su tiempo y atención a él, y me temo que tal vez incluso su cordura. —Su rostro reflejaba una sincera preocupación—. Mi esposa la apreciaba mucho y yo mismo la tenía en gran estima.

—¿Tenía? —dijo Hester con un escalofrío—. ¿Qué le sucedió?

—De eso no estoy seguro. Sólo me han informado de los detalles más superficiales, y puesto que no están muy claros, prefiero no repetirlos. Le ruego que no lo tome como un desaire, señora Monk, lo hago por respeto a la difunta. Era una joven muy valiente, un espíritu lleno de arrojo y audacia. A pesar del coste personal y del riesgo de perder un futuro de felicidad, el honor siempre fue lo primero para ella, y al parecer pagó un precio terrible por ello. Por favor, no me obligue a decir más.

Sin embargo, para Hester era imposible dejarlo correr. Era tan capaz de apiadarse como cualquier ser humano y poseía el ardor y el coraje precisos para hacer un uso práctico de la compasión, pero nunca se había distinguido por tener tacto. Era demasiado apasionada e impaciente.

—¡Si para esa persona lo primero era el honor, más importante y urgente será que sigamos sus pasos! —declaró—. ¿Cómo es posible que no quiera decir nada sobre ella? ¿No se siente orgulloso de haberla conocido? ¿No estamos todos en deuda con ella?

—Señora Monk... —Applegate parecía avergonzado y a todas luces inseguro sobre cómo contestar—. Señora Monk, hay algunas tragedias que... que deben quedar... inexplicadas. No se me ocurre una palabra mejor. Por favor...

Hester recordó la enorme grieta abierta en el suelo y se le revolvió el estómago con sólo pensar en la posibilidad de un derrumbamiento. Se imaginó el sufrimiento de los hombres que trabajaban bajo tierra, quienes probablemente verían cómo empezaban a ceder las paredes, incapaces de hacer otra cosa que observar. Verían el agua arrastrar tierra y madera, hiriéndolos, desmembrándolos, enterrándolos en la inmundicia y la oscuridad.

—¡Señor Applegate, no hay tiempo para andarse con delicadezas! —exclamó sin poder evitarlo—. Si ella vio lo que yo vi ayer y comprendió lo que podría ocurrir a esos hombres, y es casi seguro que ocurra tarde o temprano, ¿cree sinceramente que desearía que usted respetara su memoria ahora que ha fallecido? Piense en esas vidas, en quienes aún tienen una posibilidad si actuamos, si concluimos lo que ella empezó. ¿Acaso hacer nuestra su causa no sería el más alto cumplido, el mejor servicio que podríamos prestarle?

Applegate la miró indeciso. Era un buen hombre enfrentado a un dilema abrumador.

Hester se dio cuenta de que estaba inclinada hacia delante, como si pretendiera tocarlo. Se echó hacia atrás, no con ademán de disculpa, sino porque quizá fuese una mala estrategia, además de una evidente cuestión de modales.

Sin mediar explicación Applegate se levantó.

—Discúlpeme —dijo con voz ronca, y salió de la habitación.

Hester se sintió abatida. Applegate le había gustado de modo instintivo y según parecía lo había abrumado tanto que se había retirado como si no supiera de qué otra manera tratar con ella. ¿Era realmente tan insensible? ¿Había hurgado en el recuerdo de una mujer a quien quizás él había amado, tratándolo con una falta de respeto intolerable? ¡Qué espanto! Y qué estupidez.

Se quedó sin saber qué hacer.

Entonces la puerta se abrió y entró una mujer. Era alta, quizás unos centímetros más que la propia Hester, e igualmente esbelta. Tenía un semblante de lo más inusual. Resultaba atractivo, a su manera, pero mucho más que por su belleza, destacaba por el humor que encerraba, una gran disposición a disfrutar de la vida. Iba vestida con un conjunto de lana gris y marrón, con un toque de negro como dictaba la moda y un favorecedor cuello blanco.

La seguía de cerca el propio Applegate, quien se la presentó a Hester como su esposa, Rose, para acto seguido agregar, a modo de explicación:

—Ambos apreciábamos mucho a Mary, pero mi esposa estaba más unida a ella. Antes de revelar confidencias me ha parecido oportuno consultar su opinión.

—¿Cómo está usted, señora Monk? —dijo Rose Applegate afectuosamente—. Has sido muy gentil al consultarme. —Miró a su marido—. Aunque no era necesario. —Invitó a Hester a sentarse de nuevo ya que ésta, naturalmente, se había levantado al entrar la señora Applegate. Rose se sentó frente a ella dejando que su marido lo hiciera donde gustase—. Mary murió hace sólo dos días, y todos quedamos muy consternados. Ni por un instante he creído que su muerte fuese tan simple como dicen. Ella nunca habría hecho algo así; sencillamente no lo habría hecho.

—Querida... —comenzó Applegate.

Ella no le dijo «chitón» pero poco faltó. La devoción de su marido era manifiesta, y ella confiaba suficientemente en eso como para no desear que se interpusiera en la expresión de sus emociones.

De repente Hester lo entendió.

—¡Mary Havilland! —dijo de pronto—. ¿Se están refiriendo a Mary Havilland?

Eso encajaba perfectamente con lo poco que Monk le había contado sobre la muerte acaecida en el río.

Morgan Applegate y Rose cruzaron una mirada y luego observaron a Hester. Rose había palidecido y sus ojos reflejaban inquietud.

—¿Tanto se ha difundido la noticia en sólo dos días? —preguntó en voz baja.

Applegate apoyó una mano en el brazo de su esposa. Fue un gesto extraordinariamente protector, tan delicado como si tocara una herida.

—No —contestó Hester bajando la voz a su vez, consciente de que se trataba de un sufrimiento real y reciente—. Sólo estoy enterada porque mi marido trabaja en la Policía Fluvial y fue quien presenció los hechos.

Rose no pudo contener un grito ahogado y Applegate le apretó levemente el brazo. Hester vio en sus ojos que Applegate y su mujer deseaban hacer más preguntas pero no se atrevían por miedo a recibir una contestación terminante.

—No tiene claro lo que sucedió —les dijo—. No alcanzaban a ver bien desde la distancia a que se encontraban, y menos aún mirando hacia arriba.

Comprendió por qué Monk era tan renuente a creerlo, pero no podía hablar a aquellas personas sobre su propia pérdida. Había creído que el dolor se había curado con el tiempo y que estaba a buen recaudo siempre y cuando no se tocara. Hacía mucho tiempo que no intentaba recordar el semblante de su padre, quizá desde que había aprendido a creer que Monk la amaba lo bastante como para desprenderse de su miedo y, al mismo tiempo, asumir los riesgos. La seguridad no consistía más que en no preocuparse por nada que pudiera ocasionar pena... o alegría. Pero ahora, de pronto, regresaban los recuerdos: una palabra, un tono de voz, un gesto, y volvía al pasado, cuando su padre aún vivía, una época anterior a la guerra de Crimea, anterior al sufrimiento de tanta gente en el extranjero y en la patria, anterior a tantas pérdidas mezquinamente manipuladas por los responsables de las mismas.

—Está intentando esclarecerlo —agregó Hester—, sopesan la posibilidad de que no fuera tan simple como eso.

Rose pestañeó.

—¿Quiere decir... que quizá no lo consideren suicidio? —Un atisbo de esperanza iluminó sus ojos—. ¡Jamás se habría quitado la vida! ¡Me jugaría cualquier cosa a que no lo hizo!

—Rose... —musitó Applegate.

Se zafó de él con impaciencia, sin apartar los ojos de los de Hester.

—Si usted hubiese conocido a Mary no tendría que explicárselo. Era demasiado valiente para darse por vencida. Estaba demasiado... ¡demasiado enojada para permitir que se salieran con la suya!

Hester observó que Applegate hacía una mueca, pero se percató de que no ejercía ningún control sobre el entusiasmo de su esposa, de que casi con total seguridad no deseaba ejercerlo. Si Rose era franca, eso formaba parte de su naturaleza, de lo que él amaba en ella.

—¿Enojada con quién? —preguntó Hester—. ¿Circunstancias o personas? La Gran Peste fue algo atroz. No podemos permitir que se repita. Y el tifus fue aún peor. En la guerra de Crimea vi a algunos soldados morir de tifus, y no se lo desearía ni al mismísimo Satán.

—Oh, ya sé que es preciso construir el nuevo alcantarillado —convino Rose—. Pero Mary estaba convencida de que algunas máquinas se estaban usando sin aplicar las correspondientes medidas de seguridad. Todos están tan resueltos a ser más rápidos que sus contrincantes que hacen caso omiso de las reglas, y tarde o temprano los hombres van a pagar el precio. ¿Se enteró del derrumbamiento de la alcantarilla del Fleet? Seguro que sí. Salió en los periódicos. Eso será una minucia comparado con lo que podría ocurrir si...

—¡Rose, eso no lo sabes! —intervino Applegate—. Mary lo creía así, y quizás estuviera en lo cierto, pero ella...

—¡Tenía razón! —replicó Rose.

—¡Pero carecía de pruebas! —concluyó Applegate.

—¡Exactamente! —dijo Rose como si eso sellara su argumento. Miró a Hester—. Sabía que existían pruebas y se proponía reunirlas. Estaba convencida de poder hacerlo. ¿Le parece que eso sea propio de alguien que se quita la vida? —Sin darse cuenta se inclinó hacia Hester, tal como ésta había hecho hacia Applegate, impelida por su fervor—. Amaba a su padre, señora Monk. Se comprendían mutuamente de un modo que rara vez se da entre personas de distintas generaciones. Poseía una mente decidida, clara, y un inmenso coraje. ¡No sé por qué la gente piensa que las mujeres no pueden ser así! ¡Son las faldas las que nos impiden correr, no las piernas!

—¡Rose! —protestó Applegate.

—No la habré molestado, ¿verdad? —preguntó Rose a Hester con una pizca de ansiedad.

Hester tuvo ganas de reír, pero hacerlo quizás hubiese herido los sentimientos de los Applegate, como si no se tomara en serio la muerte. ¡Y lo hacía! Con una seriedad infinita. Aunque también le constaba que en el horror aplastante de una guerra o una epidemia el humor, por negro que fuese, a veces era lo único que mantenía cuerdos a los hombres. Ahora bien, eso no podía decirse en un domicilio de Londres donde una se hallaba en calidad de invitada.

—No, ni mucho menos —dijo para tranquilizar a Rose—. En realidad quisiera recordar la frase para poder repetirla. Habrá infinidad de ocasiones en que resultará muy apropiada. ¿Quiere que le atribuya la autoría o prefiere que olvide quién la dijo primero?

—Me parece que será mejor, debido a la posición de mi marido, que lo olvide —contestó Rose a regañadientes—. La Cámara de los Comunes es extremadamente firme en sus opiniones; claro que no hay ninguna dama con voz ni voto, y eso marca una gran diferencia. —Hizo una mueca de irónico desagrado.

Hester lo entendió. Ella misma había sido más libre de decir lo que pensaba en las proximidades del campo de batalla y había encontrado el regreso a Inglaterra dolorosamente restrictivo. Volvió de nuevo al tema de Mary Havilland.

—¿Conocía usted a su familia? —preguntó.

—Muy poco —respondió Rose, encogiéndose de hombros—.

Yo era muy amiga de Mary, y resultaba difícil serlo y al mismo tiempo relacionarse con ellos si no era por mera cortesía.

—¿Se llevaban mal?

—Pues sí. Verá, Jenny, es decir, Jenny Argyll, su hermana mayor, tiene una devoción absoluta por su marido y sus hijos, tal como es debido. —Una expresión mezcla de irritación y renuncia cruzó su semblante.

—¿Como es debido? —preguntó Hester.

—¿Qué otra opción tiene? —dijo Rose con una sonrisa—. Yo no tengo hijos que dependan de mí, pero sí un marido en quien confío plenamente. No obstante, pocas mujeres son tan afortunadas como yo, y, desde luego, Jenny Argyll no se cuenta entre ellas. —Volvió a encogerse de hombros—. Me parece que Alan Argyll es bastante razonable, pero si tiene sus defectos, es lógico que ella prefiera ser consciente de ellos sólo en la medida en que sea indispensable. ¡Dudo que agradeciera a su hermana que los sacara a relucir, ya que no estaba en su mano enmendarlos! Cuando eres impotente, la ignorancia es un gran consuelo.

—Y Mary... ¿hizo eso? —preguntó Hester—. O esos defectos eran muy graves o ella era muy insensible. —Una imagen más sombría se estaba formando en su mente.

—No lo sé —admitió Rose—. Por supuesto, en ocasiones podemos tener tanto miedo por la persona amada que no siempre actuamos de forma atinada cuando le advertimos de algo que percibimos como un peligro. Pero de eso no sé nada. Sólo sé que Mary rompió su compromiso con Toby Argyll, el hermano menor de Alan. Me lo contó con toda sinceridad.

—¿Sinceridad? —insistió Hester, insegura de lo que Rose quería dar a entender—. ¿Quiere decir que le explicó por qué rompió ese compromiso? —Se imaginó a una muchacha de apasionados ideales amorosos que de pronto descubre algo que la desilusiona hasta lo indecible. La aflicción tuvo que ser terrible. ¿Tanto como para verse incapaz de seguir adelante con su vida?—. ¿Fue por algo que descubrió sobre él? —agregó; hubiese preferido no saberlo, pero ahora ya era inevitable—. ¿Fue eso lo que...?

—¡No, no! —dijo Rose enseguida—. ¿Se refiere a si averiguó que Toby tenía alguna relación con la muerte de su padre y fue incapaz de soportarlo? ¿Es eso lo que está pensando?

—Sí —reconoció Hester—. Eso bastaría para partirle el alma a cualquiera, incluso a un temperamento fuerte.

—A Mary no. —No había el más leve rastro de duda en la voz de Rose, que volvía a estar sentada con la espalda bien recta—. No estaba enamorada de Toby, ¡o al menos no lo estaba lo bastante para que sin él su mundo se sumiera en las tinieblas! Le agradaba bastante. Pensaba que ésa iba a ser probablemente la mejor proposición que le harían. Al fin y al cabo, ¿cuántas mujeres se enamoran del hombre con quien pueden casarse? —Sonrió al decirlo. Tenía las manos perfectamente relajadas en el regazo y Hester entendió que no se incluía a sí misma en lo que decía—. Casi todas las mujeres se avienen a cerrar un trato aceptable —prosiguió—, y Mary era lo bastante realista para hacer lo propio. Créame, no se sintió tan desesperada como para romperlo. —Bajó la voz adoptando un tono de confidencia—. En realidad, pienso que en buena medida representó un alivio para ella. Podía rechazarlo con la conciencia tranquila. Nadie contaría con que se casara siendo tan reciente la muerte de su padre.

—Querida, no deberías decir eso —la reconvino Applegate.

—No volveré a decirlo —prometió ella pasando por alto que acababa de hacerlo. A su juicio, contárselo a Hester era una cuestión de honor, una obligación para con Mary que no estaba dispuesta a desatender—. No se quitó la vida, señora Monk. Si supiera cuán apasionadamente creía que su padre tampoco se había suicidado, que jamás habría hecho algo semejante... No sólo porque era un pecado contra la Iglesia, sino porque para él se trataba de algo mucho peor que eso: un pecado contra sí mismo. Suponía un acto de cobardía, una traición a su propia integridad y a su sentido del honor. Y si eso era cierto para él, también tenía que serlo para ella. No sé qué sucedió, pero estoy dispuesta a hacer lo que sea para ayudarla a averiguarlo. Si hay alguna información que yo pueda obtener, alguna puerta que pueda abrir para usted, no tiene más que decírmelo. Quizás aún estemos a tiempo de llevar a cabo la reforma en la que ella estaba trabajando, y salvar al menos parte de las vidas de los hombres que morirán si se producen más accidentes.

—Gracias —dijo Hester calurosamente—. Pasaré a verla en cuanto tenga una idea más clara de lo que haya que hacer. —Se volvió hacia Applegate—. ¿Qué información iba a traerle Mary Havilland? ¿Qué necesita saber antes de poder actuar?

—Pruebas de que no se cumplen las normas de seguridad —contestó él—. Y me temo que eso será muy difícil de conseguir. Los ingenieros dirán que han inspeccionado el terreno y los viejos ríos y arroyos en la medida de lo posible. Los hombres que trabajan con maquinaria pesada están habituados al peligro y saben que forma parte de su vida. Así como hay hombres que se hacen a la mar o que bajan a las minas y conviven con el peligro y la pérdida sin quejarse, también lo hacen los peones. Considerarían un acto de cobardía negarse o manifestar autocompasión, y despreciarían a cualquiera que lo hiciese. Y más aún, saben que se quedarían sin trabajo, pues por cada hombre que se niegue a hacerlo habrá decenas dispuestos a ocupar su puesto. Si se niegan condenan a sus familias a pasar hambre, y lo saben de sobra, igual que sus hijos y esposas.

—¿Y están dispuestos a perder brazos o piernas, o a morir aplastados? —inquirió Rose—. Seguramente sí... —Guardó silencio y miró a Hester en busca de apoyo.

Hester bajó la vista. Lo que Applegate decía era cierto. Había decenas de miles como Andy Collard: orgullosos, airados, testarudos, desesperados. Él no era más que uno de los muchos que ya habían resultado heridos.

Se puso de pie.

—Gracias, señor Applegate —dijo—. Haré lo que esté en mi mano para encontrar las pruebas que buscaba Mary Havilland. En cuanto tenga algo regresaré aquí.

—Si podemos ayudarla, ya sabe —dijo Rose—. Gracias por venir, señora Monk.


—¡No! —exclamó Monk, categórico, cuando Hester le refirió la visita aquella noche—. Yo me ocuparé de seguir investigando hasta que descubra qué les sucedió a Mary Havilland y a su padre.

—Ocurrirá un desastre si no se hace nada al respecto, William —arguyó ella con apremio—. ¿Esperas que me quede de brazos cruzados viendo cómo sucede?

Se abstuvo de mencionar su renuncia a Portpool Lane, pero ese asunto flotaba silenciado entre ellos.

Estaban de pie en la cocina, mientras hervía el agua para el té luego de que hubiesen recogido los platos.

—¡Hester, es posible que Mary Havilland fuera asesinada para impedir que hiciera precisamente eso! —dijo Monk enojado—. Por el amor de Dios, ¿no es lo que acabas de decirme?

—¡De eso tengo plena conciencia! —repuso Hester—. ¿Acaso tú vas interrumpir tus pesquisas?

—¿Que si yo...? ¡No, claro que no! Pero ¿a cuento de qué viene eso? ¡Aparta esa maldita tetera del fuego antes de que explote! De lo contrario ese desastre en las cloacas que dices no será el único accidente que ocurra.

Hester quitó la tetera del fogón con un gesto brusco y la dejó a un lado.

—¡Viene a cuento de todo! —gritó—. Tú puedes arriesgar tu vida a diario pero cuando yo quiero hacer algo en lo que creo, ¿qué ocurre, que de repente no estoy autorizada a hacerlo porque has decidido que quizá sea peligroso? ¡Sólo voy a hacer unas cuantas preguntas!

—Eso es completamente distinto. Eres una mujer. Yo sé cómo protegerme —dijo Monk como si se tratara de un hecho que no admitiera discusión—. Tú no.

Hester inspiró profundamente.

—Serás presuntuoso... —comenzó, pero se calló, temiendo hablar más de la cuenta y dejar que toda su frustración y su sentimiento de pérdida manaran a raudales. Nunca tendría ocasión de retractarse, porque él comprendería que aquélla era una reacción sincera. Así que se obligó a sonreír—. Te agradezco que te preocupes por mí. Es muy gentil de tu parte, pero no es necesario. Seré discreta.

Por un momento pensó que Monk iba a perder los estribos. En lugar de eso, se echó a reír, y su risa fue en aumento hasta que le faltó el aliento.

—¡No tiene ninguna gracia! —protestó Hester.

—Sí que la tiene —replicó Monk enjugándose las lágrimas con el dorso de la mano—. No has sido discreta ni un solo día en toda tu vida. —La tomó por los hombros con suavidad pero con la fuerza suficiente como para retenerla—. ¡Y no vas a seguir los pasos de Mary Havilland en busca de pruebas que demuestren que hay máquinas que se están utilizando de un modo peligroso!

Hester prefirió no responder. Al coger la tetera se dio cuenta de que el agua había hervido hasta casi consumirse. Tendría que rellenarla y volver a empezar.

—William —dijo con amabilidad—, me temo que el té se hará esperar un poco. Si quieres te lo llevaré en cuanto esté listo.

Si Monk deseaba pensar que ella admitía así su derrota o demostraba obediencia, no iba a sacarlo de su completo error.

—Gracias —aceptó Monk—. Me parece una muy buena idea.

Y dicho esto regresó a la sala de estar.

—¡Pero bueno! —dijo Hester entre dientes, aunque contenta de que la discusión hubiese acabado, al menos de momento, y de poder quedarse a solas un rato para recobrar el control de sus sentimientos.

# 4

A la mañana siguiente Monk sonreía en la proa del transbordador que cruzaba las agitadas aguas del río. Las olas golpeaban los flancos de la pequeña embarcación y un viento húmedo y cortante se le colaba entre el cuello del abrigo y la bufanda, aguijoneando la piel, helando las mejillas y los brazos. El barquero tenía que emplear no sólo su fuerza sino también su destreza para evitar fallar con las palas de los remos y dejarlos a ambos empapados.

Al menos el viento había disipado la bruma y las largas hileras de gabarras avanzaban a favor de la corriente, transportando mercancías con destino a los confines del mundo.

La víspera había hablado con Hester como si temiera por la seguridad de ésta, lo cual era cierto. No tenía la intención de impedirle que hiciese lo que ella consideraba correcto, pero cuando su esposa se implicaba en una causa perdía todo sentido de mesura. Esa entrega más de una vez la había puesto en peligro y el otoño pasado había faltado poco para que le costara la vida. Monk no podía ni quería permitir que eso volviera a suceder. Le bastaba pensar en tal posibilidad para verse invadido por la angustia. ¿Tanto era pedir un poco de obediencia?

Miró las aguas, encrespadas, oscuras, sucias. Quizá, pensó, si fuese capaz de recordar toda su juventud, sus demás experiencias con mujeres, sus relaciones amorosas anteriores, sería más realista. Pero no recordaba nada y quería que Hester fuese tal como era: ingenua, impetuosa, testaruda, vulnerable, apasionada, dogmática, leal y a veces insensata, siempre sincera —demasiado sincera— y nunca mezquina ni cobarde. Pero la quería con vida, y si no tenía la prudencia de cuidar de sí misma, él tenía que hacerlo por ella.

Averiguaría qué le había sucedido a Mary Havilland, así como a su padre, porque Hester lo despreciaría si no lo hiciera.

¿Qué había sentido ella siete años atrás a propósito del suicidio de su padre? Monk acababa de conocerla por aquel entonces y al principio no congeniaron. Ella lo encontró frío y arrogante. Quizá lo fuese, Monk no iba a negarlo, pero también estaba desconcertado por el mundo desconocido que lo rodeaba debido a su pérdida total de memoria y a la creciente constatación de la aversión que suscitaba su persona, y también, lo que era aún peor, a la aterradora pesadilla de su culpabilidad en la muerte de Joscelyn Gray. Fueron la fortaleza y el coraje de Hester los que lo mantuvieron a flote y alimentaron su esperanza a pesar de las pruebas que se iban acumulando contra él.

¿Se había sentido culpable por no estar en Inglaterra y en casa de sus padres cuando ambos tanto la necesitaban? ¿Era ése, al menos en parte, el motivo por el que ahora estaba decidida a luchar por Mary Havilland y, a través de ella, por su padre?

Ni siquiera se le había ocurrido hasta ese momento.

Llegaron a la orilla de Wapping. Pagó al barquero, subió la escalera hasta el muelle, donde el viento arreciaba, y se dirigió a grandes zancadas hacia la puerta de la comisaría. El interior estaba caldeado, pero transcurrieron varios minutos antes de que el calor desentumeciera sus miembros. Las manos le ardían al circular de nuevo la sangre. Los hombres se abrigaban con pesados chaquetones y gruesas gorras, disponiéndose a salir para comenzar la patrulla siguiente.

Habló brevemente con ellos y le dieron el parte de novedades de la noche: un par de robos y varias reyertas, una de ellas acabada a navajazos. La víctima había fallecido, pero habían detenido al autor de los hechos, los cuales eran, al parecer, la culminación de una prolongada enemistad.

—¿Algún otro implicado? —preguntó Monk.

Clacton lo miró de reojo con elocuente desdén y Monk se dio cuenta de su equivocación. Estaba tratando a Clacton como a un igual, tal como haría con Orme. Pero Clacton buscaba pelea, lo rondaba como un sabueso, al acecho de un fallo con el que ensañarse. Monk tuvo que esforzarse para dominar su genio. Un hombre que perdiese los estribos ante la grosería de un subordinado demostraría pocas dotes de mando. Nadie debía manipularlo. Como tampoco debía parecer que necesitase la ayuda de Orme. Estaba solo. Orme deseaba que saliera airoso. Clacton quería que fracasara. Para ninguno de los dos llegaría a ocupar nunca el sitio de Durban. Y no era ésa su intención. Tenía que hacerse su propio sitio, y ninguno de esos dos podía admirar más a Durban que él mismo, puesto que entendía lo que había hecho mejor que ellos, y además cargaba con un peso de culpabilidad mucho mayor de lo que se figuraban.

Monk no se corregiría reformulando la pregunta. Debía salvar la situación de otra manera. Se volvió hacia Butterworth.

—El señor Clacton no parece dispuesto a revelar sus nombres. A lo mejor son amigos suyos. O informantes. Quizás usted pueda ser más claro y concreto.

Clacton abrió la boca para protestar, pero vio el semblante de Monk y se abstuvo de hacerlo.

—¡Sí, señor! —dijo Butterworth disimulando apenas su sonrisa—. No nos consta que hubiera más heridos, señor. Tampoco testigos dispuestos a declarar, pero sabemos para quién trabajaban. Parece más bien algo personal. Llevaban un par de meses a la greña, desde una pelea que tuvieron en el río, un poco más abajo. Bebida y mal genio, lo más probable.

—¿Creen que alguien intentará vengarse? —preguntó Monk.

—No, señor, pero estaremos alerta.

—Bien. ¿Algo más?

Despachó otros asuntos de menor importancia y los hombres se marcharon, Butterworth con una sonrisa burlona, Clacton con cara de pocos amigos y los otros dos sin comprometerse.

Monk encontró a Orme en uno de los despachos. Orme levantó la vista del libro en el que estaba escribiendo cuando oyó a su superior cerrar la puerta.

—Buenos días, señor —dijo mirando a Monk con expresión solemne—. Ha llegado el informe del médico sobre la señorita Havilland. Nada que no supiéramos ya, excepto que es imposible que estuviera embarazada. Ningún hombre la había tocado. —Sus ojos reflejaban una profunda tristeza—. La enterrarán esta mañana. Su hermana ni siquiera ha pedido ayuda a la Iglesia y menos aún que le conceda un sitio digno. Supongo que la pobre sabe que con su padre no le valió de nada.

Monk se sentó al otro lado de la pequeña mesa de madera. De repente se sintió asqueado. Era inútil enfurecerse contra la ceguera, la arrogancia y la falta de compasión humana que dictaminaba que Mary era indigna de recibir cristiana sepultura. Dejarse llevar por la ira no serviría de nada. Ningún acto humano iba a afectar el juicio que Dios hiciera de ella o de cualquier otra persona. Lo que Monk detestaba era la brutalidad contra los sentimientos de quienes la habían amado, pero con su enojo sólo lograría que sufrieran más.

—Gracias —dijo en voz baja—. ¿Dónde?

—En la parcela contigua a la iglesia de St. Mary, en Princes Road. Queda justo enfrente del asilo de pobres de Lambeth. —Bajó la vista.

—Gracias —repitió Monk.

—A las once —agregó Orme—. Antes de ir le da tiempo de ver al señor Farnham.

—Creo que no. Tengo que avisar al mayordomo y al comisario Runcorn.

Orme le miró con gravedad.

—Por favor, diga al señor Farnham que iré a verle en cuanto regrese —pidió Monk.

—Sí, señor. ¿Se refiere al comisario Runcorn de la Policía Metropolitana?

—Sí. Dirigió la investigación de la muerte de James Havilland.

Acto seguido Monk refirió a Orme lo que Runcorn le había contado, así como la evidente tristeza que le había causado la muerte de Mary, sin omitir su renuencia a creer que fuese un suicidio.

—En cambio, no hubo duda alguna de que su padre se había quitado la vida —dijo Orme quedamente. Sus ojos azules y redondos no albergaban esperanzas de que Monk estuviera equivocado pero tampoco ocultaron su decepción.

—No se encontró ninguna —admitió Monk—. Excepto que ella no se lo creyó. Estaba convencida de que era un luchador y que nunca se habría dado por vencido.

—Bueno —dijo Orme—, no debió de resultarle fácil pensar que su padre era de los que se pegan un tiro, ¿no cree? A lo mejor esa muchacha aguantó el tipo todo el tiempo que pudo... Pero cuando algo le hizo ver que no podía seguir engañándose se vino abajo. —Clavó los ojos en la mesa—. Pobre criatura —añadió con tristeza—. Pobrecilla.

¿Eso era todo? Monk se debatía en su fuero interno. ¿Estaba siendo leal con Mary, a quien no había llegado a conocer, imaginando cierta semejanza con Hester por circunstancias superficiales? ¿O sólo desleal con Durban, que había fallecido por su culpa y que estúpida y ciegamente le había encomendado que ocupara su puesto? ¡Durban tuvo que decir algo extraordinario a Farnham para que éste aceptara tal recomendación! La reputación de Monk en el esclarecimiento de crímenes era magnífica, y se la había ganado a pulso, pero como líder su fama era espantosa, lo cual también estaba justificado. Inspiraba más miedo que obediencia, más admiración a su habilidad que lealtad a su carácter, más rencor que amistad. Sus descubrimientos sobre su propio pasado en la Policía Metropolitana le habían obligado a aceptarlo.

Pero había hecho una promesa a Hester y si no seguía hasta el final, lo haría ella. Y no diría nada, pero se sentiría decepcionada.

—Cuando los vimos, ¿a usted le pareció que ella saltaba? —preguntó a Orme.

Orme pestañeó.

—Fue una manera rara de caer, hacia atrás —admitió—. Pero estaba forcejeando con el joven Argyll. ¿Se refiere a si él trataba de impedirlo o si más bien la obligaba a lo contrario? ¿Por qué? ¿Porque ella lo había rechazado? Eso resulta un poco... —Abrió las manos, incapaz de dar con la palabra adecuada.

—No —dijo Monk—. Más bien porque andaba tras las pruebas de negligencia temeraria que creía que su padre había estado a punto de encontrar.

—¿Por qué harían eso? Parece una tontería. Nadie quiere que haya hundimientos —señaló Orme—. Cuesta una fortuna repararlos. Y Argyll destaca por ser un hombre muy apegado a su dinero, hasta el último penique.

—¿Usted cree?

—Sí, señor Monk, desde luego. He hecho unas cuantas preguntas sobre él. Sólo por lo de esa pobre chica. Al señor Argyll le van muy bien las cosas, pero todo es correcto y obra con prudencia. No ha habido ningún gran accidente, sólo los pequeños de costumbre, los que todos tienen. Si no hubiese habido ninguno sería como para sospechar que ocultaba algo. Aunque trabajan extraordinariamente deprisa y por eso consiguen contratos muy jugosos. Me figuro que no les hará ninguna gracia que alguien ponga en entredicho sus métodos.

—Pero ¿no encontró nada feo?

—No. Y miré bien. —No era preciso que explicara por qué—. ¿Piensa ahondar más en el asunto, señor?

—Un poco. —Monk se obligó a confiar en él esperando no tener que lamentarlo más adelante. Incluso cabía la posibilidad de que Orme prefiriera no saber nada. Mantener las distancias quizá resultara más cómodo, pero Monk desechó la idea—. Mi esposa fue abordada por alguien muy preocupado por el riesgo de un hundimiento realmente grave. —No era preciso que Orme se enterase de la implicación de Hester con el dispensario de Portpool Lane ni de que el amigo en cuestión era exterminador de ratas—. La llevó a ver uno de los túneles más grandes y profundos. Ese hombre conoce todos los ríos y manantiales subterráneos y teme que las obras estén avanzando demasiado rápido.

Orme lo observaba inquieto, prestándole mucha atención.

—Ella le prometió que haría lo que pudiera al respecto —prosiguió Monk—. Se enteró de que había un miembro del Parlamento sumamente preocupado por el asunto y fue a verlo. —Hizo caso omiso del asombro de Orme—. Al parecer Mary Havilland también había acudido a él, causando una impresión muy favorable tanto en el parlamentario como en su esposa. Lo cierto es que ambos están muy afligidos por su muerte, de la que ya estaban enterados, y ansiosos por hacer todo lo posible para propiciar una reforma, siempre y cuando alguien aporte pruebas de que existe un peligro real.

—Vaya, vaya. —Orme se apoyó contra el respaldo de la silla—. Así que realmente estaba haciendo algo. —Adoptó una súbita expresión de piedad, pestañeó y miró hacia otra parte, como si necesitara resguardarse de la mirada de Monk.

Monk se sintió turbado por una emoción más honda de lo que deseaba. Habría resultado más fácil si Orme le hubiese plantado cara. Entonces se habría enojado, y el enojo siempre era más llevadero que la pena, al menos de entrada. Pero Orme era demasiado sincero para eso. Monk lo apreció aún más por eso, aunque le contrarió verse obligado a ello. Todavía no estaba preparado para cargar con semejante lealtad.

—Voy a seguir investigando al menos unos días más —dijo en tono lacónico—, a ver si logro averiguar qué era exactamente lo que el señor Havilland estaba investigando y lo que descubrió. Necesito saber si se trataba de algo real o sólo su propio miedo a quedar atrapado.

Orme asintió con la cabeza.

—Al señor Farnham no va a gustarle —advirtió—. Siempre anda diciéndonos lo que tenemos que hacer y, para variar, ha habido un montón de robos. Todas esas excavaciones de túneles nuevos están sembrando el descontento. Con tantos peones por ahí se ha vuelto más complicado mover bienes robados. Fat Man es uno de los mayores peristas de objetos de valor: joyas, oro, marfil, sedas y demás cosas así. Está molesto con tanto ir y venir.

—Ya lo sé.

—Sólo era un comentario —puntualizó Orme.

—Gracias. Los robos son importantes, pero el asesinato, si es que estamos ante un caso de asesinato, lo es aún más.

Orme esbozó una sonrisa amarga.

—Él no dirá que es un asesinato. Y es la gente a la que roban la que controla el río. Ésos son los que tienen dinero.

—Es usted un hombre sensato —concedió Monk—. Recuérdeme eso otra vez dentro de un par de días. Mientras tanto, es a mujeres muertas como Mary Havilland a quien también debemos justicia.

Monk tomó un coche de alquiler para acudir al entierro y recogió a Runcorn y a Cardman de camino. Apenas hablaron durante el trayecto hasta la iglesia. Llegaron temprano, pero les pareció apropiado aguardar de pie en la franja de hierba agostada: eran tres hombres unidos en la ira y la aflicción por una mujer que uno de ellos había conocido toda su vida, otro sólo los dos últimos meses y el tercero nada en absoluto.

Soportaron envarados el viento gélido, cada cual sumido en sus pensamientos, ajenos al tráfico y a la negra mole del asilo que se erguía contra el cielo plomizo.

Los sepultureros habían hecho su trabajo; la fosa estaba abierta. El breve cortejo lo abría el pastor, seguido por Jenny Argyll, de luto riguroso y con un velo tan oscuro que ocultaba su rostro por completo. Monk sólo la identificó porque no podía ser otra yendo con Alan Argyll, aunque ella no le prestara ninguna atención y tampoco él a su esposa. Ambos parecían no hacer caso de la presencia del otro.

¿Acaso Alan Argyll pensaba sólo en su hermano fallecido? Su expresión de amargura así lo sugería.

No hubo ceremonia religiosa, nada se dijo sobre la esperanza de la resurrección. El entierro fue cualquier cosa menos piadoso. El viento sacudía las colas de los abrigos de los presentes y azotaba la piel expuesta de las mejillas, que, enrojecidas, contrastaban con la palidez de los labios.

Monk miró sólo una vez a Runcorn y a Cardman y no volvió a entrometerse en sus sentimientos. Quizá fuese el recordatorio de la muerte y la exclusión, el rechazo absoluto del género humano incluso en aquel último instante, pero ambos permanecieron de pie sin moverse, transidos de dolor.

Monk se volvió hacia el pastor y se preguntó en qué clase de Dios creía, si hacía aquello de buen grado o contra su voluntad sencillamente porque tenía una esposa e hijos a los que alimentar. Agradeció que su propia fe no estuviese condicionada por la necesidad económica, propia o de otra persona. Debería compadecer a aquel hombre por las ataduras que lo constreñían, pero aun así no había preguntas en su rostro y lo único que Monk pudo sentir por él fue ira y desprecio.

El entierro finalizó casi antes de que Monk lo advirtiera. Sin mediar palabra, el cortejo fúnebre partió. En silencio, Runcorn, Cardman y Monk se marcharon en dirección contraria, no porque fuese necesario, sino porque acompañar el cortejo no era aceptable bajo ningún concepto.

Encontraron un coche de punto y regresaron tal como habían llegado: por un momento iguales, casi amigos, incluso.


—Suicidio —dijo bruscamente el jefe de Monk cuando éste entró en su despacho a primera hora de la tarde—. ¡Por todos los santos, hombre! ¡Saltó delante de sus narices y arrastró consigo al pobre diablo que intentaba salvarla! ¡No empeore más las cosas para la familia buscando el quinto pie al gato!

Farnham era un hombre corpulento, ancho de espaldas y de vientre prominente. Su rostro de nariz larga era capaz de mostrar repentinas sonrisas y había quien le atribuía ciertos gestos amables, pero Monk siempre se incomodaba en su presencia, como si nunca estuviese seguro de ser fiel a lo mejor de sí mismo. Farnham había anhelado autoridad y la había conseguido, y ahora la ejercía con inmenso placer.

Todo argumento fundamentado en creencias o intuiciones sería objeto de mofa. Cualquier cosa que Monk propusiera sería considerada un gesto de autosuficiencia por parte de la Policía Fluvial.

—Probablemente se trate de un caso de suicidio, señor —admitió Monk en voz alta—, pero creo que deberíamos estar seguros.

Farnham enarcó las cejas. Había confiado en Durban, sabía a qué atenerse con él, o al menos eso había supuesto. Ahora le incordiaba tener que aprender las virtudes y flaquezas de un nuevo hombre. Estaba suficientemente enterado de lo que había ocurrido en realidad como para imputar a Monk la responsabilidad de la muerte de Durban, por más que ésta hubiese sido consecuencia del sentido del deber del propio fallecido, de su valentía y de una espantosa desgracia en la que ninguno de ellos reparó hasta que fue demasiado tarde. Pero Monk había sobrevivido, y por eso Farnham lo culpaba.

—Muy pocas cosas son seguras en el trabajo policial, Monk —dijo con acritud—. ¡Pensaba que ya lo sabía!

La crítica era implícita. Monk se tragó su impaciencia.

—No estoy pensando en lo que sucedió en el puente, señor, sino en lo que la chica investigaba en relación con los túneles de la red del alcantarillado y su construcción.

—¡No es asunto nuestro! —espetó Farnham—. Eso le corresponde a la Policía Metropolitana.

El desagrado con que lo dijo fue exactamente el que Monk esperaba. No era la primera vez que lo veía en las pocas semanas que llevaba allí. Formaba parte de lo que Farnham despreciaba del propio Monk, y el hecho de que lo hubiesen despedido de la Policía Metropolitana era, en cambio, un punto a su favor.

—Sí, señor —aceptó Monk a regañadientes—, pero si algo provoca un desastre real y resulta que nosotros estábamos enterados, o que al menos hemos tenido ocasión de averiguarlo, ¿cree que se avendrán a verlo así?

Farnham entornó los ojos.

—Puede disponer de un par de días —dijo—. ¡Si encuentra algo que merezca ser investigado entrégueselo a ellos, por escrito, y guarde una copia en nuestros archivos! ¿Entendido?

—Sí, señor. —Monk le dio las gracias y se marchó antes de que Farnham cambiara de parecer o añadiese más restricciones.

Comenzó por aprender cuanto pudo sobre la vasta red de cloacas, viejas y nuevas, y sobre cómo estaban interconectadas. Se trataba de una vasta red destinada a transportar hacia el este el océano de residuos generado por los tres millones de londinenses, alejándolo de la ciudad para tratarlo en grandes estaciones depuradoras próximas al mar. Luego el agua sobrante podría liberarse, comparativamente limpia, deshaciéndose del residuo sólido de otra manera. Jamás volvería a producirse una Gran Peste. Era una fenomenal hazaña de ingeniería que costaba el rescate de un rey en dinero, pero resultaba absolutamente necesaria para la capital del Imperio y la sede del gobierno de una cuarta parte del mundo.

Le llevó más tiempo averiguar la participación exacta de la empresa de los hermanos Argyll en el plan, y Monk se sorprendió al comprobar lo grande que era. Tuvo que haberles costado un esfuerzo y una influencia considerables conseguirlo, y sin duda no renunciarían a sus derechos con facilidad. Tenían tres obras en marcha, muy próximas entre sí. Dos eran de cortar y cubrir, como la profunda grieta que Hester había descrito, pero la tercera era demasiado profunda para emplear ese método. Allí tutelaban de veras, escarbando como conejos bajo el suelo, arañando la tierra y la roca y llevándola hasta la entrada para deshacerse de ella. La necesidad de trabajar así venía dictada no sólo por la profundidad, sino por el hecho de que otros ríos y conductos de gas cruzaban por encima del túnel en varios lugares y podrían haberse venido abajo si se hubiesen expuesto al método abierto.

Por más que buscó, no logró encontrar un mapa aceptable que mostrara todos los pozos, manantiales y ríos subterráneos, las antiguas alcantarillas, sumideros y canales de Londres cuyos cursos se habían alterado con el paso de los siglos. El suelo arcilloso cedía. Ciertos tipos de tierra absorbían agua y otros la repelían. Algunas cloacas antiguas que databan del tiempo de la ocupación romana habían sobrevivido. Otras se habían roto o derrumbado, y la tierra caída las había desviado o hundido aún más. La tierra era un ente vivo que cambiaba con el tiempo y el uso. No debía extrañar, pues, que Sutton, cuyo padre había sido alcantarillero y conocía todas las vías de agua, grandes y pequeñas, tuviera miedo de las imponentes máquinas de vapor que sacudían el suelo, sabiendo, además, que los hombres cavaban y vaciaban perturbando lo que estaba asentado.

Monk fue muy prudente en cuanto a mencionar el nombre de Havilland, pero si no lo hacía poco más iba a averiguar. Le producía un irónico y agridulce placer comprobar que investigar resultaba mucho más fácil que en sus días de detective privado, ya que podía servirse de la autoridad de la Policía Fluvial para pedir lo que quisiera. Estaba atenazado por las normas, constreñido y privado de libertad por la obligación de responder de sus actos tanto ante Farnham, su superior inmediato, como, en cierta medida, ante Orme y los demás subordinados. No podría ejercer su liderazgo si no era capaz de inspirar a sus hombres para que le siguiesen. La mera ostentación del cargo quizá bastara para forzar su obediencia durante un tiempo, pero no le granjearía el respeto o la lealtad deseables. Sólo reemplazaría a Durban en los papales.

Solicitó información detallada a empleados en oficinas a pie de obra a propósito de mapas antiguos, excavaciones anteriores, vías fluviales, composición del suelo, cementerios y fosas comunes, cualquier cosa susceptible de afectar la construcción de los túneles. Le refirieron las pesquisas de James Havilland.

—¿Y la señorita Mary Havilland? —instó Monk.

—Tal como le he dicho —contestó el oficinista.

—¿Hizo las mismas preguntas que el señor Havilland? —preguntó Monk con vivo interés—. ¿Explicó su implicación en el asunto? ¿No despertó su curiosidad que una joven tuviera conocimientos sobre estas cuestiones?

—Sí, claro que me sorprendió —confirmó el oficinista—. Por eso me acuerdo. Me dijo que era su padre y que había fallecido, y que estaba haciendo lo que podía para concluir su tarea. Él trabajaba para una de las grandes firmas, la Argyll Company.

—¿Se lo dijo ella?

—No. Yo ya lo sabía. No es que lo conociera, pero me lo había encontrado un par de veces en las obras. Tenía mal aspecto, pálido y sudoroso. En fin, he visto a muchos hombres así cuando tienen que bajar a lo más hondo. Temen quedar atrapados, por no mencionar las ratas. —Se estremeció—. A mí tampoco es que me gusten mucho.

Monk insistió un poco más, anotando los pormenores, y luego dio las gracias al oficinista y se marchó.

El resto de la jornada no aportó nada nuevo. Mary Havilland había seguido los pasos de su padre en media docena de sitios. Obviamente, creía que las máquinas de vapor eran peligrosas, pero ¿había averiguado algo que lo demostrara?

Monk iba dando vueltas a la cuestión mientras regresaba por los muelles a la comisaría. Había oscurecido y lloviznaba. El olor de la marea era pestilente, pero Monk ya se estaba acostumbrando. Incluso los constantes sorbetones del agua contra los muelles y en las escaleras que bajaban a los transbordadores y gabarras cobraban una especie de ritmo familiar. Las sirenas de niebla resonaban de nuevo y la lluvia entorpecía la visión. En lo alto, las luces surgían en la oscuridad sin dar tiempo a cambiar de rumbo.

Se preguntó qué sería de Scuff. ¿Dónde estaría en una noche como aquélla? ¿Habría comido algo? Tenía cobijo, a Monk le constaba, pero ¿cómo se calentaría? Entonces recordó que el principal botín de los rapiñadores era el carbón. Muy a menudo los marineros de las gabarras lo dejaban caer deliberadamente en las aguas someras para que los chicos lo recogieran. A lo mejor tendría un fuego. Las riberas estaban plagadas de niños que se las arreglaban como podían para sobrevivir, igual que en el resto de la ciudad. No tenía sentido preocuparse por uno de ellos.

Se obligó a concentrarse otra vez en el caso.

¿Acaso Havilland había descubierto algo por lo que alguien estaría dispuesto a matar con tal de ocultarlo? Parecía poco probable. Argyll no había sufrido ningún accidente grave. Ahora bien, Havilland era ingeniero y sabía con exactitud de qué eran capaces las enormes máquinas, qué precauciones se tomaban y también que Argyll, menos que nadie, no querría heridos ni pérdidas de tiempo. Un accidente grave quizá segara la vida de un puñado de hombres, pero desde luego supondría la ruina de la empresa.

Sin embargo, ¿era posible que se hubiera enterado de algo tan peligroso como para que lo asesinaran por ello, y que Mary, al seguir sus pasos, encontrara el mismo final?

¿O era simplemente que Havilland había perdido su equilibrio mental, obsesionándose hasta el punto de imaginar un peligro donde no había ninguno? ¿Eran los ríos desviados y la amenaza de corrimientos una excusa más que una razón para cerrar aquel túnel y ahorrarse tener que volver a bajar a su pavorosa galería? ¿Era incluso posible que le guardase rencor a Argyll por la causa que fuera?; que Mary, devota de su padre, hubiera creído en su visión y luego, cuando finalmente las pruebas la obligaron a enfrentarse a la verdad, hubiese sido incapaz de soportarlo? ¡Sólo que para ella fue aún peor! Primero el error de su padre, su suicidio, la ruptura de su compromiso matrimonial con Toby Argyll; después, el distanciamiento de su hermana, la vergüenza de las falsas acusaciones y nada que esperar del futuro, ni siquiera estabilidad económica.

¿Acaso Toby le había contado una verdad tan amarga que al final la había desmoronado? ¿Cabía incluso que hubiese arremetido contra él debido a eso?

Hester sufriría cuando se enterara. Monk hizo una mueca y se estremeció al pensar que quizá debería decírselo, al día siguiente o al otro, tal vez...

A la mañana siguiente decidió ir directamente al túnel más profundo valiéndose otra vez de su autoridad para obligar a los ingenieros a dejarlo entrar.

La obra bullía de actividad: los hombres llevaban carretillas, cavaban, picaban, apuntalaban la entrada donde cargamento tras cargamento de tierra, arcilla, piedras y esquisto salía en vagonetas y era izado por los doce metros de pared hasta el nivel superior. El túnel propiamente dicho era como la entrada a una mina, lo suficientemente grande para que un hombre cupiese de pie. Pero lo sería mucho menos cuando acabaran de enladrillarla. Sería un tubo vacío con esporádicos agujeros por los que desaguarían los sumideros en caso de tormenta. Escaleras de mano protegidas con anillos de acero ascenderían hasta la calle y la luz del día, de modo que los encargados del mantenimiento pudieran bajar y limpiar cualquier obstrucción o amontonamiento de residuos que impidiera una circulación fluida.

Un gigantesco motor de vapor retumbaba, estremeciendo el suelo, moviendo la cadena que halaba los cargamentos de escombros y los trasladaba a un montículo donde se vaciaban. Silbaba y escupía vapor, y el ruido obligaba a los hombres a gritar para hablarse en unos veinte o treinta metros a la redonda. Los fogoneros paleaban carbón para avivar el fuego de la caldera y acto seguido reanudaban las tareas de izado y vaciado.

Monk mostró su placa de identificación. A regañadientes los responsables le dejaron acceder a la obra, a cuyas profundidades se bajaba por una cuesta muy empinada, pero ninguno lo acompañó. Resbaló unas cuantas veces, y a punto estuvo de caer al suelo. En varias ocasiones se dio de bruces contra las paredes cubiertas por tablones medio sueltos.

Una vez abajo pudo caminar con más soltura sobre las tablas dispuestas encima de los escombros y el barro. El agua sucia se filtraba por los lados y formaba charcos que se iban vaciando poco a poco hacia la boca del túnel. Monk levantó la vista por un instante. ¿A qué profundidad se encontraba? El pánico le provocó palpitaciones. Las paredes ascendían hasta una estrecha franja de cielo y el movimiento de las nubes al cruzarla hizo que se tambalease.

De repente fue consciente del olor que lo rodeaba: a humedad, a tierra, a moho, como si nada estuviera nunca seco ni el aire se renovase.

Se enfrentó al agujero oscuro que tenía delante con una renuencia que lo asustó. Nunca antes había experimentado una sensación tan avasalladora de estar encerrado. Tuvo que obligarse a seguir caminando y procurar adormecer su imaginación.

La sombra se cerró encima de él. La claridad diurna apenas si penetraba. Después de unos pocos metros el túnel estaba alumbrado con linternas sordas, para evitar que las llamas inflamasen los gases que flotaban en el aire. Tenía noticia de explosiones en minas y hombres enterrados para siempre en pozos derrumbados. ¿Cabía la posibilidad de que allí sucediera algo semejante? ¡No, claro que no! Aquél era un túnel recto que iba a ser enladrillado y reforzado con acero. Las cloacas no se derrumbaban.

El ruido del martilleo y las palas sonaba delante de él. Siguió caminando haciendo chapotear el agua con las tablas del suelo. Se preguntó dónde estarían los ríos más cercanos y si habría alguien que lo supiera con certeza. ¿Hasta qué punto aquellos ríos cambiaban su curso en secreto debido a hundimientos, a los grandes motores que sacudían la tierra desde la superficie? Estaba sudando y el corazón le palpitaba con fuerza.

Seguía avanzando exactamente a la misma velocidad a lo largo del entarimado. La regularidad de sus pasos le daba la ilusión de estar controlando la situación. El agua goteaba. Parecía estar por todas partes, un brillo en las paredes a la luz de las linternas sordas. Una rata surgió de la nada dándole un susto. Corrió unos diez metros, pasando por su lado, y las sombras volvieron a engullirla.

Delante se veían luces más brillantes, se oían voces, el estruendo metálico de los picos contra la roca y el ruido sordo de los golpes contra la arcilla. Entonces la vio. Una máquina como un tambor gigantesco, casi del tamaño del propio túnel, repiqueteando con toda su potencia como si fuese el latido de la tierra.

Un mínimo de veinte hombres se concentraban en diversas tareas, y ninguno levantó la vista ni se percató de la presencia de Monk. El aire viciado y frío dejaba un extraño sabor en la boca.

Un hombre junto a él con una carretilla cargada de escombros. Otra rata salió disparada de las sombras y volvió a desaparecer. Las paredes del túnel más allá de las últimas tablas resplandecían a causa de la humedad, y aquí y allá había hilos de agua que se escurrían hasta el suelo lodoso.

Si los excavadores llegaban a romper las paredes de un arroyo subterráneo, el agua manaría allí dentro como un grifo abierto, sólo que no habría modo de cerrarlo. No debía permitirse pensar en eso o acabaría siendo presa del pánico. Notó que un sudor frío le recorría todo el cuerpo.

Avanzó a grandes zancadas y llamó adrede la atención del hombre mejor vestido que vio, uno de los únicos dos que llevaban chaqueta y que, era de suponer, más que ejecutar, supervisaban las tareas de excavación.

El hombre en cuestión era ancho de espaldas y algo ventrudo, aunque no aparentaba más de cuarenta y pocos años. Era de rasgos regulares, incluso agraciados, salvo por una boca una pizca demasiado grande. Tenía el cabello negro y ondulado y lucía un espeso bigote oscuro. Volvió unos ojos azules hacia Monk.

—¿Sí? —dijo sorprendido, levantando la voz para hacerse oír por encima del estruendo de la máquina y del ruido de la tierra y las rocas al ser trituradas.

—Monk, de la Policía Fluvial —contestó Monk—. Tengo que hablar con el responsable.

—¡Soy yo! Aston Sixsmith —dijo el hombre—. ¿Qué quiere, señor Monk?

Monk señaló hacia la entrada para indicar que deberían alejarse del ruido y tuvo que concentrarse deliberadamente para no volverse de inmediato y pasar delante. Comenzó a compadecer a Havilland más de cuanto lo hiciera sólo una hora antes. Entendía muy bien que un hombre se sintiera oprimido por aquellas paredes, por la oscuridad y, sobre todo, por el aire viciado.

Sixsmith caminaba delante de él y se detuvo a unos treinta metros de la excavación.

—Bien, señor Monk, ¿qué puedo hacer por usted? —preguntó con curiosidad—. ¿Ha dicho que es de la Policía Fluvial? Por aquí no tenemos ningún problema, y no he contratado a ningún hombre desde hace más de un mes. ¿Está buscando a alguien? Yo, en su lugar, probaría en el túnel del Támesis. ¡Aquello sí que es un mundo aparte! Hay gente que vive bastante bien, casi toda su vida. En esta época del año está más seco que la superficie. Aunque me figuro que eso usted ya lo sabe.

—Sí, en efecto —contestó Monk, aunque el mundo del túnel del Támesis era uno de tantos de los que aún no había tenido tiempo de explorar. El propio río lo mantenía en constante alerta, siempre aprendiendo, poniendo de manifiesto las grandes lagunas de sus conocimientos así como las pequeñas equivocaciones tontas que cometía a causa de su ignorancia. Tenía el rostro encendido por el recuerdo de las veces en que Orme le había sacado de apuros, aunque siempre discretamente. No podía seguir así—. No estoy buscando a ningún hombre. —Miró a Sixsmith directamente a los ojos—. Tengo entendido que usted trabajaba con James Havilland.

La tristeza ensombreció de repente el semblante de Sixsmith. Su rostro era más expresivo, más susceptible de reflejar sentimientos de lo que Monk había supuesto. Su aspecto no era muy diferente del de los peones y se mezclaba con ellos fácilmente, pero tanto su voz como su dicción lo ubicaban en una posición bastante distante, señalándolo como un hombre caballeroso y de considerable formación, fuese ésta académica o no.

—Sí. Pobre hombre —dijo—. Al final, los túneles acabaron con él.

Escrutó los ojos de Monk y éste tuvo la clara sensación de que su propio miedo era percibido cuando no constatado.

—¿Qué puede decirme acerca de él? —preguntó Monk—. ¿Era un buen ingeniero?

—Excelente, aunque un poco anticuado —contestó Sixsmith—. Quería que las nuevas ideas se probaran más concienzudamente de lo que considero necesario. Pero era un hombre cabal, y no conozco a nadie que no lo apreciase y respetara. ¡Yo, desde luego, lo hacía!

—Ha dicho que los túneles acabaron con él —prosiguió Monk—. ¿A qué se refiere?

Se alegró de que hubiesen empezado a avanzar hacia la entrada otra vez, aunque fuera para salir a una grieta y no al nivel del suelo.

Sixsmith suspiró y movió las manos con un gesto atribulado. Pese a lo sucias que las llevaba, su fuerza y elegancia saltaban a la vista.

—Algunos hombres no soportan los sitios cerrados —explicó—. Hay que tener un temple especial para trabajar bajo tierra. Él no lo tenía. No es que no se esforzara, pero a veces perdía el control. —Suspiró y apretó los labios—. Intenté convencerlo de que se quedara arriba, pero no me escuchaba. Por orgullo, supongo.

—¿Había algo en particular de lo que tuviera miedo? —preguntó Monk con tono neutro.

Sixsmith lo miró con cautela, pero de forma directa; resultaba imposible pasar por alto la inteligencia que brillaba en sus ojos.

—Me figuro que ahora carece de sentido tratar de ocultarlo —dijo con resignación—. El pobre está muerto y el mundo conoce sus flaquezas. Sí, tenía miedo de que un río reventara provocando el hundimiento de un costado de la galería. Si algo semejante ocurriese, los hombres perecerían enterrados vivos o ahogados. Acabó obsesionado con la idea de ríos subterráneos perdidos que aguardaban el momento de dar con una vía de entrada, casi como una presencia maligna. —Miró a Monk a la defensiva—. No es ninguna locura, señor Monk, al menos no del todo. Sólo es la exageración de algo real, el miedo llevado hasta lo irracional, por así decirlo. La ingeniería de túneles es una empresa arriesgada. Murieron muchos hombres durante la construcción del túnel del Támesis, ¿sabe? Aplastados por hundimientos, asfixiados por los gases, toda clase de cosas. Es una profesión muy dura y no todo el mundo sirve para ella.

—Pero ¿a usted le caía bien? —Monk estaba temblando a pesar del grueso chaquetón. Apretó los dientes con intención de ocultarlo.

—Sí, desde luego —repuso Sixsmith sin titubeos—. Era un buen hombre. —Se metió las manos en los bolsillos. Caminaba con soltura, como si tal cosa.

—¿Conoció a la señorita Havilland? —inquirió Monk.

Una sombra de exasperación cruzó el expresivo rostro de Sixsmith.

—Sí, en efecto; aunque no muy bien. La muerte de su padre la afectó muchísimo. Me temo que era muy emotiva y un poco menos... equilibrada que él o que su hermana, la señora Argyll.

Monk se sintió ofendido por el comentario de Sixsmith, lo cual era poco razonable. Él no había conocido a Mary Havilland en vida y Sixsmith en cambio sí. Debía recordar que sus semejanzas con Hester eran superficiales; cuestión de circunstancias, no de carácter. Y, sin embargo, su rostro le había transmitido amabilidad y sentido común. También emotividad, desde luego, pero ésas eran pasiones propias de una mujer de carácter fuerte, no las fantasías y complacencias de una pusilánime.

Le costaba hablar de su muerte con aquel hombre que la veía tan distinta. Vaciló en busca de las palabras que deseaba, y por un instante llegó a olvidar lo lejos que quedaba aún de ellos la luz del final del túnel.

Sixsmith llegó antes que él.

—¿Por eso ha venido aquí? Ha dicho que pertenece a la Policía Fluvial. Ella murió en el río, ¿verdad? —Apretó la boca—. Lo lamento profundamente. Y lo del joven Toby también. Qué horrible tragedia. —Miró fijamente a Monk—. ¿Supone que se mató a causa de su padre? Si es así, casi seguro que está en lo cierto. Se resistía a aceptar la verdad. Luchó contra ella hasta el final, la pobre. —Encogió ligeramente sus fuertes hombros—. Quizá yo hubiese hecho lo mismo, si se hubiera tratado de mi padre. Cuesta mucho encajar un golpe así sobre tu propia familia.

Monk se volvió de repente para mirarlo pero sólo halló compasión en el rostro de Sixsmith, que prosiguió:

—Todo el mundo lo lamentó mucho por ella. Hacían oídos sordos a sus preguntas y acusaciones, esperaban que se le pasara con el tiempo, pero según parece no sirvió de gran cosa. Tal vez al final viese la verdad y fuera demasiado para ella. Lo idolatraba. Qué insensatez. Todos somos humanos. A lo mejor ningún hombre podría estar a la altura de lo que ella creía de él. No sé qué más puedo decir para ayudarle.

Monk sintió el peso de su convencimiento y su compasión.

—Gracias —dijo—. Regresaré si surge alguna novedad. —Le tendió la mano.

Sixsmith se la estrechó con una sonrisa afectuosa. Podrían haber sido amigos que se reencontraran tras una larga separación.

—No deje de hacerlo —dijo—. Cuente conmigo para lo que sea.


A pesar de lo que Sixsmith había dicho, Monk quiso analizar una vez más las circunstancias del suicidio de Havilland. Mientras iba en coche de punto a lo largo de Embankment era consciente de que Farnham habría preferido que se ocupara de su trabajo, que consistía en combatir la delincuencia que operaba en el río, pero también sabía que Orme se encargaría de investigar los accidentes y delitos habituales. Se dio cuenta de que en realidad era lo que hacía buena parte del tiempo. Estaba enseñando más cosas a Monk de las que aprendía de éste.

Mary Havilland y Toby Argyll habían perecido en el río. ¿Acaso ella había creído que él y su hermano eran responsables de la muerte de su padre? De ser así, quizás había arrastrado a Toby con ella hacia una muerte segura intencionadamente, tal como Alan Argyll había dado a entender bajo la impresión sufrida por la pérdida de su hermano. En tal caso, se trataría de un homicidio.

¿Acaso Monk necesitaba saber si eso era cierto? ¿O la condenación por suicidio bastaba como carga y castigo por los actos de Mary? ¿Estaba mentalmente perturbado? Cualquier juicio contra ella ya no se encontraba al alcance de los seres humanos.

Monk sólo había visto su rostro después de muerta. Le había parecido el de una mujer de fuerte personalidad, incluso bello. Pero ¿hasta qué punto lo transformaba el espíritu que había albergado? ¿Le habría parecido fea, incluso loca, si la hubiese visto con vida?

Dedicaría un día más a hacer pesquisas para despejar las dudas que daban vueltas en su mente. Entonces tendría que decirle a Hester la verdad, por triste o brutal que fuese.

Durante su última visita al domicilio de los Havilland sólo había hablado con Cardman, cuya lealtad era irreprochable. Tal vez si hablase con otro sirviente que llevara menos tiempo en la casa y, por lo tanto, tuviese que buscar pronto un nuevo trabajo, oiría una versión diferente.

El cielo estaba encapotado y el viento arrastraba aguanieve. Monk celebró llegar a la casa de nuevo y que le dejaran pasar a la cocina, donde le ofrecieron una taza caliente de té recién hecho y un trozo de bizcocho. La razón de tal hospitalidad no tardó en desvelarse.

—¿Usted es policía? —le preguntó la cocinera ofreciéndole un segundo trozo de bizcocho.

Monk lo aceptó con gusto. Era delicioso, y así se lo hizo saber a la mujer.

—Sí —repuso, alentándola a continuar.

—¿Puede decirnos qué va a ser de nosotros, señor Monk? El señor Argyll está demasiado alterado por la muerte de su hermano como para ocuparse de cuestiones prácticas, y la señora Argyll debe de estar destrozada por lo de la señorita Mary. Es sólo que no sabemos en qué posición nos hallamos, entiéndame. Yo y el señor Cardman nos quedaremos mientras nos necesiten, pero hemos de avisar a algunos lacayos y criadas cuanto antes. No siempre es fácil encontrar una buena colocación, y haber trabajado en una casa donde se ha vivido una tragedia como ésta no ayuda.

Monk miró el rostro regordete y ansioso de la mujer, que llevaba el cabello, rubio y encanecido, recogido en un moño holgado. Se esforzaba en no parecer insensible, pero si un suicidio en la casa resultaba perjudicial, dos podían complicar sobremanera la recolocación de la servidumbre, por injusto que fuese. El miedo asomaba a sus ojos.

—No lo sé, señora Plimpton, pero lo averiguaré y me encargaré de que sean informados a la mayor brevedad. Todavía no estamos seguros de cómo llegó a caer al río la señorita Mary... —Monk se detuvo al ver la turbación reflejada en el rostro de la mujer. Requeriría suma delicadeza sonsacarle lo que pensaba—. Como tampoco el señor Toby Argyll —agregó observándola.

Detectó una chispa de ira, un destello que disimuló de inmediato. Era una mujer cuya posición en la vida jamás le había permitido perder el control de sus sentimientos, pero Monk adivinó la antipatía hacia Toby que ella no se atrevía a mencionar.

—Gracias, señor —contestó la cocinera.

Monk necesitaba más.

—Me figuro que hacía mucho que conocía a la señorita Havilland.

—Desde que nació —respondió la señora Plimpton con tristeza.

Monk probó otra manera de abordar el asunto.

—¿Estaba muy enamorada del señor Argyll?

—No —contestó bruscamente la señora Plimpton, y acto seguido advirtió que había sido demasiado franca—. Quiero decir que... Bueno, por supuesto que lo apreciaba, pero fue ella quien rompió el compromiso, no él. —Tragó saliva—. Señor Monk, ¡ella jamás se habría quitado la vida! Si la hubiese conocido ni siquiera se le habría ocurrido pensarlo. Estaba decidida a demostrar que el pobre señor Havilland no se suicidó, sino que lo mataron, ¡y le faltaba poco para conseguirlo! Se la veía tan excitada...

Se interrumpió y se volvió para sorberse la nariz.

—Si no se quitó la vida, señora Plimpton, ¿qué supone que ocurrió? —preguntó Monk en tono amable, haciéndole ver que se tomaba en serio su opinión.

Ella lo miró de nuevo. Tenía los ojos enrojecidos e hinchados, y la nariz colorada. Quizá fuese la compasión en la voz de Monk o el hecho de que éste estuviera sentado a la mesa de la cocina, comiéndose su bizcocho, lo que hizo que ella se sintiera inclinada a sincerarse.

—Creo que descubrió quién envió esa carta a su padre atrayéndolo a la cuadra para dispararle —dijo desafiante—. El amo nunca se hubiese pegado un tiro, igual que ella no era de las que saltan de los puentes. —Inspiró profundamente.

Monk se sobresaltó. Nadie le había mencionado una carta.

—¿A qué carta se refiere, señora Plimpton? —preguntó quedamente.

—La carta que recibió la noche que murió —contestó ella.

—El señor Cardman no mencionó ninguna carta.

—Porque no sabía nada —respondió ella mientras con gesto

mecánico cogía la gran tetera para rellenar la taza de Monk—. Llegó por la puerta trasera y Lettie fue a entregársela. El señor Havilland la leyó y la quemó, según parece. Pero fue justo después de eso cuando le dijo a Cardman que había decidido acostarse tarde y que no era preciso que nadie le esperase. Que él mismo cerraría. Estoy segura de que iba a reunirse con alguien. ¡Me jugaría la vida! —Soltó un grito ahogado, como si de pronto cayera en la cuenta de que eso era justamente lo que Havilland había hecho, y que le había costado la vida.

—¿Está segura? —la apremió Monk.

—¡Claro que lo estoy! —La señora Plimpton temblaba de la cabeza a los pies, pero sus ojos no vacilaban lo más mínimo.

—¿Podría hablar con Lettie? —solicitó Monk.

—Cree que me lo estoy inventando, ¿verdad? —dijo la señora Plimpton en tono de reproche.

—No, al contrario —la tranquilizó Monk—. Si fuese así, no tendría sentido que hablara con Lettie, ¿no le parece? Quiero comprobar qué recuerda: el tipo de papel, la tinta, la caligrafía. Me gustaría saber si vio al señor Havilland abrirla y cómo reaccionó. Si le pareció sorprendido, asustado, alarmado o excitado, incluso complacido. Si la estaba esperando o no.

—Ah... ya. ¡Vaya! —La señora Plimpton no llegó a disculparse, pero le ofreció más bizcocho—. Bueno, mandaré que avisen a Lettie. —Fue hasta la puerta y pidió a la ayudante de cocina que buscase a la criada.

Lettie se presentó y contestó a las preguntas de Monk. Tenía unos quince años y permaneció de pie delante de él, retorciéndose el delantal con las manos. La carta la había llevado un muchacho a quien no había visto nunca antes ni después. No sabía leer y no pudo decir nada sobre el tipo de papel ni la caligrafía, pero recordaba con bastante claridad que el señor Havilland se había mostrado sorprendido y hasta afectado por la carta. Después de leerla la había arrojado sin dilación al fuego y le había pedido que fuera en busca de Cardman. No había escrito contestación alguna.

—¿Sabe quién le envió esa carta? —preguntó Monk.

—No, señor, ni idea.

—¿Qué dijo el señor Havilland, que usted recuerde claramente?

—Que avisara al señor Cardman enseguida, señor.

—¿Eso es todo?

—Sí, señor.

—¿Había visto la misma caligrafía con anterioridad?

—No lo sé, señor. Nunca me fijaba en esas cosas.

Monk dio las gracias tanto a la chica como a la señora Plimpton. Salió de la casa por la puerta de la trascocina y el patio de servicio, y pasó por delante de la carbonera antes de subir la escalera hacia la calle, barrida por un viento glacial. ¿Quién había escrito a Havilland alterándolo tanto? ¿Habían acordado reunirse en la cuadra aquella misma noche, o se trataba de algo por completo distinto? Havilland había enviado a los sirvientes a la cama inmediatamente después de recibir la misiva, y al parecer había cambiado sus planes de retirarse a la hora habitual. Eso explicaría su presencia en la cuadra. Pero ¿con quién se reuniría en semejante lugar una noche de invierno en vez de hacerlo en su casa, a resguardo del frío y la humedad, aunque, al menos en teoría, resultara menos confidencial?

¿Por qué necesitaría tan extraordinaria privacidad? ¿Acaso su propio estudio no era lo bastante discreto toda vez que la servidumbre se había retirado a sus habitaciones y seguramente Mary también? ¿Había llevado el arma consigo para protegerse porque temía que lo atacasen? ¿Por qué? ¿Quién? Quizá Mary Havilland tuviera razón. De ser así, estaba claro que también a ella la habían matado deliberadamente, y en ese caso sólo cabía que el asesino fuese Toby Argyll.

Ahora sí que Monk no podía volver la espalda a la posibilidad de que Havilland hubiese encontrado algún peligro real en los túneles y que lo hubieran matado para silenciarlo antes de que arruinara el negocio haciéndolo público.

Pero entonces el visitante le había arrebatado el arma y le había disparado con ella. ¿Se trataría de un hombre más joven y fuerte, más despiadado, que se había valido del factor sorpresa? Havilland debía de estar asustado, pero había acudido esencialmente para hablar. El otro hombre lo había hecho con el propósito de matar.

Alan Argyll...

¿Sería eso lo que Mary había descubierto y por lo que Toby Argyll la había matado a su vez?

Monk se inclinó contra el viento y notó que las partículas de hielo en suspensión le hacían escocer la cara. Apuró el paso.

## 5

Cuando Monk llegó a casa aquella noche, Hester enseguida advirtió que se sentía un tanto confuso. Temblaba de frío tras la travesía del río y se concentró en calentarse las manos y los pies antes de intentar siquiera decir algo aparte de saludar. Se tomó el cuenco de sopa que ella le sirvió y poco a poco fue dejando de temblar.

Hester se preguntó por enésima vez si no habría sido más sensato buscar una casa en la orilla norte del Támesis, aunque el vecindario hubiese sido menos de su agrado.

Para desplazarse a Portpool Lane ella tomaba cualquier bus que cruzara un puente en dirección al oeste, pero como vivían justo enfrente de Wapping, era lógico que Monk cruzase el río en transbordador, con lo que llegaba a la comisaría en cuestión de un cuarto de hora. A veces la lancha patrullera lo recogía directamente en el embarcadero.

Pero hacía un frío intenso, y además lloviznaba, por lo que Hester deseaba con toda el alma que Monk no tuviera que exponerse a los rigores que representaba alcanzar por agua la orilla opuesta.

Hester se sentó delante de él y se preguntó si había sido buena idea que ingresara de nuevo en la policía. Ella se había ofrecido a solicitar un empleo fijo de enfermera en uno de los grandes hospitales, pese a que en esas instituciones la «enfermería» no guardaba prácticamente ninguna relación con el cuidado de los pacientes. Una se convertía más bien en una especie de sirvienta cuyas condiciones laborales habría rechazado cualquier criada con referencias.

Lo había probado antes de casarse; entonces, como consecuencia de su experiencia en Crimea, la movía un afán reformista por mejorar la enfermería hospitalaria. Su fracaso fue estrepitoso, y faltó muy poco para que se tomaran medidas legales contra ella por insubordinación y cosas peores. Pero aun así se habría tragado el orgullo y solicitado un puesto otra vez, si hubiese sido necesario. Monk se había negado categóricamente a que lo hiciera.

Ahora miraba a su marido que por fin se relajaba, sentado delante de ella, y le preocupaba que la obediencia a la autoridad le estuviera resultando más dura de lo previsto y que las restricciones y exigencias del liderazgo fueran excesivas, tanto para su naturaleza como para su capacidad. Todavía buscaba la forma adecuada de preguntárselo cuando él dijo:

—Sixsmith, que es el encargado de los aspectos prácticos de la construcción de túneles, está convencido de que Havilland se suicidó porque no soportaba la presión de trabajar bajo tierra. —Miró fijamente a Hester.

Ella se sintió dispuesta a discutir, pero dominó su genio a la espera de lo que Monk tuviera que añadir.

Él esbozó una sonrisa y prosiguió:

—He vuelto a casa de los Havilland y he hablado con la cocinera y una de las sirvientas. Me han dicho que Havilland recibió una nota esa noche, entregada en mano. En cuanto la hubo leído la quemó y dijo al mayordomo que podía acostarse, que ya cerraría él mismo.

—¡Iba a reunirse con alguien en la cuadra! —saltó Hester al instante enderezándose en la silla—. ¿Con quién?

—No lo saben —repuso Monk—. El sobre sólo llevaba su nombre. La cocinera apenas si tuvo un vislumbre y la sirvienta que se la entregó no sabe leer.

—Bueno, ¿y quién podía ser? —dijo Hester con ansiedad e impaciencia. Por fin había algo a lo que agarrarse. Entrevió un rayo de esperanza, lo cual resultaba absurdo. No tenía por qué importarle tanto. No había conocido a Mary Havilland; era probable incluso que no le hubiese gustado. Le recordaba su propio pesar, la sensación de haber sido apaleada, aturdida y confusa cuando había llegado al muelle de Scutari y leyó la carta en que su hermano le refería el suicidio de su padre así como el fallecimiento de su madre por lo que calificaba de «corazón destrozado». No podía dejar de imaginar a Mary Havilland sintiendo el mismo dolor lacerante.

Salvo que Hester se lo había creído y en cambio Mary no. ¿Se había equivocado, empeorando las cosas para ella y para su hermana, al negarse a aceptar lo inevitable?

—¿Quién podía ser? —repitió.

Monk la observaba con ternura, consciente de su íntimo dolor.

—Ni idea. Sólo sé que acto seguido lo dispuso todo para reunirse con esa persona, de modo que tenía que ser alguien a quien conocía o al menos de quien no le sorprendió recibir noticias. Como tampoco parece que tuviera necesidad de contestarle, así que, fuese quien fuese, le constaba que iba a ir.

—¡Tienes que averiguarlo! —exclamó Hester sin titubeos.

Era algo poco razonable, y ella lo supo en cuanto lo dijo, pero Monk no discutió. ¿Lo hizo por ella? ¿O también por la ira que le suscitaba aquella muerte, la sensación de que faltaba algo, o, peor aún, el desafío de tener que ser tan perfecto como Durban en su nuevo trabajo, de estar a la altura de lo que éste habría hecho?

—William... —comenzó Hester.

—Lo sé. —Monk sonrió.

—¿De veras? —preguntó ella, dubitativa.

—Sí —repuso él, dirigiéndole una mirada tierna y divertida.


Por la mañana, no obstante, Hester emprendió su propio camino con vistas a averiguar algo más sobre Mary Havilland, con la esperanza de que al mismo tiempo sirviera para promover la causa en que se había comprometido a ayudar a Sutton.

Primero acudió a la casa de socorro de Portpool Lane, donde terminó los libros de contabilidad para luego pasárselos a Margaret.

—Están completos y actualizados —dijo, y de repente advirtió que le costaba mucho disimular sus sentimientos. Iba a echar de menos el trabajo, los desafíos y logros, y, sobre todo, a la gente. La sensación de pérdida era peor de lo que había esperado.

Margaret la estaba mirando, consciente, por primera vez, de que había algo que aún no había sido dicho.

—¿Qué ocurre, Hester? —preguntó Margaret con tanta ternura que puso a Hester al borde del llanto.

¿Hasta qué punto podía decir que no era ella sino Monk quien había forzado esa decisión?

—He aceptado quedarme en casa durante una temporada —comenzó—. El nuevo trabajo de William es... diferente. —Tragó saliva con dificultad—. Aquí se las arreglan muy bien sin mí ahora. Claudine es estupenda, y Bessie también. Yo nunca sería capaz de recaudar fondos como lo hacen ustedes.

Margaret quedó atónita.

—¿Una temporada? ¿De qué duración? —Se mordió el labio inferior—. Será para siempre, ¿no es cierto?

—Creo que sí.

Margaret dio un paso adelante y estrechó a Hester entre sus brazos. No dijo nada. Era como si lo entendiese. Quizá, conociendo como conocía a Monk y recordando lo ocurrido el año anterior, así fuese.

Hester no quería despedirse de Bessie y las demás chicas, en especial Claudine, pero representaría una muestra de cobardía no hacerlo. Prometería que las visitaría de vez en cuando y mantendría su palabra. Monk no podría oponerse a eso.

Salió de nuevo a la mañana fría, menos confiada que al llegar. Era una estupidez, una muestra de vanidad. Resultaba estúpido, incluso vanidoso. Tenía que sobreponerse y pasar página.

Llegó a casa de los Applegate un poco temprano según las normas de la cortesía, sobre todo tratándose de personas a quienes apenas conocía. No obstante, sólo llevaba unos minutos en la sala de día cuando Rose Applegate se presentó afectando cierto dramatismo. Su atuendo era en extremo elegante, como si aguardase una visita importante. A Hester se le cayó el alma a los pies. Quizás el entusiasmo que mostraba Rose se debiera más a su voluntad de mostrarse amable que a un deseo real de verse involucrada. Hester lo había malinterpretado porque había querido. Desde luego, el vestido de Rose, con su espléndido cuello alto de puntilla y los diminutos lazos de terciopelo en la falda, era el último grito de la moda. En comparación, ella carecía de gracia y estilo. Hester fue plenamente consciente del abismo social que mediaba entre ellas. En aquel momento le pareció insalvable.

—Buenos días, señora Monk —la saludó Rose con el rostro iluminado de placer—. ¿Ha habido novedades? ¿Podemos hacer algo? —Entonces se mostró una pizca atribulada—. Perdone tan tremenda descortesía por mi parte. ¿Cómo está usted?

No era costumbre ofrecer ninguna clase de refrigerio a aquella hora, y al parecer Rose observaba las convenciones a rajatabla. El salón era muy formal; la sirvienta iba inmaculada, con cofia y delantal almidonados. En el vestíbulo ya habían hecho la limpieza diaria. Hester había olido el agradable aroma húmedo de las hojas de té mojadas esparcidas para que el polvo se adhiriera a ellas antes de barrer, el perfume a lavanda y el de la cera de abeja empleada para lustrar la madera.

—Buenos días, señora Applegate —dijo—. No, me temo que por el momento no hay nada nuevo. —No tenía nada que perder si decía la verdad. ¡Lo más probable era que todo estuviese perdido!—. Mi marido averiguó algo más acerca de las inquietudes del señor Havilland, pero si éste descubrió algo concreto, no sabemos de qué se trataba. Según el señor Sixsmith, que es el encargado, sufría una especie de obsesión con los espacios cerrados, y en los últimos tiempos se mostraba bastante irracional al respecto. El señor Sixsmith dijo que eso fue lo que finalmente trastornó su capacidad de raciocinio y ocasionó su muerte.

Rose se mostró impresionada.

—¡Santo cielo! —Se sentó con cierta premura, sin prestar atención a si arrugaba la falda, y con un gesto invitó a Hester a hacer lo mismo—. Eso suena terriblemente razonable, ¿verdad? ¡Pero no es cierto!

Hester explicó lo que Monk le había contado la noche anterior, al menos en cuanto a la opinión que la cocinera tenía de Mary, aunque se abstuvo de mencionar la carta.

—Ésa es la Mary que yo conozco —corroboró Rose enseguida. Se inclinó hacia delante—. Distaba de ser una persona sensiblera, señora Monk. Tenía un carácter muy práctico y no rehuía enfrentarse a las verdades. No sé por dónde comenzar, pero si usted tiene alguna idea al respecto, le ruego que nos permita hacer algo para establecer su inocencia.

—¿Inocencia...?

—¡En cuanto a haberse quitado la vida! —exclamó Rose, que parecía al borde del llanto—. Y si lo que dicen es cierto, Dios me perdone, no fue responsable de la muerte de Toby Argyll. Resulta terrible pensar eso de cualquiera y me niego a creerlo sólo porque para todos sería más fácil fingir que el caso está cerrado.

Hester se sintió alentada de nuevo.

—¿Cuáles son las alternativas? —preguntó—. ¿Qué sucedió? ¿Cómo podemos demostrarlo de modo irrefutable?

—¡Dios mío! —Rose se irguió en el asiento—. Ya veo lo que quiere decir. Si no fue suicidio, se trató de un accidente, o de asesinato. Es una idea espantosa.

—A mí me parece inevitable —señaló Hester.

La puerta se abrió y Morgan Applegate entró. Miró a su esposa y luego a Hester. Se mostró cortés, complacido de verla a juzgar por la expresión de su rostro. Sin embargo, hubo algo ligeramente protector en el modo en que se acercó a Rose y permaneció de pie junto a ella como si, sin pensarlo siquiera, quisiera asegurarse de que Hester no la afligiera o perturbase.

—¿Cómo está usted, señora Monk? —dijo—. ¿Ya ha habido progresos, tan pronto?

Rose se volvió hacia él.

—En cierto sentido sí, Morgan —dijo—. Nos hemos enfrentado a una lógica irrefutable y debemos seguir adelante. En realidad, el señor Monk dejó abierta la posibilidad de que fuese un accidente, pero yo no comparto esa opinión. Dos accidentes así... Resulta absurdo. O bien tanto el señor Havilland como Mary se quitaron la vida, o bien Toby Argyll se propuso matarla y pereció en el intento.

—Rose... —musitó Applegate con tono de preocupación.

—Es inevitable —prosiguió Rose al tiempo que se volvía otra vez hacia Hester—. La cuestión es si, en tal caso, también fue responsable de la muerte de James Havilland.

—Si Toby Argyll fue el responsable —dijo Applegate con amabilidad al tiempo que firmeza—, ya ha pagado el precio más alto.

Rose lo miró con impaciencia.

—No se trata de eso, Morgan. Lo que me preocupa no es que alguien pague, sino absolver a Mary del pecado de suicidio y también de la muerte de Toby Argyll, por si hay quien supone que lo arrastró con ella al río intencionadamente. Y además quiero vindicar a su padre, que es lo que ella deseaba por encima de todo.

—Pero... —trató argumentar Applegate.

—Y lo que posiblemente sea más importante —prosiguió Rose como si no le hubiera oído—: me propongo demostrar que ambos tenían motivos para temer que se produjera un accidente terrible, de modo que aún estamos en condiciones de evitarlo. ¡Así que, ya ves, esto no ha hecho más que empezar! ¿Me equivoco, señora Monk? —Lanzó una mirada resuelta a Hester.

—¡Rose! —exclamó Applegate, exasperado—. ¡Estás poniendo a la señora Monk en una posición intolerable! Por favor, no debes violentarla...

—Estoy perfectamente —mintió Hester sin vacilar—. Y en cualquier caso, lo contrario importaría muy poco. Estamos hablando de la muerte de otras personas, y de la posible muerte y mutilación de decenas, quizá cientos de hombres si se produjera un derrumbamiento importante o una inundación.

—¿Lo ves? —dijo Rose de modo terminante—. Tenemos que hacer cuanto podamos, y comenzaremos por averiguar qué había descubierto Mary.

Applegate miró a Hester sin apenas ocultar su desesperación.

—Usted parece entender bien la lógica, señora Monk —dijo—. O bien está en lo cierto, o bien equivocada. Si está equivocada, no tiene sentido insistir en el asunto, ya que puede perjudicar la reputación de buenos hombres que ya han sufrido la pérdida de sus seres queridos. Me refiero en concreto a Alan Argyll. —Hizo una pausa—. Pero si está en lo cierto, entonces él ha sido el causante de la muerte de Havilland, y ahora de las de Mary y de su propio hermano, aunque esta última no la hubiese planeado. Sin duda se da usted cuenta de que en tal caso es un hombre muy peligroso y que no dudará en hacerle daño si se le presenta la ocasión. ¡Y le ruego que no sea tan impetuosa como para suponer que puede ser más lista que él! —Se volvió hacia su esposa y le tocó el hombro—. Y en cuanto a ti, querida, me temo que voy a prohibirte que te expongas al peligro de esta manera. —Sonrió, y su gesto fue tan tierno y dulce que los sentimientos que le iluminaron el rostro resultaron inequívocos—. Ni de cualquier otra.

Rose enarcó las cejas.

—¡Por todos los santos! ¿Qué diablos te imaginas que voy a hacer? ¿Bajar a una alcantarilla y acusar de negligencia al primer ingeniero que encuentre? ¿O quizá visitar al señor Argyll en su duelo para decirle que pienso que es un asesino? ¡Por favor, Morgan, otórgame un poco de sentido común! La principal preocupación de la señora Monk es la seguridad de los peones, lo cual constituye un motivo de preocupación absolutamente correcto y decoroso para la esposa de un miembro del Parlamento, sobre todo cuando éste es el más implicado en esta obra. —Se puso de pie, se plantó delante de él y con suma paciencia añadió—: Seré sociable y caritativa. La señora Monk hace un trabajo espléndido en favor de los pobres y sirvió en el ejército como enfermera junto a la señorita Nightingale.* ¿Quién puede haber más apropiado que ella para acompañarme cuando se trata de heridos?

Applegate parecía apabullado. Rose le había dejado sin argumentos, y no obstante saltaba a la vista que no estaba satisfecho. Hester se preguntó por qué tenía tanto miedo de que le ocurriera algo malo a su esposa.

—Le prometo que no nos comportaremos de manera poco apropiada —le dijo Hester con ánimo de que se sintiera menos aprensivo, aunque también sabedora de que sin los conocimientos de Rose sobre Alan Argyll y las inquietudes de Mary, tenía pocas probabilidades de éxito.

Saltaba a la vista que Applegate se callaba algo que deseaba decir. Volvió a mirar a Rose.

—Por favor, ten cuidado...

—¡Claro que tendré cuidado! —repuso Rose con un levísimo deje de irritación—. Sólo voy a visitar a algunos hombres que resultaron heridos en el pasado y con quienes es posible que Mary hablara. —Miró a Hester—. ¿Qué podríamos llevarles que les resulte verdaderamente útil?

—Sinceridad —contestó Hester. Respiró hondo y añadió—: Y quizás una ropa más sencilla...

—¡Oh! —Rose se ruborizó al tiempo que bajaba la vista a su precioso vestido—. Sí, por supuesto. Éste no resulta muy adecuado, ¿verdad? ¿Me disculpan quince minutos? Seguro que encuentro algo mejor que ponerme. Morgan, por favor, no aproveches mi ausencia para intentar persuadir a la señora Monk de que no estoy capacitada para esta tarea. Sería humillante para mí. Me cae bien, y me gustaría impresionarla favorablemente con mi competencia.

---

* Florence Nightingale (1820-1910). Pionera de la enfermería moderna, experta en estadística y reformadora de hospitales, cobró fama por su labor durante la guerra de Crimea. (N. del T.)

—Le dedicó una sonrisa y le dio un beso en la mejilla—. Gracias, cariño.

Hester sacó un pañuelo y ocultó su sonrisa fingiendo toser.

Morgan Applegate pestañeó y guardó silencio.

Cuando Rose regresó luciendo un vestido menos llamativo, Hester sugirió que aunque les llevara algo más de tiempo, y desde luego resultara mucho menos cómodo, sería más prudente que viajaran en transporte público en lugar de emplear el carruaje de Rose. El día era endiabladamente frío con intermitentes precipitaciones de nieve y aguanieve que se apilaban en los bordes de los canalones y las paredes y que hacían rebosar los sumideros mojando todo el suelo.

—Por supuesto —accedió Rose reflejando un momentáneo desagrado—. Supongo que así la próxima vez apreciaré más la comodidad de mi carruaje. —Entonces cayó en la cuenta de que lo más probable era que Hester no tuviese un carruaje—. ¡Perdone! —añadió ruborizándose.

Hester rió.

—Tenía carruaje antes de ir a Crimea —explicó—. Antes de la guerra mi familia disfrutaba de una buena posición económica.

—¿La perdieron a causa de la guerra?

Caminaban con brío calle abajo hacia la parada del bus.

—Mi padre la perdió —precisó Hester mientras se cruzaban con otras dos mujeres que iban en dirección opuesta—. Perdió sus bienes a manos de un hombre que acabó amasando una fortuna. Era un antiguo oficial del ejército, inválido. Un héroe, y por eso la gente confiaba en él.

Rose adoptó una expresión compasiva pero no la interrumpió.

—Mi padre se quitó la vida. —A Hester no le resultó nada fácil de decir, a pesar de los años transcurridos—. Pero en ese caso consideró que era la única forma honorable de actuar, habida cuenta de las circunstancias. Mi madre falleció poco tiempo después.

—¡Oh! —Rose se detuvo en mitad de la acera haciendo caso omiso de la salpicadura de agua helada que le arrojó un carruaje al pasar—. ¡Qué tragedia tan terrible!

—Hay que hallar el modo de sobrellevarlo —dijo Hester tomando a Rose del brazo para apartarla del bordillo—. Mantenerse ocupada ayuda mucho. Los días pasan y el dolor va remitiendo.

¿Cree que eso era precisamente lo que estaba haciendo Mary Havilland?

Reanudaron la marcha.

—No, creo que no —repuso Rose en tono grave—. Estaba demasiado... entusiasmada. Lloraba mucho la muerte de su padre, claro, pero creía que conseguiría demostrar su inocencia... Me refiero a... ¡Oh!

Fue un lamento de horror por sí misma, al comprender con cuánta torpeza iba apilando una pena sobre otra.

Hester no pudo evitar sonreír. Había un humor absurdo en toda la situación, pese a la tragedia.

—Nunca he pensado que mi padre actuara de manera deshonrosa —dijo con sinceridad—. A su juicio estaba pagando el precio de su error.

—¿Qué fue del oficial que...?

—Lo asesinaron —contestó Hester—. Con ensañamiento. Otra persona a la que había... robado. ¿Cómo era Mary? Dígame la verdad, por favor, no lo que la amabilidad dicta porque ha fallecido.

Rose estuvo pensando un buen rato, en realidad hasta que llegaron a la parada del bus y se dispusieron a esperar.

—Yo la apreciaba —comenzó—, lo cual significa que mi opinión probablemente sea un poco sesgada. Era valiente en sus opiniones y en la defensa de lo que le importaba. Pero tenía miedo de ciertas clases de fracasos.

—Me parece que todos lo tenemos —observó Hester—. Hay cosas de las que podemos prescindir y otras cuya pérdida supone también la de nuestra integridad.

Rose la miró y luego bajó la vista.

—Creo que Mary tenía miedo de estar sola, pero también de casarse con alguien a quien no amara. Y no amaba a Toby. No estoy segura de que al final le gustara siquiera. Prefería la seguridad de ser una buena hija. Eso lo hacía a la perfección.

—Y pensaba que no entrañaba ningún riesgo —puntualizó Hester.

—Exacto. —Rose la miró a los ojos—. Pero nunca pensó que corriera peligro defendiendo a su padre. Creo que su coraje acabó costándole la vida.

—¿En su opinión Toby tenía intención de arrojarla desde el puente?

—Sólo conozco a los Argyll de asistir a las mismas reuniones. Quizás hayamos coincidido diez o doce veces en los últimos meses, pero saltaba a la vista que estaban muy unidos. Toby era inteligente y ambicioso. Alan estaba orgulloso de él.

—Pero Alan ya era un hombre de éxito, ¿no?

—¡Oh sí! Desde luego. Es muy rico. Y pensándolo bien, eso mismo dice mi marido. —Frunció las cejas—. En realidad, las medidas de seguridad de su empresa son muy buenas, mejores que las de la mayoría. Si Mary encontró algún fallo, o se debió al azar o fue extraordinariamente inteligente.

Llegó el bus y subieron al piso superior, no sin torpeza, procurando que las faldas mojadas no les entorpecieran el paso. No siguieron conversando hasta que hubieron ocupado sus asientos y el vehículo se hubo puesto en marcha.

—Entonces nuestra investigación no será fácil —señaló Hester—. Todo me indica que Mary poseía una inteligencia fuera de lo común y un acusado sentido práctico.

—Sí, en efecto —confirmó Rose—. De hecho, su capacidad para captar la lógica, las matemáticas y disciplinas como la ingeniería resultaba poco femenina. Al menos eso le decían, y en mi opinión se lo creía.

—¿Le importaba?

—Sí. Era un poco tímida —admitió Rose—. Se ponía a la defensiva, lo que significa, supongo, que le importaba. Pero ésa es la cuestión: ¡aproximadamente una semana antes de que muriese era más ella misma que nunca! Se había dado cuenta de que poseía el talento de su padre para la ingeniería y estaba la mar de contenta. —Se puso muy seria y añadió—: Señora Monk, ¡le aseguro que no tenía intención de matarse!

—¿Aunque hubiese descubierto que su padre se había equivocado? —Hester aborreció tener que decirlo, pero ocultarlo no sólo habría sido insincero sino que habría ido en contra de lo que esperaban hacer tanto por ellas como por el bien común.

—Eso creo —repuso Rose sin titubear.

El bus llegó al final del trayecto. Se apearon y se dirigieron resueltas hacia la parada del siguiente, que las llevaría hasta el hospital donde habían enviado a la mayoría de los heridos tras el hundimiento de la alcantarilla del Fleet. Durante el viaje debatieron la táctica a seguir y decidieron que Rose iniciaría las conversaciones en calidad de esposa de un miembro del Parlamento, pero que al llegar a los detalles médicos formularía las preguntas que Hester le fuese apuntando.

Hacía mucho tiempo que Hester no entraba en una institución como aquélla, pero resultó ser exactamente como ella recordaba. En el largo vestíbulo volvió a percibir el olor a limpio que tapaba los olores de la enfermedad, la sangre, la carbonilla y el alcohol. Casi de inmediato vio médicos noveles, excitados y tímidos, caminando con aquella mezcla de arrogancia y terror que dejaba traslucir que estaban a punto de estrenarse como cirujanos.

Sonrió al recordar su propia inocencia de antaño, cuando imaginaba que podría cambiarlo todo si no fuese por unos cuantos individuos concretos.

Les llevó media hora que las recibiera la persona adecuada. Rose estuvo magnífica. De pie y un paso detrás de ella, Hester veía sus manos cruzadas y tensas, y ya la conocía lo suficiente para ser consciente de lo mucho que le preocupaba, por más que mintiera con franca y espléndida facilidad, al menos en apariencia.

—Qué amable de su parte, doctor Lamb —dijo de un modo encantador una vez en el despacho del supervisor general—. Mi marido desea que averigüe ciertos datos para evitar que lo sorprendan desprevenido si le preguntan en el Parlamento.

Lamb era un hombre de mediana edad con un tupé de color gris arena y gafas sin montura, y más bajo que Rose, por lo que se veía obligado a levantar la vista hacia ella.

—Por supuesto, señorita..., señora Applegate. ¿Qué es lo que el honorable caballero desea saber?

—En realidad es bastante sencillo —contestó Rose, aún de pie ante su escritorio, obligándolo así a permanecer en la misma postura—. Se trata de la naturaleza y frecuencia de las heridas graves que hayan sufrido los hombres que llevan a cabo los trabajos de construcción de la nueva red de alcantarillado.

—¡Un trabajo absolutamente vital! —dijo Lamb muy serio—. El estado de la higiene pública en la ciudad de Londres es una vergüenza para el Imperio. ¡Cualquiera pensaría que estamos en los confines del mundo y no en su centro!

Rose respiró hondo.

—Tiene mucha razón —convino en tono diplomático—. Es tan importante que debemos estar absolutamente seguros de que cuanto decimos sea correcto. Inducir a error al Parlamento es un pecado imperdonable, ¿sabe usted?

—Sí, sí —repuso Lamb asintiendo con la cabeza—. ¿Qué desea de mí, señora Applegate? Estoy convencido de que las cifras son de sobra conocidas, puesto que las facilitan las empresas implicadas.

Rose y Hester ya habían decidido qué responder a eso.

—Naturalmente, aunque tienen un considerable interés en que el número de heridos sea lo más bajo posible. Además, existe una diferencia abismal entre la valoración que un ingeniero hace de una herida y la que pueda hacer un médico.

—Por supuesto. Se lo ruego, tome asiento, señora Applegate. Y usted también, señorita... señora... —Señaló a Hester con un vago ademán sin dignarse mirarla.

—Quisiéramos conocer detalles —prosiguió Rose con una sonrisa, después de sentarse—. Descripciones de heridas reales, y los nombres de los trabajadores que las han sufrido, de modo que quede claro que hemos investigado el asunto a fondo.

Lamb se mostró incómodo.

Rose aguardó con un aire de expectación y los ojos muy abiertos, dispuesta a dedicar una sonrisa a Lamb si éste hacía lo que ella deseaba.

—Un listado tan completo como sea posible —agregó Rose—, para que no parezca que señalamos a una empresa en concreto. Eso no serviría.

A regañadientes Lamb sacó un llavín del bolsillo de su chaqueta. Se levantó y abrió un armario archivador de uno de cuyos cajones extrajo una carpeta llena de papeles. Regresó al escritorio y se puso a leer en voz alta los que iba seleccionando.

—No acierto a ver de qué puede servir esto en la Cámara de los Comunes —dijo al terminar.

Había descrito accidentes y heridas de la forma más anodina, empleando un lenguaje para profanos, presentándolos así como más leves de lo que en verdad eran. Rose quizá no se percatara de que estaba siendo evasivo, pero Hester sí.

—Ha mencionado a un tal Albert Vincent —dijo—. Su pierna

derecha resultó aplastada al caerle encima una carga y se le rompió el fémur, creo que por dos sitios, si he entendido bien.

—En efecto, así es —confirmó Lamb mirándola con el entrecejo fruncido, desconcertado ante su inesperada intervención. Había dado por sentado que estaba presente como mera acompañante o quizá como alguna clase de doncella.

—No ha dicho el tratamiento que le administraron. ¿Se debe a que falleció?

—¿Falleció? —repitió Lamb, consternado—. ¿Qué le hace pensar eso, señora...?

—Monk —se presentó Hester, y continuó—: Porque a juzgar por la descripción, la herida pudo romperle la arteria femoral, con lo cual se habría desangrado en cuestión de minutos. Si hubiese habido alguien presente en el lugar de los hechos para amputársela y así salvarlo, supongo que el informe lo reflejaría...

Lamb parecía aturdido.

—Los pormenores no figuran aquí, señora —dijo—, y dudo que sea algo sobre lo que usted tenga conocimiento alguno, aunque sea capaz de leer un poco y manejar las palabras como si las comprendiera.

—¡Oh, no se lleve a engaño, señor Lamb! —dijo Rose con una dulce sonrisa—. La señora Monk estuvo en Crimea con la señorita Nightingale. Tiene conocimientos de medicina de campaña en las más penosas circunstancias que quepa imaginar.

—¡No me lo había dicho! —exclamó Lamb en tono reprobatorio y con las mejillas encendidas—. ¡Eso, si me permite que sea sincero, ha sido una mala jugada de su parte!

—¿De veras? —dijo Rose ingeniosamente—. No sabe cuánto lo siento. Había supuesto que diría exactamente lo mismo a quienquiera que hablase con usted. Si mi amiga hubiera tenido un temperamento delicado o fuese propensa a los desmayos, desde luego no la habría traído conmigo. Pero esto es muy distinto. No acierto a imaginar qué otra cosa nos habría contado de haber sabido que la señora Monk posee una dilatada experiencia en asuntos tan trágicos y terribles.

Lamb la miró, pero al parecer no se le ocurrió nada para escapar de la fosa que él mismo había cavado.

—Gracias —dijo otra vez Rose, con una sonrisa imperturbable—. Sólo tomaré unas cuantas notas para evitar errores posteriores. Sería espantoso presentar cifras que no se ajustaran a la realidad. Además de embarazoso. —Lo miró fijamente y Lamb apretó los labios pero no discutió.

Una vez en la escalinata de la calle, a merced del viento que soplaba con fuerza, la sensación de victoria comenzó a desvanecerse. Rose se volvió hacia Hester.

—¿Y ahora qué hacemos?

—Tenemos direcciones —contestó Hester—. Vayamos a tomar una taza de té, o mejor de chocolate, si podemos. Luego iremos a ver a algunas de esas personas para averiguar si alguna de ellas fue interrogada por Mary Havilland.

Fortalecidas por una taza de chocolate bien espeso y un bocadillo de jamón que compraron en un puesto callejero, siguieron hacia el domicilio más próximo. El frío iba en aumento. El aguanieve dejaba paso a nevadas intermitentes pero las calles todavía estaban demasiado mojadas para que la nieve cuajara salvo en los alféizares de las ventanas y en los aleros más bajos. Por descontado, los tejados estaban blancos excepto alrededor de las chimeneas, donde el calor derretía la nieve, que caía en goterones a la calle. Los caballos de los coches de punto daban pena. Los vendedores ambulantes tiritaban. El viento racheado esparcía hojas de periódico y el humo gris flotaba en el aire como la sombra de la noche que se avecinaba.

En la primera casa la mujer que abrió se negó a dejarlas entrar. En la segunda no contestó nadie. En la tercera la mujer estaba atareada con tres niños, el mayor de los cuales no debía de tener más de cinco años.

Hester miró de reojo a Rose y advirtió compasión en sus ojos. No obstante, Rose disimuló sin dar tiempo a que la mujer se diera cuenta.

—No tengo tiempo de hablar con ustedes —dijo la mujer con acritud—. ¿Quién se creen que soy? He de hacer una colada que con este tiempo no se secará nunca y buscar algo para el té. ¿Qué me importa a mí un miembro del Parlamento? Ni yo ni nadie de mi familia podemos votar: nunca hemos tenido una casa de propiedad, y mucho menos lo bastante grande para que nos lo permitieran. Además, mi hombre está lisiado. —Comenzó a cerrar la puerta apartando a una niña hacia atrás y retirando la falda con torpeza.

—No queremos su voto —dijo Hester enseguida—. Sólo queremos hablar con ustedes. Le echaré una mano. Se me da bien lavar ropa.

La mujer la miró de arriba abajo con una incredulidad que se fue convirtiendo en enojo por creer que se burlaban de ella.

—No me diga, señora. Las damas que hablan como ustedes, tan correctas, no distinguen un cepillo de fregar de un cepillo para el pelo.

Empujó la puerta de nuevo. Hester empujó a su vez.

—Soy enfermera y dirijo un dispensario para mujeres de la calle en Portpool Lane —dijo, recordando demasiado tarde que aquello ya no era verdad—. ¡Le apuesto una buena cena a que he lavado más ropa sucia que usted! —agregó.

La mujer, sorprendida, aflojó la presión sobre la puerta, ocasión que Rose supo aprovechar.

Era una casa fría y miserable, Hester oyó a Rose inhalar bruscamente y acto seguido soltar el aire muy despacio, procurando recomponer su expresión como si viera cosas semejantes a diario.

La casa recordaba la de los Collard, sólo que peor. El hombre estaba enfermizamente pálido, y en sus ojos hundidos había una expresión de derrota. Había sufrido un aplastamiento de cintura para abajo, pero aún conservaba las piernas, si bien deformadas, y a juzgar por la manera de estar tendido y el rictus de su boca le causaban un dolor intenso y permanente.

Con paciencia y gran delicadeza Rose procuró sonsacarle datos, pero él se los negó. No existían culpables. Había sido un accidente. Podía haberle ocurrido a cualquiera. No, no pasaba nada malo con las máquinas. ¿Por qué diablos les costaba tanto entenderlo? Había dicho lo mismo a los demás.

Hester tenía un oído en la conversación mientras comenzaba la colada con jabón de lejía y agua casi fría. Las penalidades de la tarea no mitigaban su sensación de culpa. Mientras trabajaba sabía que estaba haciendo algo absurdo. Un par de horas de incomodidad no servirían de nada. Pero el frío en la piel le agradaba, así como el tirón de los hombros cuando intentaba escurrirlas con las manos. En el dispensario al menos tenían un rodillo.

Tuvieron que visitar cuatro casas más para enterarse de algo interesante. Mary Havilland también había estado allí.

—¿Está segura? —preguntó Hester a la atractiva mujer que cosía camisas con cara de cansancio. Sus dedos no se detuvieron en todo el tiempo que pasó conversando con ellas. Apenas necesitaba mirar lo que estaba haciendo.

—Claro. Una no se olvida así como así de una joven dama, y ella lo era. Vino a preguntar sobre alcantarillas, cloacas y las aguas que corren bajo tierra. Sabía sobre el tema, y no poco, y también de motores. Podía distinguir unos de otros.

Rose se puso rígida, miró un momento a Hester y de nuevo a la mujer.

—¿Sabía cosas sobre los ríos subterráneos? —preguntó Hester tratando de no mostrarse excitada.

—Un poco —contestó la mujer—. Cosa rara. —Sacudió la cabeza—. Quería saber más. Le dije que mi padre había sido alcantarillero antes de palmarla y quiso saber si aún conocía a alguno. O a algún desembarrador. Mi hermano lo es, le dije, pero hace años que no lo veo. Me preguntó cómo se llama. Me gustaría saber para qué querría encontrar a un alcantarillero una joven de buena familia como ella.

—¿Para aprender más sobre ríos ocultos? —sugirió Rose.

La mujer abrió los ojos como platos.

—¿Para qué? No pensará que uno de ellos vaya a reventar en un túnel, ¿verdad?

—¿Es lo que ella le dijo?

—¡No! ¡Claro que no! ¿Cree que me estaría aquí sentada dándole a la aguja si me lo hubiese dicho? Mi cuñado trabaja en las excavaciones. —No aludió a su marido manco, que estaba en la calle intentando ganarse la vida como recadero—. ¿Es eso lo que quieren saber? ¿Qué fue de ella, a todas éstas? ¿Por qué han venido aquí?

Hester reflexionó sólo un instante.

—Cayó del puente de Westminster y se ahogó. Nos tememos que no se trató de un accidente, y hemos de saber qué averiguó.

—Desde luego, aquí nada como para que alguien le hiciera algo así, ¡lo juro sobre la tumba de mi madre!

Se quedaron diez minutos más, pero la mujer no pudo añadir nada.

Fuera había oscurecido, y pese a que sólo eran poco más de las seis la nieve empezaba a cuajarse.

—¿Cree que fue en busca de alcantarilleros? —preguntó Rose con tristeza—. ¿Para qué iba a hacerlo? ¿Para que le dijeran dónde están los ríos subterráneos? Seguro que Argyll ya habría hecho todo eso. Es inconcebible que desee un desastre. Representaría su ruina.

—No lo sé —admitió Hester echando a caminar hacia la parada del bus. Moverse era mejor que permanecer inmóvil—. No tiene ningún sentido y sin duda ella lo sabía. Pero se enteró de algo. ¿Qué pudo ser sino que están empleando las máquinas de forma peligrosa para acelerar las obras y así conseguir los mejores contratos? ¿Las máquinas de los Argyll son distintas de las de otras empresas? Debemos averiguarlo. Quizá sean más peligrosas.

Rose se detuvo, temblando de frío.

—Según parece trabajan más deprisa. Tal vez entrañen más peligro. ¿Qué podemos hacer? Esos hombres no nos dirán nada: ¡no se atreven!

Había angustia en su lamento.

—No lo sé —contestó Hester—. Lo único que podemos hacer es aclarar lo que le ocurrió a Mary... con suerte. Si halló pruebas de alguna clase, me refiero a algo que hubiese obligado a paralizar las obras hasta que las máquinas fueran revisadas, o incluso sólo a ralentizarlas, ¿a quién se lo habría contado?

—A Morgan —dijo Rose sin vacilar—. Pero no lo hizo. Nunca volvió a casa.

Echaron a caminar de nuevo, pues hacía demasiado frío para estar de pie sin moverse.

—Probablemente no estuviera segura —insinuó Hester—. Si su información no era completa del todo, quizá le faltase confirmar algún dato.

Llegaron a la parada y aguardaron muy juntas, desplazando el peso del cuerpo de un pie al otro para evitar congelarse.

—¿Toby? —insistió Hester—. ¿Es posible que se lo dijera?

—No confiaba en él —repuso Rose negando con la cabeza—. Él y Alan estaban muy unidos.

—¿Toby trabajaba en la empresa?

—Sí. Mary dijo que era muy ambicioso y como mínimo tan inteligente como Alan; al menos en cuestiones de ingeniería. Tal vez no fuese tan bueno dirigiendo a los hombres ni tan despierto para los negocios.

Un amago de idea destelló en la mente de Hester, desvaneciéndose sin darle tiempo a aprehenderla.

—Entonces... ¿era experto en máquinas?

—Pues sí, eso decían de él. —Rose abrió ojos como platos—. ¿Está insinuando que ella pudo estar... que jugaba deliberadamente con él... sonsacándole información para conseguir la prueba final?

—Podría ser, ¿no? —dijo Hester—. ¿Tenía el coraje necesario para hacer algo así?

—Sí —respondió Rose sin titubear—. ¡Por Dios, claro que sí! ¡Y él le estaba bailando el agua para ver cuánto sabía! ¡Y resultó ser demasiado! No tuvo más remedio que matarla porque, en última instancia, su lealtad era para con su hermano.

—Y para con su propia ambición —apostilló Hester. Vio unas luces al final de la calle y rogó que por fin fueran las del bus. Los dientes le castañeteaban de frío.

—¿Cómo haremos para averiguarlo? —preguntó Rose con cierta desesperación—. ¡Me niego en redondo a permitir que se salgan con la suya!

El bus se detuvo y lo abordaron. Se vieron obligadas a quedarse de pie, apretujadas entre obreros cansados y mujeres con cestas de la compra o de costura acompañadas de niños agotados con voces chillonas y manos pegajosas.

En el transbordo al segundo bus Rose sonrió con ironía y aplastante sinceridad al subir a la plataforma y entrar.

—¡Nunca más volveré a ser grosera con un cochero! —susurró furibunda—. Jamás ofenderé a la cocinera, ultrajaré a las criadas ni discutiré con el mayordomo, hagan lo que hagan. Y sobre todo, jamás dejaré que el fuego se apague, ¡aunque tenga que acarrear el carbón yo misma!

Hester tuvo que hacer un esfuerzo para no echarse a reír.

—¿Cómo debemos actuar? —inquirió Rose.

Los pensamientos se agolpaban en la mente de Hester, que se debatía entre lo práctico y lo seguro. Ganó la seguridad, al menos para Rose.

—Usted va a averiguar qué probabilidades hay de aprobar alguna clase de ley para asistir a los heridos. Es posible que a Mary se le ocurriera algo semejante. Seguramente por eso fue a ver al señor Applegate. Yo intentaré encontrar a los alcantarilleros con los que habló Mary para que me digan qué le contaron. Si alguien sabe dónde están los viejos ríos subterráneos, o si el curso de alguno de estos se ha modificado, serán ellos. Si consigo enterarme con exactitud de lo que ella sabía, habremos dado un paso adelante.

—¡Tenga cuidado! —advirtió Rose con inquietud.

—Lo tendré —aseguró Hester.

A Monk, sin embargo, sólo le refirió que había visitado a algunos heridos de hundimientos anteriores y de otros accidentes debidos a las máquinas, cuidándose mucho de revelarle sus planes. Mandó una carta a Sutton, tan breve como le fue posible, diciéndole que necesitaba saber más acerca de los alcantarilleros que conocieran mejor la antigua red de alcantarillado. Sólo cuando la hubo mandado se dio cuenta de que desconocía si Sutton sabía leer. Siempre cobraba sus servicios al contado. Quizá ni siquiera las mejores casas deseaban una factura o un recibo de un exterminador de ratas.

Aguardó la respuesta todo el día, manteniéndose ocupada con faenas de la casa, limpiando lo que el yesero había ensuciado.

Sutton llegó a eso de las cuatro y media.

—¿Está segura? —preguntó con cautela, estudiando el rostro de Hester a la luz de la lámpara de gas de la cocina. Tomaba sorbos de una humeante taza de té y había aceptado un pedazo de tarta de frutas. Dio un trocito a *Snoot*, para que no se sintiera excluido: a lo sumo un par de pasas. *Snoot* lo tomó con delicadeza de su mano y le lamió los dedos con la esperanza de recibir algo más.

—¡Ésa es tu parte! —le dijo Sutton negando con la cabeza. Luego se volvió hacia Hester—. Bueno, si está segura de que quiere saber lo que ha ocurrido y conocer a alguien que pueda contarle la verdad, lo mejor será que vayamos al túnel del Támesis y busquemos a los individuos que todavía no esperan trabajo o que tienen sus lealtades bien claras. —La miró de arriba abajo con inquietud—. Pero no puede venir tal como va. Si la llevo conmigo, ha de pasar inadvertida. Si le traigo ropa adecuada, ¿sabrá hacerse pasar por un chaval al que enseño el oficio?

Hester se quedó pasmada un momento hasta que el humor fue reemplazado por una repentina jarra de fría realidad.

—Sí —dijo con seriedad—. Claro que sabré. Me recogeré el pelo y me pondré una gorra.

Resultaba absurdamente desagradable pensar que con un mero cambio de atuendo pudieran tomarla por un aprendiz de exterminador de ratas. Y, sin embargo, de haber tenido un busto más generoso, un rostro más redondo y femenino, no habría tenido ninguna posibilidad de ir.

Entonces pensó en los rostros de las mujeres que viera la víspera, ajados y envejecidos mucho antes de tiempo, desprovistos de color y tersura, y semejante preocupación por su aspecto le pareció no sólo ridícula sino incluso de mal gusto.

—Estaré preparada —dijo con firmeza—. ¿A qué hora empezaremos?

—Vendré a recogerla —dijo Sutton, todavía vacilante—. A la hora del desayuno. Empezaremos temprano. Tampoco es que bajo tierra la hora importe mucho.

Hester supo que había estado a punto de decir «río» y que había rectificado en el último instante por si la idea era demasiado para ella, sobre todo después de haber estado hablando de hundimientos, inundaciones, gas y cosas por el estilo.

—Le estaré esperando —dijo sonriendo. Reparó en que Sutton le correspondía con humor y una chispa de admiración en la mirada, lo cual, absurdamente, la complació.

Sutton asintió con la cabeza y se puso de pie.


La ropa que le llevó Sutton estaba limpia pero raída y mal remendada. No obstante, Hester la encontró más cómoda de lo que había esperado. Daba una extraña sensación de desnudez, no llevar falda. Incluso en el campo de batalla se había acostumbrado a la molestia de las faldas que le envolvían las piernas dificultando el caminar a grandes zancadas, sobre todo con viento o lluvia. Los pantalones eran maravillosos por más que resultaran totalmente indecorosos.

Recogerse el pelo en un moño y asegurarlo con horquillas para que pareciera corto no presentaba mayor dificultad, aunque desde luego era poco favorecedor. Pero no tenía más remedio que hacerlo. De todos modos, una gorra de plato calada hasta las orejas bastó para ocultarlo casi por completo. Sutton había tenido el tino de llevarle también una gruesa bufanda de lana que la hizo sentirse menos desnuda y mucho más abrigada. Un chaquetón que le llegaba hasta las rodillas completaba el atuendo, sin olvidar un par de recias y gastadas botas de hombre.

Salió de la habitación donde se había cambiado y, un tanto cohibida y con cierta torpeza porque las botas le iban grandes, recorrió el pasillo y bajó la escalera.

—Ha hecho maravillas —exclamó Sutton con ademán de aprobación—. ¡Vamos, *Snoot*! Tenemos trabajo.

Mientras caminaban por la calle Hester le contó lo que ella y Rose Applegate habían desentrañado y las nuevas ideas a las que estaba dando vueltas.

—Qué curioso —dijo Sutton tras considerarlo cuidadosamente—. ¿Estaba buscando ríos subterráneos y cosas así, o intentaba descubrir lo que su padre sabía? ¿Se había enterado de algo por lo que pudieran matarlo? Pero ¿por qué? Los ríos no son ningún secreto, sobre todo, si topan con él y provoca un hundimiento. ¡Entonces el mundo entero lo sabrá!

—No tiene ni pies ni cabeza —convino Hester caminando más deprisa de lo que estaba acostumbrada para no quedarse rezagada—. En este asunto hay algo muy importante que desconocemos. O eso, o alguien muy estúpido está metido en él.

Sutton le dirigió una sonrisa deslumbrante dando a entender que no se creía una sola palabra de lo que le estaba diciendo.

Hester no contestó. Ella tampoco abrigaba ninguna esperanza de que fuese tan simple.

Cogieron otro bus hasta la boca norte del túnel en Wapping. Hester se sintió desconcertada al ver que el edificio donde estaba ubicada era grande y muy bonito, tanto que tuvo la impresión de estar entrando en una sala de conciertos. Miró de reojo a Sutton, que se agachó, cogió en brazos a *Snoot* y lo bajó solemnemente por la amplia escalera de caracol hasta el nivel inferior, donde el túnel propiamente dicho se abría al vestíbulo. Con repentino asombro Hester cayó en la cuenta de que ningún vehículo podría salir de allí al aire libre. El único medio para subir y bajar era la gran escalinata.

Sutton dejó a *Snoot* en el suelo y el perrillo trotó dócilmente pisándole los talones hasta la boca del túnel. Gracias a las numerosas ventanas aquel espacio estaba muy iluminado, pero Hester se percató de que en cuanto se adentraran un poco sólo dispondrían de la luz que arrojaran las espitas de gas.

—No se separe de mí —advirtió Sutton—. Hay mucha gente aquí dentro, la mayoría inofensiva, pero la vida es dura y se lucha por un mendrugo que llevarse a la boca o por un metro de espacio, así que limítese a mirar.

Hester obedeció adaptando su paso al de Sutton. La luz se fue desvaneciendo a medida que avanzaron. La atmósfera se hizo más densa y húmeda, y se percibía un olor extraño. El techo era mucho más alto de lo que había supuesto, y al cabo de pocos metros se perdía de vista dando la sensación de estar encerrado en un lugar más adivinado que visto. Sabía que no muy por encima de sus cabezas corrían las caudalosas e inmundas aguas del Támesis. Se negó a pensar en su peso o a preguntarse cómo resistía la bóveda la presión de la tierra y la del lecho del río, por no mencionar las corrientes y mareas.

¿A qué profundidad estaban? Olía a moho y hacía un frío glacial, pero a nadie se le ocurriría calentar los túneles con hogueras. No había ninguna ventilación. Abrir cualquier tipo de salida de aire hasta la superficie comprometería la seguridad de los túneles. ¡Si se hundía quedarían sepultados allí para siempre!

¡Qué pensamiento tan absurdo! Al fin y al cabo, ¡cuando morías te enterraban! ¿Qué diferencia había? Aunque tal vez morir no consistiera en dejar de existir sino en emprender un viaje sin fin a través del infierno y Dante estuviera en lo cierto: era un foso como aquél, lleno de desconocidos, ruidos oídos a medias, susurros sin palabras que habían dejado de ser humanos.

Todos los sentidos estaban distorsionados. La humedad se adhería a la nariz y la piel. Había espitas de gas en las paredes y a la luz mortecina que despedían, Hester acertaba a ver personas moviéndose como sombras, en su mayoría mujeres. Parecían estar comprando y vendiendo, valiéndose del tacto además de la vista, como si estuvieran en una galería comercial de pesadilla, una especie de mercado infernal. Los sonidos eran pesados y casi antinaturales, un murmullo de pies, faldas y retazos de voz.

—¡No se quede mirando! —advirtió Sutton entre dientes—. Está aquí para cazar ratas, no para curiosear, señorita Hester.

—Perdone —se disculpó ella—. ¿Quién es toda esta gente? ¿Bajan aquí cada día?

—La mayoría nunca ve la luz del sol —contestó Sutton—. Puede que aún nos quede más de medio kilómetro por recorrer.

—¿A quién estamos buscando?

Se mantenían en la parte central del camino, pero a medida que sus ojos se fueron acostumbrando a la penumbra fue percibiendo los cubículos que se abrían a un lado. En aquellos recovecos debía de ser donde la gente comía y dormía y, a juzgar por la fetidez que impregnaba el aire, donde resolvía otras necesidades vitales. Era todo un mundo subterráneo, siempre húmedo y no obstante sin agua. Hester trató de pasar por alto los correteos de pies inhumanos, el repiqueteo de garras y los destellos de ojos rojos entre las sombras.

—La gente que vive en un túnel a menudo sabe cosas sobre otros túneles —contestó Sutton por fin—. Aquí todo hay que traerlo desde otras partes. Vamos a ver a un alcantarillero que conoce los ríos ocultos tan bien como los que figuran en los mapas, y a lo mejor a alguien que conozca a algún peón herido y menos dispuesto a defender a sus antiguos jefes. Pero deje que haga yo las preguntas, ¿de acuerdo?

—De acuerdo —convino Hester en voz baja. Seguían adentrándose bajo el río y el silencio sólo lo rompían voces tan quedas y roncas que sonaban ininteligibles entre los chirridos y silbidos de las espitas de gas. De vez en cuando retumbaban golpes metálicos como de tubos y otros más amortiguados y sordos como de maderos, que provocaba alguien al trabajar. Era un mundo fantasmagórico.

Sutton siguió adelante deteniéndose de vez en cuando para saludar a alguien por su nombre, hacer una pregunta, contar un chiste. Hester comenzaba a odiar aquel lugar. No había viento ni plantas, ningún animal aparte de las ratas y, cómo no, algún que otro perro. *Snoot* se estremecía de excitación al oler tantas presas y levantaba la vista hacia Sutton aguardando una orden que nunca llegaba.

Ya habían hablado con cinco personas y recorrido unos quinientos metros cuando Sutton encontró al hombre que buscaba en primer lugar. Bajo el resplandor amarillo de la luz de gas su rostro parecía una máscara de metal. Tenía un lado cubierto de cicatrices, le faltaba una oreja y el pelo le caía en mechones. Era delgado y sus manos nudosas estaban deformadas por el reumatismo.

—¡Sutton! —exclamó sorprendido—. ¿Qué, no había bastantes ratas para ti en Palacio? —Sonrió de oreja a oreja mostrando una buena dentadura.

—Hola, Blackie —repuso Sutton—. Hice tan buen trabajo que se largaron todas. ¿Qué tal estás?

—Acartonado —respondió Blackie encogiéndose de hombros—. Ya no puedo perseguirlas tan deprisa como antes. Te has buscado un ayudante, ¿eh? —Miró a Hester con curiosidad.

—Aún no me sirve de mucho —dijo Sutton—. Pero servirá. No está hecho para trabajar de peón.

Blackie miró pensativo a Hester, que no bajó la vista. Blackie se echó a reír.

—Pues entonces espero que sea listo. No vale para otros trabajos, ¿eh?

Hester quería responder, pero recordó justo a tiempo que no sabía imitar el acento que habría tenido un verdadero aprendiz de exterminador de ratas, como tampoco la voz de un muchacho que tuviese su estatura.

—Tampoco es que sea cosa de listos trabajar de peón —dijo Sutton sacudiendo la cabeza—. Es muy arriesgado hoy en día. Los ferrocarriles son una cosa y los túneles otra.

—¡Y que lo digas! —convino Blackie.

—¿Piensas que alguno podría hundirse, Blackie? —preguntó Sutton.

—Eso dicen por ahí. —Blackie hizo una mueca y su cara torcida pareció inhumana bajo la luz amarilla—. Corre la voz de que esos cabrones van a seguir perforando hasta que atraviesen un río y ahoguen a la mitad de los pobres diablos que están cavando como una manada de puñeteros topos.

Hester abrió la boca para pedirle que fuese más concreto, pero Sutton le dio disimuladamente una patada que le hizo soltar un grito ahogado. Se mordió el labio para no llorar por el dolor.

—¿En qué obra? —preguntó Sutton sin darle mayor importancia—. No me gustaría que me pillara dentro.

—¿Tú te metes en esos sitios? —preguntó Blackie, mirándolo de reojo.

—Ya se sabe —reconoció Sutton—. ¿Crees que serán Bracknell y su gente?

—Quizá. Pero más bien diría Pattersons.

—¿Argyll?

Blackie lo miró con cautela.

—Te has enterado de algo, ¿verdad?

—Rumores. ¿Son ciertos?

—Avanzan más deprisa que la mayoría, pero Sixsmith es un cabrón muy astuto. Aunque pone mucho cuidado en lo que hace, los motores que usa son más potentes que la mayoría. Me da que los han trucado para sacar más provecho de ellos. Podrían romper una alcantarilla vieja y provocar un hundimiento en un abrir y cerrar de ojos.

Hester deseaba preguntar detalles, pero aún le dolía la pierna por la patada que Sutton le había dado.

—Eso he oído —confirmó Sutton—. Pero pensaba que eran tonterías de una chica. Su padre tenía miedo a la oscuridad o algo así. Perdió la cabeza y se pegó un tiro, según dicen. Sólo que ella no se lo tragó. En su opinión, alguien se lo había cargado.

Blackie entornó los ojos y se inclinó bruscamente hacia delante.

—Yo de ti mantendría el pico cerrado, Sutton —dijo en voz muy baja—. Sigue cazando ratas, ¿vale? Es un buen trabajo, es seguro y sabes hacerlo. No te metas en las excavaciones ni vayas por ahí preguntando. Está claro que tienen normas de seguridad, y más claro aún que se las saltan cuando quieren. El más rápido es el que pilla el contrato siguiente, así de fácil. Es mejor arriesgarte a acabar enterrado vivo que estar seguro de que vas a morirte de hambre. —Bajó aún más la voz—. Estoy en deuda contigo, Sutton, como lo estuve con tu padre, así que voy a decirte esto a cambio de nada: tú a lo tuyo, que es matar ratas. Es algo limpio, y sólo molestas a las malditas alimañas. Hay cosas en los túneles que es mejor no saber, y gente que preferirás no haber conocido, ¡tan seguro como que el infierno está en llamas! Sobre todo un sujeto, así que no te metas donde no te llaman. ¿Entendido?

—Quizá tengas razón —concedió Sutton asintiendo con la cabeza—. Tú tampoco bajes a esos agujeros, Blackie. Si dan con un río por accidente, poco importará que seas alcantarillero y lleves toda la vida trabajando bajo tierra. Se vendrá abajo más deprisa de lo que puede correr un hombre, llevándoselo todo por delante.

—Descuida que a mí no me verán más ahí abajo —dijo Blackie

torciendo la boca—. Sé cuáles son seguros y cuáles no. ¡Pero escúchame bien, Sutton! ¡El agua, el gas, el fuego y las ratas no son lo único de lo que hay que cuidarse! Hay mucho dinero metido en esto y, por tanto, hombres dispuestos a asesinar. Quédate al margen, ¿estamos? Lárgate y llévate contigo a ese chaval —añadió mirando a Hester—. No sé a qué has venido, pero aquí no hay nada para ti.

—Ya lo veo —convino Sutton. Cogió a Hester del brazo con fuerza, se volvió y echó a andar por donde habían llegado. Avanzaron más de cien metros antes de que Hester se atreviera a hablar.

—¿Piensa que Mary pudo haber bajado aquí? —preguntó con voz temblorosa.

—Quizá sí, quizá no, pero, desde luego, la conocían —contestó Sutton—. Está claro que hizo muchas preguntas, y las acertadas, según parece.

—Pero nadie debió de contestar —protestó Hester—. ¿Qué perjuicio podía causar para que la mataran?

—No lo sé —admitió Sutton apenado—. Pero si alguien lo hizo, tuvo que ser Toby Argyll. La cuestión es: ¿quién se lo ordenó?

—¡He de descubrirlo! —insistió Hester—. De lo contrario, ¿cómo demostraremos que no se quitó la vida?

—Yo también necesito saberlo —dijo Sutton—, si no, ¿cómo vamos a impedir que vayan cada vez más deprisa hasta que hundan todo el maldito techo y entierren vivos a más de cien hombres? O, aún peor, que haya una explosión de gas y que origine otro Gran Incendio.

Hester se abstuvo de contestar. No sabía la respuesta y eso la irritaba. Si Mary había estado en lo cierto, ¿era posible que fuese la única que advirtiera el peligro? ¿Acaso sus preguntas no habrían bastado para alarmar a otras personas? ¿Era eso lo que tanto había preocupado a Alan Argyll: no la situación real sino los miedos y sospechas que Mary estaba suscitando? ¿Había algún motivo para pensar que había comenzado a sembrar el pánico?

—No me parece que tengan miedo —dijo en voz alta—. En realidad, no piensan que vaya suceder, ¿verdad?

Sutton la miró.

—¿Miedo a qué? —dijo—. En la vida, si piensas demasiado en las cosas, al final te da miedo todo. Hacerte daño, pasar hambre, pasar frío, estar solo. ¿O se refiere a ahogarse o ser enterrado vivo? No hay que pensar demasiado en el futuro. Hay que vivir el presente.

—¿Así piensa Argyll? Pobre Mary.

—No lo sé —confesó Sutton—. Aunque a mí no me cuadra.

Hester no discutió. Sumidos en un silencio cómplice, se dirigieron hacia la parada del bus.

# 6

Monk estaba en la cocina cuando oyó a Hester entrar por la puerta principal. Giró sobre sus talones y salió a grandes zancadas al vestíbulo para preguntarle de dónde venía tan tarde. Sorprendido, comprobó cómo iba vestida, y la expresión de frío y cansancio de su rostro. Iba desgreñada, como si se hubiera atado el cabello en un nudo en lugar de molestarse en peinarlo, y las mangas y los pantalones empapados.

—¿Dónde diablos has estado? —preguntó bruscamente, con inquietud. Estaba muy cerca de ella, casi tocándola—. ¿Qué ha sucedido?

Hester no trató siquiera de andarse con rodeos.

—He ido a los túneles con Sutton. Me encuentro perfectamente, pero allí abajo está ocurriendo algo muy grave —repuso mirándolo fijamente—. No es tan sencillo como pensaba. Las máquinas son muy grandes y están sacudiendo el suelo, pero eso lo sabe todo el mundo. No tiene nada que ver con lo que Mary Havilland o su padre descubrieron. Todos saben que es peligroso; son gajes del oficio. —Sus ojos escrutaron el semblante de Monk en busca de ayuda, de explicaciones que dieran sentido a aquel embrollo—. Todo el mundo está al corriente de la existencia de ríos y fuentes subterráneos y de que se producen corrimientos del suelo arcilloso. ¡Hay cientos de personas viviendo bajo tierra! Pero Mary iba de una a otra haciendo preguntas. ¿Qué podía andar buscando y por qué era tan importante?

Monk se esforzó en no mostrarse demasiado brusco. Se hizo a un lado dejándole sitio para que entrara en la cocina caldeada. Hester había pasado todo el día fuera, pero él había limpiado los fogones y vuelto a encender el hornillo. No era muy ducho en tareas domésticas, pero eso sabía hacerlo. Debido a las ausencias de Hester cuando en el dispensario había casos graves de los que ocuparse, no había tenido más remedio que aprender. Quejarse por tal cuestión hubiese resultado deleznable. Mientras había sido presa del terror de perderla para siempre durante la horrible situación vivida por ambos unos meses atrás, ni siquiera se le había ocurrido pensar en cuidar de sí mismo.

Le quitó el abrigo y lo colgó en el perchero para que se secara. Hester no intentaba recurrir a evasivas, cosa que de por sí bastó para alarmarlo. Debía de estar muerta de miedo. Lo veía en sus ojos bajo la brillante claridad de lámpara de gas de la cocina.

—¿Dónde has estado exactamente? —preguntó Monk—. ¿Dónde te has enterado de todo esto?

—En el túnel del Támesis —contestó Hester—. ¡No iba sola! —agregó con premura, y repitió—: En todo momento he estado a salvo. —Un estremecimiento involuntario la sacudió de la cabeza a lo pies al recordar lo que había visto. Se atusó el pelo con mano temblorosa—. ¡William, hay personas que viven allí siempre! Como... ratas. Nunca suben a respirar aire fresco ni echan de menos la luz del sol.

—Ya lo sé. Pero seguramente ése no es un nido de criminales peor que cualquier barriada ribereña o que el puerto, o lugares como Jacob's Island. —La rodeó con los brazos y la atrajo hacia sí—. ¡Y no vas a montar ningún dispensario para ellos!

Hester rió a su pesar y terminó tosiendo.

—No se me había ocurrido. Pero ahora que lo dices...

—¡Hester!

Ella le dedicó una afectuosa sonrisa.

Monk soltó el aire despacio obligándose a no perder la calma. Echó más agua en la tetera y puso ésta en el fogón. En la despensa había pan fresco, mantequilla, queso y un buen pedazo de tarta.

—William.

Él se volvió expectante hacia Hester, que, con voz muy seria, continuó:

—Mary estuvo en toda clase de sitios haciendo preguntas sobre ríos subterráneos, desplazamientos de terrenos y el número de per-

sonas heridas... Pero también preguntaba acerca de las máquinas. Según parece tenía algunos conocimientos al respecto. Me refiero a que sabía distinguir unas de otras. Corrió riesgos tremendos. O bien no se daba cuenta, o bien... —Se interrumpió. De repente los ojos se le llenaron de lágrimas. Estaba pálida, agotada, y a pesar del abrazo de Monk todavía temblaba. Nada de lo que él hiciera mitigaría su temor, ni se dejaría consolar como una niña. Para ser capaz de relajarse tendría que enfrentarse a su miedo o su dolor.

—¿Piensas que era tan tonta como para no ser consciente del peligro? —preguntó Monk.

—No —respondió Hester en voz baja, con tristeza, sin apartarse de él—. Más bien pienso que la verdad le importaba tanto que prefirió correr ese riesgo en lugar de salir huyendo. Creo que tenía miedo de un desastre real, peor que el del Fleet.

—¿Por tratarse de un túnel?

—Un incendio —puntualizó Hester—. Las tuberías de gas están conectadas con las casas de la superficie.

Monk lo entendió a la primera. La posibilidad era aterradora.

—¿Y lo saben?

Hester asintió con la cabeza y dio un paso atrás; ya no temblaba.

—Eso parece. Sólo que ella todavía no estaba en condiciones de demostrarlo. O quizá sí. ¿Crees que la mataron por esa razón?

—Es posible —respondió Monk con cautela—. Y también podría ser el motivo por el que decidieron acabar con su padre, ¡así que ten bien presente que no se lo pensarán dos veces antes de matarte si te consideran una amenaza! De modo que...

—¡Ya lo sé! —lo interrumpió Hester—. No tengo ninguna intención de volver a ese sitio, lo prometo.

Monk vio el miedo reflejado en sus ojos. Mantendría su palabra, no sería necesario pedirle que se lo prometiera.

—No es sólo por tu vida —dijo Monk con ternura—, sino también por la de otros.

—Lo sé. —Seguía estando muy tensa, pero un calor más profundo que el de la habitación por fin había penetrado en su ser—. ¿Qué vas a hacer?

—Preparar té —contestó Monk quitando hierro al asunto—. Luego pensaré cómo demostrar quién tuvo ocasión de matar a James Havilland. Nunca demostraremos que Toby pretendiera acabar con la vida de Mary, y puesto que también cayó al río, en sentido estricto ya se ha hecho justicia.

—¿Piensas que Mary se agarró a él para arrastrarlo con ella a propósito? —preguntó Hester.

—Sí —respondió Monk—. No me extrañaría en lo más mínimo.

—Pero con eso no basta, ¿verdad?

—No. Carece de sentido que Argyll corriera semejante riesgo. Se arruinaría. En este asunto hay algo que desconocemos. Aún no tenemos todas las piezas.

Ahora fue Hester quien lo rodeó con los brazos y se arrimó a él.

Por la mañana la situación parecía menos clara. Si era Toby Argyll, joven y ambicioso, quien estaba detrás de todo aquello, ya no cabía actuar contra él y mancillar su nombre constituiría una crueldad vana. Alan Argyll haría cuanto estuviera en su mano con tal de evitarlo, y lo único que Monk ganaría sería un enemigo implacable para la Policía Fluvial. Sus pruebas tendrían que ser irrefutables, porque nadie iba a molestarse en salvar la reputación de James Havilland, y la de Mary menos aún.

La responsabilidad de Monk ante Farnham era uno de los precios a pagar por la autoridad que le confería el uniforme, así como por unos ingresos regulares y muy razonables. Ese invierno ya no temía la inseguridad económica como en el anterior.

¡Pensar en maneras de orillar los prejuicios de Farnham era un precio bajo que pagar!

Necesitaba saber mucho más acerca de Toby y Allan Argyll. Resultaba difícil formarse una opinión sobre alguien que había muerto joven y en circunstancias trágicas. A nadie le gustaba hablar mal de los muertos, excepto en murmullos y con suma reserva, como si la muerte los absolviera de todos sus pecados y flaquezas.

Quizás un buen modo de empezar fuese abordar a quienes lloraban la pérdida de James y Mary Havilland. Decidió ir a ver al ama de llaves, la señora Kitching. Era probable incluso que interrogara a Cardman de nuevo y le pidiera que no se mostrase tan rígidamente discreto.

Cardman dispensó a Monk una calurosa acogida movido por el recuerdo de haber sido escuchado y creído, si bien sus sentimientos seguían demasiado vivos bajo sus disciplinados modales como para permitirse el lujo de revelarlos. Se quedó de pie en la sala de día para contestar a las preguntas de Monk y si se quitó la máscara fue sólo para hacer patente un instante su indignación por el hecho de que la Iglesia considerase pecadora a Mary Havilland cuando la irrevocabilidad de la muerte le había arrebatado la ocasión de arrepentirse.

Monk se sintió incapaz de alcanzar la dura y aislada aflicción de aquel hombre. Cardman era sumamente reservado; tal vez ésa fuese su única armadura. Monk no abrigaba el menor deseo de abrir una brecha en ella. Recordaba su propio aislamiento con toda claridad, el orgullo y el miedo a los demás seres humanos que lo habían mantenido en su sitio. A diferencia de Monk, Cardman no había encontrado una mujer como Hester que hubiese penetrado su coraza, destruyéndola y descubriendo tesoros valiosos al mismo tiempo.

Quizá también estuviera haciendo honor a su deber de cuidar del resto del personal de la casa hasta que llegara el momento de eximirlos de sus obligaciones y permitirles buscar nuevos puestos de trabajo provistos de cartas de recomendación firmadas por algún representante de Argyll. No quedaba ningún miembro de la familia Havilland a quien asistir.

Monk preguntó si podría ver al ama de llaves y fue conducido por el pasillo de servicio y, tras una breve solicitud, invitado a entrar en su aposento.

—Buenos días, señora Kitching —saludó Monk.

—Hum —contestó el ama de llaves sentada en una silla frente a él, muy erguida, en su pulcra salita de estar de maderas pulidas y bordados enmarcados en las paredes. Miró a Monk de arriba abajo, reparando en el chaquetón de su uniforme de policía, aquella reconocible prenda que tanto le pesaba, así como en el cuello blanco de la camisa y en sus bonitas botas—. ¿Oficial de policía, dice? ¿Más oficial que policía, tal vez? Y ¿qué es lo que quiere ahora? No voy a hablar mal de la señorita Havilland, así que puede ahorrarse su tiempo. Me iré a la tumba afirmando que era una buena mujer, y eso es lo que pienso decirle a Dios Nuestro Señor a la cara.

—Quiero saber por qué murió y quién fue el causante de su muerte, señora Kitching —dijo Monk—. Me gustaría saber más cosas sobre las demás personas que formaban parte de su vida. Por ejemplo, ¿conocía usted al señor Toby Argyll? Me figuro que vendría aquí a verla con bastante frecuencia, sobre todo después del fallecimiento de su padre.

—Y antes —apuntó ella enseguida.

—¿Estaban muy unidos?

—Depende de a qué se refiera. —No era evasiva, quería ser precisa. Su mirada resultaba más franca que la de cualquier otro sirviente que Monk recordara haber interrogado con anterioridad.

Un pensamiento cruzó la mente de Monk como una centella.

—¿Tiene intención de buscar otro empleo cuando termine aquí, señora Kitching?

—No lo necesito. He ahorrado un poco. Me iré a vivir a Dorking con mi hermana y mi cuñado. Sólo me quedaré aquí mientras sea preciso.

Se abstuvo de agregar que no hacía falta que la amenazara porque era inmune a las amenazas, pero bastaba con ver la expresión de su cara.

Monk sonrió. Era exactamente el testigo que andaba buscando.

—Lo que quiero decir, señora Kitching, es si él estaba enamorado de ella y ella de él.

La señora Kitching soltó un breve suspiro.

—Ella desde luego no, aunque empezaba a agradarle. Era un hombre muy afable, además de ingenioso e inteligente.

—¿Y él?

—Bueno, la señorita Mary era guapa. —Pestañeó e inhaló profundamente. Saltaba a la vista que le costaba lo suyo dominar su aflicción. Lo fulminó con la mirada como si fuese el culpable de avivar su dolor—. Y eso es lo que atrae a la mayoría de caballeros, hasta que te conocen un poco mejor.

—¿Y entonces qué ocurre? —Monk mantuvo una expresión perfectamente anodina. Pensar en el rostro del cadáver de Mary manchado de agua sucia del Támesis bastaba para acabar con cualquier vestigio de humor.

—Y entonces preferirían que no tuvieras demasiadas opiniones propias —dijo ella con aspereza y lágrimas en los ojos.

Monk cayó en la cuenta de que quizá no estuviera pensando sólo en Mary Havilland, sino en una herida que había sufrido hacía mucho tiempo pero que seguía abierta manteniendo vivo el sentimiento de pérdida. Era común que cocineras y amas de llaves recibieran el trato honorífico de «señora» aunque nunca se hubieran casado. Se trataba de un distintivo de madurez más que de matrimonio, igual que cuando un hombre pasaba de señorito a señor. Hasta entonces no se le había ocurrido pensar en esa diferencia. Ahora bien, las mujeres no eran personas físicas en los mismos términos que los hombres.

Una vez más se encontró con que su compasión por Mary le enturbiaba el juicio. La imaginaba como alguien con coraje, sentido del honor e ingenio, alguien que le habría gustado tratar. Pero podría no haber sido así en absoluto. Para empezar, ¡él había detestado a Hester! No, eso no era verdad. Había quedado fascinado por ella, atraído pero temeroso de su propia debilidad. Había tenido la certeza de desear a alguien de trato más cómodo: una mujer indulgente que no lo desafiara, que no lo obligarse a estar a la altura de lo mejor de sí mismo, a veces incluso por encima de lo que se sentía capaz. La gentileza de Hester iba mucho más allá de la mera amabilidad; era una pasión, una ternura fundamentada en la sinceridad, no en la indiferencia ni en la falta de valor o interés para discutir. Jamás era fruto de la ausencia de una opinión propia.

Antes de ella se había enamorado de mujeres silenciosas y discretas que nunca discutían, y al cabo se daba cuenta de que estaba desesperada y dolorosamente solo. No había en ellas nada que le traspasara la piel.

¿Qué le había ocurrido a Toby Argyll? ¿Había tenido el valor suficiente para amar a Mary, o la había encontrado demasiado desafiante, demasiado frustrante para su vanidad?

—Dice que no le gustaban sus opiniones, señora Kitching, pero ¿estaba enamorado de ella?

Por primera vez en la entrevista la señora Kitching vaciló. Su rostro lo reflejó claramente.

Monk esbozó una sonrisa.

—Con frecuencia no estoy de acuerdo con mi esposa y rara vez he prevalecido sobre ella —dijo—. Si decide cambiar de parecer, son las razones, no las personas, las que logran ese cambio. Pero eso no quita que vaya a serme leal y a amarme pase lo que pase, sea bueno o malo. Me consta porque lo ha hecho, sin decirme nunca que yo llevaba razón si ella pensaba lo contrario.

La señora Kitching lo miraba fijamente, sacudiendo la cabeza.

—Entonces no le habría caído bien el señor Toby —aseveró convencida—. Esperaba obediencia. Tenía el dinero, ¿entiende?, y ambiciones. Y era inteligente.

—¿Más inteligente que su hermano? —preguntó Monk.

—No lo sé. Aunque me da que él se lo estaba empezando a creer.

De pronto se dio cuenta de lo atrevida que estaba siendo al sincerarse de ese modo, y una sombra de inquietud le cruzó el semblante para desaparecer de inmediato. Estaba saboreando una nueva libertad inimaginable hasta hacía muy poco.

Pese a la seriedad de la conversación, Monk se sorprendió sonriéndole. Cardman se habría horrorizado. Ella quizá tuviera uno o dos años más que él. Monk se preguntó cómo habría sido la relación entre los dos sirvientes. ¿Superficial? ¿O su condición social se habría interpuesto en lo que hubiera sido una ardua pero gratificante relación amorosa?

Apartó la idea de su mente.

—¿Era distinto el señor Alan Argyll? —preguntó—. Y la señora Argyll, ¿era parecida su hermana?

—El señor Alan es un hombre muy inteligente, mucho más inteligente de lo que el señor Toby creía —contestó la señora Kitching sin titubeos—. El señor Toby tal vez pensara que con el tiempo se haría con el control, pero estaba muy equivocado. Me lo dijo la señorita Mary. No es que yo misma no lo pensara, bastaba verlos en el salón de recibir. La señorita Jenny es muy realista, nunca fue una soñadora como la señorita Mary. No cuesta nada llevarse bien con ella. Nunca pide lo imposible ni presenta batallas que no pueda ganar. Es una buena esposa para el señor Alan. Supongo que el señor Toby creía que la señorita Mary sería igual. Pues bien, ¡se equivocó!

Dijo esto último con considerable satisfacción. Entonces recordó que Mary había muerto. Las lágrimas corrieron por sus mejillas, y esta vez fue incapaz de contener el llanto.

Monk se enfadó consigo mismo por sentirse incómodo. ¿Por qué lo hacía? Era una pena sincera, no había de qué disculparse.

Le dio las gracias con franqueza y se marchó.

Hacia mediodía se encontraba de nuevo en las obras del extremo opuesto de la ciudad. Esta vez encontró a Aston Sixsmith en la superficie y en condiciones de hablar con mayor tranquilidad. No tenía sentido interrogarlo acerca de Mary. Era poco probable que supiese algo que resultara de utilidad, pero quizá pudiera informarle sobre la relación de los hermanos Argyll. Monk tenía claro que debería ser más cauto para abordar ese tema. Sixsmith se mostraría leal porque necesitaba conservar su empleo, aun cuando su opinión personal lo inclinaba a lo contrario.

—¿El señor Toby Argyll estaba al corriente del miedo que le daban los túneles a Havilland? —preguntó. Estaban a unos doscientos metros de la máquina más cercana, cuyo ruido parecía todavía más lejano bajo el discreto sol invernal.

Sixsmith hizo una mueca.

—Me temo que todos lo estábamos —respondió—. A poco que lo observaras, te dabas cuenta. Y para ser francos, señor Monk, estar pendiente del hombre que se vendrá abajo es parte de mis obligaciones porque representa un peligro para todos los demás, especialmente si tiene responsabilidades. Lo siento. —Su rostro, tan expresivo, reflejó tristeza—. Me caía bien Havilland, pero eso no tiene nada que ver con la seguridad. Si hubiese perdido la cabeza, si hubiese empezado a decir a los hombres que había un río a punto de reventar las paredes, o que flotaba gas asfixiante en el aire, o que se avecinaba un hundimiento, habría provocado el pánico. Sólo Dios sabe qué habría ocurrido entonces.

Miró a Monk inquisitivamente para ver si lo comprendía.

Sí, Monk lo entendía a la perfección. Que un hombre con el rango y la experiencia de Havilland perdiera la templanza bastaría para iniciar la clase de histeria capaz de provocar precisamente el desastre que tanto temía. En el mejor de los casos entorpecería el avance de la obra, quizá durante días, y, como consecuencia, el proyecto siguiente sin duda iría a parar a manos de un rival.

—¿En algún momento sospechó usted que lo hiciera deliberadamente? —preguntó.

Sixsmith se mostró perplejo por un instante.

—¿Que decidiera mostrarse débil? Le habrían negado trabajo en cualquier empresa... ¿Por qué iba nadie a hacer algo así? Además, él y los hermanos Argyll eran amigos. Familia, en realidad.

—Me refiero a cometer sabotaje, a cambio de una recompensa adecuada —explicó Monk, aunque le pareció muy desagradable en cuanto lo hubo dicho y vio una expresión de repulsa en el rostro de Sixsmith.

—¿Por parte de otra empresa? —Sixsmith torció el gesto—. Si hubiese conocido a Havilland no haría una pregunta así. Puede que tuviera sus puntos flacos, incluso que fuese algo cobarde, pero se trataba de un hombre íntegro. Nunca se habría vendido. Apostaría mi vida. Y créame, señor Monk, cuando trabajas como un hombre en cosas como ésa —señaló con el pulgar hacia los túneles que tenían debajo— aprendes a saber en quién confiar y en quién no. Si te equivocas, no siempre vives para contarlo.

—Así pues, ¿los dos hermanos Argyll tenían que estar enterados de los miedos de Havilland y de que era un peligro en potencia?

—Me temo que sí —respondió Sixsmith con expresión grave.

—¿Y Mary también constituía un peligro?

Sixsmith reflexionó un momento antes de contestar. Parecía incómodo.

—En realidad, no —dijo—. Apenas sabía de qué estaba hablando. ¿No puede... considerarlo un accidente? Me refiero a la muerte de Mary.

Monk reparó en que Sixsmith no había mencionado la muerte de Toby.

—¿Ambas? —preguntó—. ¿La de Mary y también la de Toby Argyll?

—Tendría que ser así, ¿no? —dijo Sixsmith.

—Bueno, si ella no se suicidó, entonces él tampoco —razonó Monk—. La única alternativa sería asesinato. ¿Es posible que él quisiera arrojarla al río? Mary cayó de espaldas, aferrada a él.

—¿Tratando de salvarse o de arrastrarlo consigo, quiere decir? —A Sixsmith se le iluminó el rostro—. ¡Cambió de idea e intentó salvarse! Ahí lo tiene. Por desgracia, fue demasiado tarde. Ya había perdido el equilibrio, y él también. Una tragedia. Así de simple.

—No ha dicho «pero Toby nunca le habría hecho daño» —señaló Monk.

Sixsmith le miró fijamente y esta vez su expresión fue indescifrable.

—¿De veras? No, supongo que no. Ahora tengo que volver al trabajo, señor Monk. No puedo permitirme retrasos. Cuestan dinero. Buenos días. —Sixsmith se marchó a grandes zancadas.

Monk se quedó un momento donde estaba, pensando, de nuevo consciente del frío, del ruido de las máquinas y los gritos de los hombres. El siguiente paso a dar sería corroborar la hora exacta de la muerte de James Havilland, en la medida en que el médico forense fuese capaz de determinarla.

—¿Para qué diablos quiere saberlo? —inquirió el forense cuando Monk lo localizó en su consulta. Era un hombre delgado con aspecto de andar siempre agobiado, como si lo presionaran sin tregua y tuviera que trabajar a toda prisa—. ¿Viene a verme dos meses después y me pregunta a qué hora se disparó ese pobre hombre? —Fulminó a Monk con la mirada—. ¿No tiene nada mejor que hacer? ¡Vaya a detener ladrones! La semana pasada entraron en casa de mi vecino. ¿Qué me dice a eso?

—Que corresponde a la Policía Metropolitana —contestó Monk, no sin placer—. Yo soy de la Policía Fluvial del Támesis.

—Bien, el pobre Havilland murió de un disparo —espetó el forense—. ¡Ni una gota de agua en la escena del crimen, ni siquiera del grifo, y mucho menos del puñetero río! —Dirigió a Monk una miranda triunfal—. ¡No es asunto de su competencia, señor!

Monk tuvo que esforzarse para no perder los estribos, y si lo hizo fue sólo porque necesitaba la información.

—Su hija creía que lo habían asesinado...

—Eso ya lo sé —lo interrumpió el forense—. La aflicción la sacó de quicio. Una verdadera lástima, pero no existe una cura para la aflicción, a menos que los sacerdotes la tengan. No es mi campo.

—Pereció ahogada en el río —prosiguió Monk—. Yo mismo la vi caer, y en este caso pudo tratarse de homicidio. —Contempló con satisfacción la expresión de perplejidad del médico—. Por desgracia, el joven que pudo haberla empujado perdió el equilibrio y cayó con ella —agregó—. Ambos estaban muertos cuando los sacamos del agua. Tengo que investigar la acusación de su hija aunque sólo sea para descartarla, por el bien de ambas familias.

—Vaya. Bueno, ¿por qué no lo ha dicho antes, hombre? —El

forense se volvió y se puso a rebuscar entre los documentos de un cajón que tenía detrás—. ¡Insensato! —masculló.

Monk aguardó.

Por fin el médico sacó un par de hojas de papel y las sacudió con gesto triunfal.

—Aquí lo tenemos. Una noche gélida. Tendido en el suelo de la cuadra. Menos frío que en la calle pero más que en la casa. Diría que no falleció después de las dos de la mañana ni antes de las diez de la noche. Pero recuerdo que el personal de servicio afirmó haberle oído despierto a eso de las once, así que ya tiene un dato.

—¿Alguna evidencia médica de que se disparara a sí mismo? —preguntó Monk.

—¿Como qué, por el amor de Dios? Eso es trabajo de la policía. El arma se encontró en el suelo. Si me está preguntando si el disparo fue a bocajarro, la respuesta es que sí. Aunque eso no prueba que se disparase a sí mismo, ni tampoco que no lo hiciera.

—¿Algún indicio de pelea? ¿Magulladuras, arañazos, algo que indique que se defendió? ¿O acaso no se le ocurrió comprobarlo?

—¡Claro que lo comprobé! —espetó el forense—. ¡Y no, no había ningún indicio! No hubo pelea. O se disparó a sí mismo, o quien quiera que le disparase lo hizo por sorpresa. Ahora vaya a enterrar a los muertos como es debido y deje que me concentre en asuntos más importantes. Buenos días, señor.

—Gracias —dijo Monk con sarcasmo—. Menos mal que trata usted con los muertos. Sus modales no le servirían con los vivos. Buenos días, señor. —Sin dar tiempo a que el médico replicara, giró sobre los talones y se marchó.

Ya eran casi las cuatro y el anochecer invernal se acercaba. Qué curioso que el tiempo siempre empeorase cuando los días se alargaban después de Navidad. En la calle caía una ligera nevada y al cabo de una o dos horas la nieve empezaría ha cuajar. Monk echó a caminar encorvado y con las manos en los bolsillos.

Así pues, definitivamente no había habido pelea. Nada indicaba que hubiese sido un robo. Alguien había mandando una nota a Havilland, casi con toda seguridad solicitando un encuentro en la cuadra. O bien esa persona pilló a Havilland por sorpresa y le disparó, haciendo que pareciera un suicidio, o Havilland se había pegado un tiro, presumiblemente después de que su visitante se marchara.

En el primer caso, el agresor se había tomado bastantes molestias para que la muerte de Havilland pareciera un suicidio. ¿Por qué? Seguramente habría sido bastante fácil hacer que todo el mundo pensara que Havilland había visto una luz u oído un ruido y que había sorprendido al ladrón. Eso no habría implicado a nadie. Así pues, ¿por qué darle la apariencia de suicidio?

La respuesta saltaba a la vista: para avergonzarlo, para desacreditar cuanto hubiese estado diciendo durante sus últimas semanas de vida. En ese caso, el responsable tenía que ser Toby, o Alan Argyll, o ambos. Mary lo había sabido, posiblemente estuviera a punto de encontrar pruebas, y también lo habría pagado con la vida.

Sin darse cuenta, Monk había ido caminando hacia la comisaría de Runcorn como si ya hubiese decidido volver allí. ¿Por qué tenía que ser precisamente Runcorn quien llevara el caso? Cualquier otro comisario le habría resultado más cómodo, o al menos eso suponía, porque cabía la posibilidad de que se hubiese ganado todavía más enemigos en el pasado. En cualquier caso, estaba absolutamente seguro de que no tenía amigos a quienes recurrir. Si disponía de alguna deuda de gratitud que cobrar del pasado, lo había olvidado junto con todo lo demás. Los crímenes que había resuelto como detective privado no le habían granjeado precisamente el aprecio de la policía.

Seguía caminando porque hacía demasiado frío para quedarse parado. ¿Podía ir a ver a Runcorn para presentarle el caso? Había demasiada envidia, vergüenza y orgullo herido entre ellos. Cada palabra estaría teñida de recuerdos, lecturas sesgadas y dobles sentidos que no se interpondrían si se tratara de otra persona. Se verían rodeados por una multitud de fantasmas.

La alternativa era no decirle nada e investigar por su cuenta la muerte de Havilland, lo cual representaría una especie de engaño, una declaración de desconfianza. Monk no creía que pudieran trabajar juntos, dejar a un lado las viejas heridas y vanidades para perseguir la verdad, ni siquiera por el bien de las víctimas o de la propia justicia.

¿Y qué conclusión sacaría Orme de eso? Exactamente la misma que todos los demás: que Monk no poseía dotes de mando, que anteponía su vanidad al deber y la verdad.

¡Eso no era así! O al menos no lo sería a partir de aquel instante. Avivó el paso y cinco minutos después se encontraba delante de la comisaría. Al cabo de otros diez estaba sentado en el despacho de Runcorn contándole lo que había descubierto y lo que temía.

Runcorn, ceñudo, guardaba silencio.

—Voy a seguir adelante —dijo Monk, y acto seguido deseó no haberlo hecho. Con una sola frase había excluido a Runcorn planteándole un desafío. Observó que Runcorn se ponía tenso, y encorvaba un poco la espalda. Debía enmendar el error a toda costa y deprisa—. Creo que tú también lo harás —agregó, y tragó saliva—. Ahora ya sabes lo de la carta. Avanzaremos más si lo hacemos juntos.

Esto último sonó como un ofrecimiento y ésa era la intención de Monk. Runcorn le miró fijamente.

—¿Policía Metropolitana y Policía Fluvial? —inquirió con una expresión que era mezcla de asombro y esperanza.

Monk sintió regresar la vieja culpabilidad como una ola. Una vez habían sido amigos, se habían cubierto las espaldas en los momentos de peligro con una confianza ciega. Fue él quien rompió aquella amistad, no Runcorn. Runcorn le había devuelto aquel golpe montones de veces. Había sido lento, testarudo, intolerante, demasiado rápido para juzgar, demasiado lento para perdonar. Pero quien primero había roto el vínculo era Monk. Runcorn sólo tomaba represalias, dolido porque era el más torpe, el que se expresaba peor, y lo sabía tan bien como Monk. No debía extrañar, pues, que Runcorn se preguntara si le estaba brindando una segunda oportunidad o si sólo se trataba de otra artimaña.

—En realidad me refería a ti y a mí —contestó Monk—. Al menos para empezar. Dudo que alguien se ponga contento si demostramos que Havilland fue asesinado, ya que detrás de esto tiene que estar uno de los Argyll, o los dos.

Runcorn endureció su expresión.

—Si asesinaron a un hombre para ocultar lo que éste sabía, me trae sin cuidado a quién le guste o deje de gustarle; no pararé hasta que encierre al responsable —dijo con gravedad—. Y si esa chica murió a manos de Toby Argyll, por el motivo que fuera, no dejaré que siga enterrada como una suicida. Muy bien, Monk. ¿Por dónde empezamos? ¡No! No me lo digas, te lo diré yo. Fue mi investigación y estoy al mando. —Se puso de pie, y en su corpulencia se hacían evidentes el enojo y el dolor—. Volveremos a empezar por la calle donde vivía Havilland. Me consta que ninguno de los dos hermanos lo hizo en persona porque ambos tienen sólidas coartadas. Lo comprobé a petición de Mary. Toby se encontraba en Gales, a ciento cincuenta kilómetros de aquí, y Alan acudió a una fiesta en la otra punta de la ciudad, donde lo vieron cientos de personas. La palabra de su esposa no me habría valido, pero la de veinte miembros del Parlamento sí. Ahora bien, quienquiera que dispararse contra Havilland tuvo que presentarse allí. Puede que alguien lo viera, lo oyese, notara algo. ¡Vamos!

Monk lo siguió con entusiasmo. Caminar por las oscuras y gélidas calles junto a Runcorn le dio una sensación de recobrar el pasado. El frío volvía a apretar y el viento había amainado. El suelo estaba resbaladizo a causa del hielo y la nieve empezaba a cuajar. En la fantasmagórica media luz que se extendía entre una farola y otra sólo se distinguían sus perfiles. Podrían ser otra vez jóvenes y reconocer sus respectivas voces: la exacta dicción de Monk que Runcorn tanto admiraba cuando escuchaba la belleza de las palabras además de su significado, y el tono grave de Runcorn, con su acento menos cuidado y su gramática un tanto imprecisa.

Iban de un lugar a otro, de un grupo de conductores de coches de punto, apiñados en torno a un brasero, a un policía local que estaba haciendo la ronda. Se separaron para perder menos tiempo, pero por muchas preguntas que hicieron no consiguieron averiguar nada. Grandes copos de nieve caían perezosamente y se posaban en el suelo, ligeros como plumas. Monk comenzó a preguntarse con mayor seriedad lo mal que se lo había hecho pasar a Runcorn desde que comenzaran como agentes del mismo rango. El propio Monk había salido muy mal parado, había perdido su trabajo y había estado al borde de un abismo de miedo, de un conocimiento de sí mismo insoportable incluso ahora. En el último momento fue Hester quien lo ayudó a demostrar a todo el mundo, y en primer lugar a sí mismo, que no era el hombre que temía ser.

Había prosperado poco económicamente. Su reputación era dudosa. Sus dotes de mando aún dejaban que desear. Tenía mucho de lo que arrepentirse y avergonzarse. Pero había ganado más de lo que había perdido. Tras resolver un buen número de casos y luchar por la verdad, por lo general podía considerarse que había vencido.

Y por encima de todo era feliz en el ámbito personal. Estar en paz consigo mismo hacía que desease regresar a casa al final de la jornada con la seguridad de encontrar ternura, confianza y esperanza.

¿De qué disponía Runcorn? ¿Qué le proporcionaba placer cuando cerraba la puerta del despacho y volvía a ser un hombre corriente? Monk lo ignoraba por completo.

Se detuvieron en una taberna, donde tomaron una jarra de cerveza y una sabrosa empanada de cerdo para recobrar fuerzas. Pese a sus fracasos, su silencio era amistoso. Dejaban pisadas negras sobre la nieve blanca de la acera. El reflejo de la pálida calle hacía que las farolas parecieran amarillas, como misteriosas lunas clavadas en estacas. El aliento que salía de sus bocas semejaba humo. Cuando un carruaje pasaba por la calle la nieve amortiguaba el sonido de los cascos. Era medianoche.

—Vendrán del teatro, seguramente —comentó Runcorn cuando los adelantó otro carruaje surgido de la oscuridad para volver a esfumarse entre dos farolas y al cabo reaparecer recortado contra la nieve que caía.

—¡Uno de ellos pudo presenciar algo! —dijo Monk con tono de ansiedad. Se abstuvo de agregar que le parecía poco probable que al regresar de una fiesta o un espectáculo alguien consiga recordar haber visto algo inusual o a un desconocido dos meses antes. Era cuanto tenían, y ambos sabían que a veces la suerte favorece a los obstinados. Avivaron el paso.

—¡El callejón de las caballerizas! —exclamó Runcorn.

—¿Qué?

—El callejón de las caballerizas —repitió—. Hay que hablar con los cocheros. La gente habrá entrado en casa y no estará de humor para atendernos a estas horas. Los cocheros seguirán despiertos. Tienen que desenganchar los caballos, refrescarlos, cepillarlos, guardar los arreos. Pasará más de una hora antes de que puedan irse a dormir.

Por supuesto. Monk tendría que haberlo pensado. Con tanto esforzarse por asimilar las costumbres del río se había olvidado de lo evidente.

—De acuerdo —convino volviéndose para seguir a Runcorn, que todavía dudaba. El rango que había alcanzado con los años no había borrado su íntima convicción de que Monk, de un modo u otro, era el líder. Su cerebro no se llevaba a engaño, pero su instinto iba más lento.

Monk caminó deliberadamente un paso por detrás de él. Necesitaba que Runcorn estuviera presente de buen grado, en cuerpo y alma, no intentando una vez más demostrar su valía como si se sintiera amenazado por la ambición y la locuacidad de Monk. No lo movía la culpa, se dijo a sí mismo, y desde luego la compasión, tampoco. Se trataba más bien del sentido práctico.

Estuvieron un momento a cubierto mientras avanzaban por un callejón hacia las caballerizas, donde la nieve los volvió a alcanzar. Las luces de todas las cuadras estaban encendidas, y las puertas abiertas. Había tres hombres atareados a lo largo del callejón: maniobraban los vehículos con dificultad para meterlos en las cocheras, tranquilizaban a los animales y los desenganchaban procurando acabar la tarea cuanto antes para dejar de pasar frío y entrar en calor antes de acostarse.

—Nombres y direcciones —dijo Runcorn innecesariamente—. A esta hora no vamos a obtener mucho más que eso de estos pobres diablos.

Monk sonrió para sus adentros. Los «pobres diablos» regresarían a sus casas y entrarían en calor mucho antes que él.

—Hola —saludó Runcorn con desenfado al acercarse al primer hombre, que estaba quitando el arnés a su hermoso caballo bayo.

—Buenas —contestó él, precavido. El caballo levantó la cabeza y el hombre agarró la rienda para sujetarlo—. ¡Quieto! ¡No pasa nada! Ya sé que quieres acostarte. Yo también, muchacho. ¡Ahora quieto! ¿Qué quiere, señor? ¿Se ha perdido?

Runcorn se presentó.

—No se apure —dijo gentilmente—. Sólo quería preguntarle si regresa usted del teatro o algo por el estilo, y si es así, desearíamos saber si va con frecuencia. Es posible que haya visto algo que nos ayude en una investigación y que investigaremos en otro momento con más calma.

El hombre titubeó. Bajo la luz de los carruajes su rostro presentaba signos de cansancio y la nieve se le iba amontonando en el sombrero y los hombros.

—Teatro Príncipe de Gales —contestó cautamente.

—¿Va a menudo? —preguntó Runcorn.

—Un par de veces por semana, si hay algo bueno en cartel.

—Estupendo. ¿Puede decirme el número de su casa y el nombre de su patrón?

—Esta noche no pueden molestarlo —repuso el hombre negando con la cabeza.

—Por supuesto —aceptó Runcorn—. Mañana, quizás, a una hora más civilizada. ¿Cómo se llama su patrón?

Monk esbozó un saludo y se dirigió hacia el siguiente cochero, que resultaba claramente visible bajo las luces, unas cuatro casas más allá.

En cuestión de media hora tuvieron una lista que no estaba nada mal. Acordaron seguir a la tarde siguiente, a una hora más prudente.

Monk se permitió el lujo de tomar un coche de punto para ir hasta su casa. Llegó poco después de la una, cansado y aterido por el frío, pero con la sensación de que quizás estuviera a punto de conseguir algo tangible, no sólo una pregunta más.


Su buen humor se había disipado considerablemente cuando a la mañana siguiente llegó con cierto retraso a la comisaría de Wapping.

—El señor Farnham quiere verle, señor —anunció Clacton con una sonrisa que era más un signo de satisfacción que de amistad. La sonrisa se ensanchó al añadir—: ¡Lleva un buen rato esperando!

Monk sólo tenía una respuesta que dar, pero se abstuvo de ser sincero con Clacton sirviéndosela en bandeja. No obstante, resolvió con firmeza tomar medidas severas y decisivas para ponerlo en su sitio en cuanto tuviera ocasión. Esta vez se limitó a darle las gracias y fue a informar a Farnham.

—¿No le gusta el frío? —dijo Farnham en tono de pulla antes de que Monk cerrara la puerta.

—¿Señor?

La habitación era cálida y acogedora, olía levemente a leña y había una humeante taza de té sobre el escritorio, junto a un montón de papeles.

—¿Prefiere la cama a una vigorizante travesía por el río? —concretó Farnham—. ¿No se dio cuenta en su momento de que eso era lo que este trabajo iba a exigirle? ¡En el agua, Monk! ¡Ahí es donde está el trabajo!

No agregó que Durban solía llegar antes de la hora, pero quedaba implícito en su expresión.

—Sí, señor. Ha sido una noche fría —confirmó Monk tragándose el mal genio. El trabajo que realizaba en privado quizá le obligara a andar corto de dinero pero le otorgaba el lujo de no tener que permanecer callado ante esa clase de comentarios. Tuvo que recordarse a sí mismo, con despiadada franqueza, el precio que pagaría si reaccionaba mal—. Ha sido una noche muy dura. Nevaba con ganas cuando llegué a casa a la una y media.

Farnham se mostró irritado.

—¿Otra vez investigando ese suicidio? ¿Tengo que recordarle que el índice de criminalidad en el río ha aumentado y que ése es su campo de acción? ¡Se trata de su trabajo, Monk! ¡No hay muchos barcos de pasajeros en esta época del año, pero los pocos que hay están padeciendo más robos de lo habitual y no estamos haciendo nada al respecto! Hay quien insinúa que es porque nos trae sin cuidado.

Su expresión era dura y tenía las mejillas coloradas.

Monk se dio cuenta de que Farnham estaba perdiendo los estribos otra vez. La causa, sin duda, era el miedo ante la posibilidad de que el descrédito se cebara con la policía que amaba y que era su fuente no sólo de ingresos y poder, sino de su fe en sí mismo. Había sido decisión suya permitir que Monk sustituyera a Durban, quizá para honrar a éste, y contra su propio parecer. Necesitaba complacer a los hombres y conservar su lealtad, pero si Monk se revelaba inepto para el puesto sería Farnham quien cargaría con las culpas.

—Lamento oír eso, señor —dijo Monk diligentemente—. No es ni mucho menos cierto. Nos importa y hemos de demostrarlo.

—¡Sí, eso es lo que tiene que hacer, caramba! —exclamó Farnham—. A nadie le importa un suicidio. Es una tragedia, pero son cosas que pasan. Según parece, esa chica tenía perturbadas las facultades mentales desde que su padre se quitó la vida. —Hizo una mueca—. Parece algo hereditario. Déjelo correr. Que los muertos descansen en paz. Bastante duro es ya para las familias. Sólo falta que usted ande fisgoneando con preguntas absurdas que no hacen más que reavivar su sentimiento de pérdida. —Se puso a caminar de un lado al otro del despacho. Parecía haber olvidado su taza de té—. ¡La gente está diciendo que la Policía Fluvial es corrupta! —añadió—. ¡Esto no había pasado nunca desde que estoy en el cuerpo! ¡Han llegado a decir que sacamos tajada! —Se detuvo y fulminó a Monk con la mirada—. No voy a permitir que destruyan mi cuerpo con esas calumnias. Con Durban perdí a mi mejor hombre. Era sensato, valiente, leal y, por encima de todo, honesto. Conocía este río como la palma de su mano, y conocía también a sus gentes, a los buenos y a los malos. —Señaló a Monk con el dedo—. Si siguiera vivo nadie habría dicho algo tan monstruoso de nosotros. No espero que usted ocupe su lugar. ¡No sabría por dónde empezar! Pero va a resolver este problema y demostrará que no hacemos la vista gorda ante ningún delito, de la clase que sea. Y que lo único que obtenemos a cambio es nuestro salario, una paga que se gana a pulso el mejor grupo de hombres que jamás haya llevado el uniforme de Su Majestad. ¿Le ha quedado claro?

—Sí, señor.

—Bien. Pues váyase y comience a hacer aquello para lo que le han contratado. Buenos días.

—Buenos días, señor.

Monk abandonó el despacho de Farnham y se dirigió a su escritorio, donde encontró los informes sobre los robos de dinero. Ninguno de los hombres hizo comentario alguno, pero notó los ojos de Clacton clavados en él. La patrulla ya había salido antes de que Monk llegara. Leyó el parte de novedades de la noche, donde figuraban los hurtos, disturbios y accidentes de costumbre. Sólo había un incidente de importancia que por poco no había terminado en desgracia, en buena medida gracias a la rápida intervención de los agentes que estaban de servicio.

Monk se dijo que debía felicitar a los hombres en cuestión, y hacerlo del modo más público posible.

Farnham no exageraba. Los robos denunciados en los barcos de pasajeros que subían y bajaban por el río habían aumentado de manera alarmante. Monk había leído los informes del mismo período del año anterior, escritos con la pulcra y firme caligrafía de Durban, y el número de delitos actual se había duplicado desde entonces. La escalada había coincidido con la asunción del cargo por parte de Monk.

¿Era mera casualidad, o los ladrones se había aprovechado de un nuevo régimen más relajado, de un jefe que ignoraba muchos de sus nombres y costumbres, las conexiones que tenían entre sí, sus métodos y artimañas, que además no conocía ni a sus propios hombres, y cuyos hombres a su vez confiaban poco en él?

Entonces una idea más sombría e incluso desagradable surgió en su mente: ¿podían considerarse exactas las cifras de Durban? ¿Era posible que tuviese razones para alterarlas, bien para ocultar el auténtico índice de criminalidad, bien, lo que resultaba más doloroso, porque esa acusación era cierta y la propia policía se estaba embolsando una parte del botín?

No. Se negó a creerlo. Durban jamás habría robado nada. Monk le había conocido, y cada uno de sus actos había sido honorable.

Pero pensar así era simplista. Las personas no eran unidimensionales. Uno podía verse comprometido por distintas lealtades, a menudo contrapuestas. ¿Y si había ocultado datos para proteger a uno de sus hombres? Tal vez a uno que le hubiese salvado la vida durante un incidente peligroso en el río. Esas cosas ocurrían. Uno acumulaba deudas sin pretenderlo, y todas las deudas debían saldarse. En ello residía la seguridad y también el peligro de trabajar con otros hombres. Le cubrían a uno las espaldas, defendían sus puntos vulnerables y uno hacía lo propio con los de ellos, costara lo que costase. Era la única manera de sobrevivir y trabajar en un río tan violento, peligroso y transitado.

Monk había tratado poco a Durban, básicamente en relación con un incidente terrible en el que éste se había mostrado como un auténtico gigante. Monk no sólo lo admiró, sino que le profesó sincero afecto como amigo y compañero. Pero ahora sabía que no tenía ni idea de qué otros amigos o enemigos tenía, ni qué deudas, saldadas o pendientes.

Advirtió sorprendido que intentaba proteger a Durban de Farnham y de quien hubiese acusado de corrupción a la Policía Fluvial, incluido Orme de ser necesario. Y no se trataba de pagar su propia deuda, lo hacía por pura amistad.

La manera de preparar semejante defensa resultaba un asunto mucho más complicado. Repasó una y otra vez los recientes índices de criminalidad, tratando de encontrar una pauta que le permitiera comprender qué había cambiado. Media hora más tarde se vio obligado a aceptar que sabía lo mismo que al principio.

No podía permitirse el lujo del orgullo y tendría que interrogar a uno de sus hombres. Mandó llamar a Orme. Corría un riesgo al confiar en él. Si no comprendía lo que Monk intentaba hacer quizá se sintiera confundido y adoptase una actitud defensiva por miedo a que Monk se propusiera desautorizar a Durban y afianzar su posición sobre los escombros de la reputación de otro hombre. Por otra parte, si Orme estaba al corriente de la corrupción, incluso si estaba implicado en ella, Monk iba a exponer su vulnerabilidad de tal modo que quizá precipitase una derrota final. Con Orme contra él no lograría tener éxito en ninguno de los aspectos de su trabajo.

—¿Quería verme, señor? —dijo Orme. Parecía preocupado.

—Cierre la puerta y siéntese —ordenó Monk, señalando la silla que había al otro lado del escritorio—. El señor Farnham me informa de que ha habido una alarmante escalada de robos en los barcos de pasajeros —añadió cuando Orme hubo obedecido—. Según las cifras de todos los informes, eso parece. Son mucho más altas que las del año pasado por estas fechas. ¿Se trata de una coincidencia o hay algo que yo haya pasado por alto?

Orme le miró fijamente, aturdido por su franqueza. Tal vez durante el tiempo que llevaban trabajando juntos se hubiera dado cuenta ya de que Monk era un hombre orgulloso y que le costaba confiar en los demás.

El instinto dictaba a Monk que se batiera en retirada, pero no se lo podía permitir. Tenía mucho que ganar si contaba con la confianza de Orme y todo que perder sin ella. Se esforzó por mostrarse sereno.

—El señor Farnham me ha dicho que alguien ha insinuado que somos corruptos. Tenemos que aclarar esto y probar que se equivocan o que son unos mentirosos, si es que lo son.

Orme palideció y se puso tenso. Miró a Monk con expresión de desconcierto y pena.

—La Policía Fluvial ha sido famosa por su honestidad durante más de medio siglo —prosiguió Monk en tono de enfado—. ¡No voy a tolerar que eso cambie ahora! ¿Cómo ponemos punto final a esta situación, señor Orme?

Orme se cuadró. De pronto se daba cuenta de que Monk solicitaba su ayuda, de que no lo estaba riñendo ni acusando de nada.

—Tenemos mucho que hacer, señor —dijo con cautela, como si quisiera cerciorarse de las intenciones de su superior.

—En efecto —convino Monk—. Están las peleas y robos de costumbre en los muelles, así como en gabarras y buques amarrados, además de los accidentes, cargas peligrosas, atracos, reyertas, hundimientos e incendios...

—Y asesinatos —apuntó Orme sin dejar de mirar a Monk a los ojos.

—Y asesinatos —corroboró Monk al tiempo que inquiría a Orme con una leve inflexión de la voz.

—¿Cree usted que quería saltar, señor Monk?

Así que estaba pensando en Mary otra vez, como si también estuviera subyugado por su valentía, su soledad, sus asuntos pendientes.

—No, no lo creo. —Monk era más franco de lo que se había propuesto, pero no le quedaba más remedio que seguir en esa dirección. De todos modos, si no confiaba en Orme estaba perdido—. Creo que había descubierto algo sobre las obras de los túneles, algo más peligroso que las máquinas o la velocidad con que excavan. Su padre también estaba enterado. Todavía no sé de qué se trata, pero me parece que es por eso por lo que lo mataron.

—¿Argyll? —dijo Orme, sorprendido.

—Directamente no. Creo que pagó a un sicario para que lo hiciera y que Mary también descubrió eso.

Orme se mostró indignado, como cualquier hombre decente en su lugar. Había algo en su expresión que inspiraba miedo, una actitud decidida e implacable.

—Mi opinión es que debería seguir investigando hasta que descubra quién lo hizo, señor —dijo—. Está mal dejarlo correr. Si no hacemos lo debido por una mujer como ésa, ¿para qué servimos?

—¿Y los robos en los barcos de pasajeros? Nuestra reputación también es importante —señaló Monk—. Forma parte de nuestra capacidad para desempeñar nuestras funciones. Si la gente no confía en nosotros nos veremos paralizados.

—Tenemos que hacer lo correcto y confiar en que así sea interpretado —dijo Orme con obstinación—. Yo no puedo descubrir quién la mató, no tengo aptitudes para eso. Nunca lo he hecho con gente de esa clase. A mí deme una pelea en el río, estibadores, ladrones, barqueros, hasta marineros, y se la resolveré. Pero no damas como ella. Usted lo ha hecho durante años, señor Monk. Sabe de homicidios encubiertos.

Yo sé de puñetazos en la cara, usted de puñaladas en la espalda. Entre los dos podremos con todo.

—¿Y qué pasa con los que meten mano en bolsillos y bolsos ajenos? —preguntó Monk.

Orme apretó los labios.

—Yo me encargaré de eso —repuso—. Y de los bocazas estrechos de miras. Conozco a mucha gente que tiene secretos que yo puedo guardar o soltar en el lugar más indicado. Es imposible no ganarse enemigos en este trabajo, pero si uno anda con cuidado y cumple sus promesas, también gana amigos.

—Aún no sé dónde están los enemigos —reconoció Monk.

Orme sonrió con amargura.

—Usted todavía no, pero yo sí. Hay unos cuantos de los que puedo servirme y voy a hacerlo. Créame, señor, esos ladrones de los barcos desearán no haber empezado. Usted encuentre al que mató a esa pobre chica. Yo estaré detrás y le cubriré las espaldas contra el señor Farnham.

—Gracias —dijo Monk sin más, pero de todo corazón.

## 7

Aquella tarde Monk y Runcorn regresaron a Charles Street. Se disponían a llamar a las puertas de quienes habían ido al teatro la noche anterior y tal vez hubiesen regresado hacia la misma hora la noche en que había muerto James Havilland. La lluvia caída durante el día había convertido la nieve de la víspera en una masa fangosa y medio derretida, pero volvía a nevar y las aceras estaban resbaladizas. La cortina de humo que cubría la ciudad por culpa de los hogares domésticos y las chimeneas de las fábricas tapaba las estrellas. Las farolas resplandecían envueltas en un halo amarillento y neblinoso, y el frío de la noche se hacía notar en la garganta. El sonido de los cascos de los caballos se oía alto, claro, y también el crujido de las ruedas de los carruajes al aplastar la nieve congelada.

Monk y Runcorn caminaban todo lo deprisa que les era posible. Mantenían la cabeza gacha contra el viento, el sombrero bien calado y el cuello del abrigo levantado.

Runcorn echó un vistazo a Monk como si fuese a decir algo, pero al parecer cambió de opinión. Monk sonrió, en parte para sí. Sabía lo que Runcorn estaba pensando: lo mismo que él, que seguramente iba ser una pérdida de tiempo. Pero ya que habían llegado hasta allí, bien podían probar suerte en todas las casas cuya puerta principal, entrada de servicio o caballeriza hubiera permitido ver llegar a alguien o dirigirse hacia la cuadra de Havilland la noche del crimen.

Antes de salir Monk había ido a la hemeroteca y consultado periódicos atrasados para saber con exactitud a qué hora los teatros habían abierto sus puertas y cuándo las habían cerrado.

—Bueno, tendremos que seguir —dijo Runcorn con reticencia al subir la escalinata de la primera puerta.

La tentativa fue en balde, igual que la segunda. La tercera se prolongó un poco más, pero tampoco sirvió de nada. El hombre que habló con ellos se mostró muy cortés, pero enseguida dejó claro que no deseaba verse implicado en ningún suceso ocurrido en la calle o en casa de un vecino. Se marcharon más abatidos que si se hubiese limitado a negar que había salido.

Runcorn se subió aún más el cuello del abrigo y miró a Monk en silencio. Ahora se hallaban a cuatro puertas de la casa de Havilland y en la acera de enfrente. Monk continuó con la investigación, pero más por una perversa negativa a darse por vencido que en la esperanza de conseguir algo.

Subieron la siguiente escalinata a la vez pero fue Runcorn quien llamó a la puerta.

El lacayo que la abrió era joven y quedó un tanto aturullado. Saltaba a la vista que no esperaba visitantes a aquella hora de la noche.

—¿Qué ocurre, caballeros? —preguntó con cierta inquietud.

—Nada malo —lo tranquilizó Runcorn—. ¿Está su patrón en casa?

—¡Sí! —contestó el muchacho sin pensarlo. Tendría que haber sido más circunspecto, incluso a aquellas horas, y se dio cuenta en cuanto lo hubo dicho. Se puso colorado—. Al menos... —No supo cómo terminar la frase sin mentir descaradamente.

—¿Se trata del señor Barclay y la señora Ewart? —inquirió Runcorn en tono de desconcierto apenas perceptible.

—Sí, señor —respondió el lacayo, todavía confuso. Estaba claramente avergonzado y se debatía buscando el modo de salir del aprieto. Aún no lo había logrado cuando un hombre de unos treinta años cruzó el vestíbulo y se dirigió a la entrada. Era alto, bastante elegante e iba vestido con ropa de noche como si acabara de regresar de algún evento formal.

—¿Qué ocurre, Alfred? —preguntó frunciendo el entrecejo—. ¿Quiénes son estos caballeros?

—No lo sé, señor. Ahora iba...

—Mi nombre es John Barclay —dijo el hombre con cierta aspereza—. ¿Quiénes son ustedes y en qué podemos servirles? ¿Se han perdido?

—Soy el comisario Runcorn, señor Barclay —se presentó Runcorn—. Y él es el inspector Monk, de la Policía Fluvial del Támesis. Perdone que le molestemos tan tarde, señor, pero ya que ha salido a estas horas, nos preguntábamos si lo hacía usted con frecuencia.

Barclay enarcó las cejas.

—Por supuesto; pero no es asunto suyo, ¿verdad? Y ¿puede saberse qué tiene que ver eso con la Policía Fluvial? No he estado en ningún lugar cercano al río. Excepto para cruzar el puente, claro. ¿Ha ocurrido algo? Yo no he visto nada.

—Esta noche no, señor. —Runcorn tiritaba y sus palabras resultaban un poco confusas.

Monk estornudó.

—En ningún momento he visto nada que pueda interesar a la policía —dijo Barclay con impaciencia—. Lo lamento, no puedo ayudarles. —Echó un vistazo a Monk—. Por el amor de Dios, hombre, váyase a casa y tómese un ponche o alguna otra cosa caliente. ¡Es casi la una de la mañana!

La actitud de Barclay irritó a Runcorn. Monk se dio cuenta al ver el modo en que apretaba la mandíbula y ladeaba un poco la cabeza.

—¿Conocía al señor James Havilland, señor? Vivía cuatro puertas más arriba, en la acera de enfrente.

Barclay se puso tenso.

—En efecto, aunque sólo lo que dicta la cortesía. Teníamos muy poco en común.

—Pero ¿le conocía? —Runcorn estaba decidido a retener a Barclay en la escalera si éste no los invitaba a entrar. La noche era gélida y el viento, que soplaba del noreste, penetraba en la casa.

—Ya se lo he explicado, inspector, o el rango que tenga... —dijo Barclay.

—Comisario, señor —lo corrigió Runcorn.

—Bien, comisario. ¡Le conocía del modo en que se conoce a los vecinos! Uno procura ser educado pero no alterna en los mismos círculos sociales cuando no comparte los mismos... intereses. ¿He de ser más explícito?

Se oyó un ligero taconeo a sus espaldas sobre el parquet del vestíbulo y la puerta se abrió mostrando a una mujer que debía de tener la misma edad que Barclay. También era esbelta, con el pelo castaño, los ojos azules y unas cejas altas que conferían a su rostro un aspecto muy distintivo.

—No es nada, Melisande —se apresuró a decir Barclay—. Vuelve adentro que te enfriarás. Hace una noche de perros.

—Entonces no retengas a estos caballeros en la escalera, John —dijo ella razonablemente. Miró a Runcorn y luego a Monk—. Pasen, por favor. Hablarán más cómodos dentro. ¿Les apetece beber algo caliente? Tal como dice mi hermano, hace una noche espantosa. Seguro que tienen los pies helados. Los míos lo están.

—¡Santo cielo, Mel, son policías! —siseó Barclay en lo que pretendía ser un aparte pero que resultó perfectamente audible hasta en la acera.

—¡Dios mío! —exclamó ella—. ¿Ha ocurrido algo?

Se acercó más. Monk vio bajo la luz de la entrada que su cara era encantadora aunque reflejaba una paciencia e incluso una tristeza que daban a entender que la vida no era tan fácil ni satisfactoria para ella como un juicio superficial haría suponer.

—Nada por lo que debas preocuparte, cariño —dijo Barclay lanzándole una clara indirecta—. Sólo buscan testigos.

La mujer no se retiró.

—Tiene que tratarse de algo urgente para que vengan a estas horas de la noche. —Miró a Runcorn, que estaba mejor iluminado que Monk—. ¿Qué necesita saber, señor...?

—Runcorn, señora —contestó con un pizca de timidez. Había algo en la elegancia de su traje, la perfecta curva del cuello, que hizo que se fijara en ella más de lo normal, no sólo profesionalmente sino a título personal. Monk lo intuyó, aunque no supo cómo.

Melisande sonrió.

—¿Qué es lo que podríamos haber visto, señor Runcorn?

Runcorn tosió como si necesitara aclararse la voz.

—No hay muchas probabilidades, señora, pero no queremos dejar ningún cabo suelto. Es acerca del señor James Havilland.

—Me temo que no lo conocía muy bien... —comenzó.

—No lo conocías de nada —intervino Barclay. Se volvió hacia Runcorn y prosiguió—: Le aseguro que no sabemos qué ocurrió ni por qué, salvo que el pobre hombre se pegó un tiro. Francamente, no acierto a comprender por qué siguen perdiendo el tiempo ahondando en esa tragedia. ¿Es que no hay suficientes delitos para mantenerlos ocupados? ¡Si no saben dónde se cometen, ya se lo indicaré yo!

—¡John! —protestó su hermana, y luego miró a Runcorn como disculpándose—. ¿Qué piensa que podríamos haber visto?

Una súbita gentileza transformó el semblante de Runcorn. Monk estaba comenzando a darse cuenta de lo mucho que había cambiado a lo largo de los dos últimos años. Una especie de confianza en sí mismo le había permitido sentir menos necesidad de defenderse, ser más consciente del dolor ajeno.

—A alguna persona en la calle, o que saliera del callejón de las caballerizas —contestó Runcorn—, cualquier desconocido, alguien cuya presencia les sorprendiera por algún motivo. En realidad, cualquier persona, ya que podría haber presenciado algo y estar dispuesta a ayudar.

—¿Ayudar a qué? —dijo Barclay en tono mordaz—. ¡Dejen descansar a los muertos en paz! Tengamos un poco de consideración. Su pobre hija también se quitó la vida. Supongo que estarán al corriente de ello.

Monk intervino por primera vez y lo hizo en un tono más bien incisivo.

—Yo estaba allí, de patrulla por el río. Cayó desde el puente. No estoy seguro de si lo hizo adrede.

Barclay se mostró sorprendido.

—Nadie más parece dudarlo —dijo—. Pero aunque cayera por accidente, eso no tiene nada que ver con nosotros. Ocurrió a kilómetros de aquí y no podemos ayudarles. Lo lamento. Buenas noches. —Dio un paso atrás.

Melisande llevaba un vestido ligero y obviamente tenía frío, pero se resistió a dejarlo retroceder. Miró a Monk y preguntó:

—¿Existe alguna posibilidad de que no se quitara la vida? —Tenía el cutis terso y una chispa de esperanza le iluminaba los ojos—. No la conocía muy bien, pero me gustaría mucho pensar que no estaba tan desesperada como para hacer algo así, y, por supuesto, también que le dieran sepultura como es debido. Lo otro es tan... atroz.

—Sí, hay una posibilidad, señora —contestó Monk—. Eso es parte de lo que seguimos investigando.

—Y si vimos a alguien en la calle la noche en que murió su padre, ¿podría serles de utilidad?

—Sí.

Runcorn la miraba fijamente con inquebrantable ternura. ¿Habría percibido también su tristeza, su vulnerabilidad?

Como si cobrara conciencia de ello, Melisande se volvió hacia Runcorn y respondió como si hubiese estado hablando con él y no con Monk.

—Fuimos al teatro aquella noche —dijo—. No recuerdo qué vimos y tampoco es que eso importe ahora. Se me borró de la mente a la mañana siguiente en cuanto me enteré de lo sucedido. Lo que sí puedo decirle es que regresamos una media hora después de medianoche y que vimos a un hombre salir de las caballerizas de enfrente.

—No le vimos salir —la contradijo Barclay haciendo una mueca—. Estaba en el sendero, tambaleándose. Saltaba a la vista que había bebido de más. No tengo ni idea de quién era, así que no puedo decirles dónde encontrarlo. Pero aunque pudiera, no les serviría de nada. Ni siquiera veía por dónde iba, de modo que no sería un testigo fidedigno. —Frunció el entrecejo y endureció la expresión—. Y aunque hubiese visto a Havilland apuntarse a la sien y apretar el gatillo, ¿de qué serviría? Saben lo que ocurrió. Tengamos la piedad de olvidarlo. No fue culpa de nadie, y no guarda ninguna relación con nosotros.

Monk estaba helado. Su cuerpo y el de Runcorn resguardaban en cierta medida a Barclay y su hermana, pero aun así notó el calor del rencor avivarse en sus entrañas.

—¡Es posible que no se matara, señor! —dijo con acritud.

—¡No sea ridículo! —Ahora Barclay estaba enojado, nervioso—. ¿Acaso insinúa que hay un maníaco que va por ahí en plena noche disparando a la gente en su propia casa? ¿Aquí? —Extendió el brazo como para proteger a su hermana.

Melisande se apartó un poco de él, lo justo para quedar fuera de su alcance, con la mirada todavía fija en Runcorn.

Fue Runcorn quien respondió, no tanto para contradecir a Barclay como para tranquilizar a Melisande.

—No, señor. Si lo hizo un tercero, lo tenía todo planeado y dispuesto de antemano, y fue por algo relacionado con su trabajo. Nadie más tiene por qué alarmarse. Si estamos en lo cierto, el sujeto en cuestión se encuentra a kilómetros de aquí y lo último que hará será atraer la atención sobre su persona regresando al lugar de los hechos.

Melisande sonrió.

—Gracias —dijo en voz baja—. Y sí que salía del callejón de las caballerizas. Hacía eses como si estuviera borracho, y de hecho lo admitió.

—¿Dice que lo admitió? —Runcorn quedó perplejo—. ¿Qué dijo exactamente?

—Tenía una mancha en la chaqueta. —Melisande se tocó el hombro, más o menos donde se hubiese sujetado un prendedor—. Aproximadamente aquí. Una mancha bastante grande, de unos diez centímetros de diámetro, oscura, como si estuviera húmeda. Me vio mirarla, aunque sólo fue un instante. Me pareció un sitio muy raro para una mancha de ese tamaño. Dijo que había tropezado y caído en el callejón. Dijo... —gesticuló como si se cepillara el vestido— que no sabía encima de qué había caído, pero que prefería no pensarlo. Se disculpó y se marchó calle abajo. —Lanzó una mirada a su hermano—. Si de verdad cayó delante de las cuadras, tendría que haber olido a estiércol de caballo —agregó muy seria.

Barclay no sólo parecía asqueado, sino también impaciente.

—¡Yo diría que apestaba, Mel! —dijo con dureza—. A tierra y a bosta. —Su garganta emitió un sonido gutural—. Me estoy muriendo de frío plantado aquí fuera. No tenemos nada más que agregar. Buenas noches, agentes.

Melisande rehusó moverse a pesar del creciente enojo de su hermano.

—No olía a nada. Pasó muy cerca de mí. Estuvo a un par de palmos y no olía a nada excepto..., a sudor, a algo empalagoso y..., a otra cosa más fuerte que tampoco reconocí —añadió sin apartar los ojos de Runcorn.

Monk notó un aguijonazo de excitación, el primer atisbo de significado. Miró a Runcorn y se mordió el labio inferior para no intervenir. Runcorn soltó el aire despacio.

—¿Qué clase de olor, señora? —Puso un cuidado exquisito en no sugerirle nada—. ¿Podría describirlo?

—¡Pero bueno! —Barclay perdió los estribos—. ¿Qué diablos le pasa, hombre? ¡Preguntar a una dama por el olor exacto de un borracho! No sé con qué clase de personas está acostumbrado a...

Melisande se puso colorada haciendo patente que la grosería de su hermano la violentaba mucho más que la naturaleza de la pregunta.

Runcorn también se sonrojó; por ella, no por sí mismo. Monk lo advirtió en el enojo y la confusión que reflejaba de su mirada. Ansiaba ayudarla pero no sabía cómo. Algo en su actitud, su particular clase de soledad, había hecho mella en su compasión incitándolo a defenderla a toda costa hasta el final.

¿Podía echar Monk una mano sin privar a Runcorn de su oportunidad? ¿Qué era mejor: rescatarla o resignarse a admitir que si Runcorn no lo lograba era porque resultaba imposible? La habían educado para obedecer, para conformarse. Pensó en Hester y sonrió para sí.

Runcorn miró a Barclay con expresión de desdén.

—Es importante, señor —dijo. Le temblaba un poco la voz, pero no a causa del frío. Él y Monk estaban tiritando y apenas sentían los pies—. Ese hombre quizá presenció un homicidio. No disfruto afligiendo al prójimo, pero a veces resulta que quienes más pueden ayudar también son los más sensibles a los..., detalles desagradables.

—Por favor, John, no intentes evitar que cumpla con mi deber. Eso no me hará ningún bien. —Melisande miró a Runcorn con una sonrisa de gratitud—. Era un olor más bien acre, como a humo. No muy agradable, pero tampoco a ácido o a suciedad.

—Seguramente cogió una colilla de cigarro —intervino Barclay arrugando la nariz.

—No, no era un puro —repuso Melisande—. Conozco el humo de tabaco. Desde luego no era eso, aunque sí olía a humo. —De repente palideció—. ¡Oh! ¿Quiere decir que podía ser humo de pistola?

—Podría serlo —confirmó Runcorn.

—¡Con eso sólo no puede fundamentar una acusación de asesinato! —protestó Barclay.

—No lo estoy haciendo. —Runcorn no supo ni quiso disimular su antipatía. Miró a Barclay fríamente—. Hay otros motivos para creer que el señor Havilland quizá no disparó contra sí mismo. —Se volvió de nuevo hacia Melisande con una mirada más amable—. ¿Recuerda algo sobre el aspecto de ese hombre, señora?

¿Qué estatura tenía? ¿Era corpulento o menudo? ¿Algún rasgo de su cara?

Melisande reflexionó durante un momento y contestó:

—Era muy delgado. Tenía el rostro enjuto, al menos la parte que pude ver. Llevaba bufanda —hizo un gesto cubriéndose el cuello y el mentón— y sombrero. Me parece que era bastante moreno...

—¡Era de noche y en pleno invierno! —dijo Barclay afectando un esfuerzo por ser razonable pese a la aparente falta de sentido común de los demás—. Era de estatura y complexión normales y llevaba puesto un abrigo oscuro viejo y sucio con el cuello levantado como haría cualquiera en una noche como aquélla. ¡Eso es todo!

—Si su abrigo era oscuro, ¿cómo es que vieron la mancha húmeda? —preguntó Runcorn.

—¡De acuerdo, no era oscuro! —espetó Barclay—. Era un abrigo claro, pero aun así estaba sucio. Ahora ya le hemos dicho todo lo que podíamos y ha retenido a mi hermana aquí fuera más tiempo de la cuenta. ¡Buenas noches!

Melisande soltó un suspiro, quizá para señalar que era él quien había preferido que se quedaran en la puerta, cuando ella los había invitado a entrar. Pero debió de recordar también que era de Barclay de quien dependía, no de Runcorn o Monk.

—Buenas noches —dijo con una rápida mirada de disculpa antes de entrar de nuevo en la casa.

La puerta se cerró sumiendo a los policías en una súbita oscuridad. Estaban tan entumecidos por el viento helado que dieron los primeros pasos casi trastabillando.

Runcorn recorrió en silencio unos cien metros, absorto en sus propios pensamientos.

—Habrá que comprobar si alguien más le vio —dijo Monk por fin—. Quizás el mozo de cuadras de una de las casas.

Runcorn lo miró de soslayo.

—Quizá —convino secamente—. Apuesto a que era un asesino contratado por los Argyll para deshacerse de Havilland. Pero tenemos que descartar todo lo demás, así que mañana habrá que insistir. Puedo encargar el trabajo a mis hombres. Supongo que tendrás bastante que hacer en el río.

Monk sonrió. La repentina asunción de su posición era una

manera indirecta de darle las gracias por no lucirse delante de Melisande Ewart.

—Sí. Una racha de robos, en realidad. Gracias.

Runcorn lo miró un momento como para asegurarse de que no hubiera mofa en sus ojos. Luego asintió con la cabeza y siguió andando.

A la mañana siguiente Monk llegó nuevamente tarde a Wapping. Se había propuesto no hacerlo, pero volvió a dormirse en cuanto Hester lo hubo despertado, y ni siquiera el ruido que ella hizo al retirar las cenizas de la hornilla lo arrancó del sueño.

Eran casi las diez cuando subió la escalera desde el transbordador. Estaba peligrosamente resbaladiza a causa del hielo. Al llegar arriba vio a Orme salir de la comisaría. ¿Le había estado esperando? ¿Por qué? ¿Para advertirle otra vez de que Farnham le aguardaba? Se estremeció de frío.

Orme fue a su encuentro a toda prisa, con el cuello del abrigo levantado y el cabello enmarañado por el viento.

—Buenos días, señor —dijo sin levantar la voz—. ¿Le apetece estirar un poco las piernas? —Ladeó la cabeza señalando hacia el sur.

—Buenos días, Orme. ¿Qué ocurre? —preguntó Monk, que captó la indirecta y giró para seguirlo.

—Ayer estuve haciendo unas cuantas pesquisas, señor. Pregunté aquí y allá y me cobré un par de favores —contestó Orme en voz baja. Alejó a Monk de la comisaría y al cabo de unos instantes quedaron fuera de vista—. Es cierto que los robos han aumentado en el último par de meses o así; ingeniosos, metódicos. El pasajero está de pie conversando. La pieza desaparece; un reloj, una pulsera, lo que sea. De manera que no se da cuenta hasta al cabo de un rato y entonces, claro está, es demasiado tarde. Podría estar en cualquier parte. Siempre hay alguien a tu lado que podría haberlo hecho, pero invariablemente asegura que no ha visto nada.

—Varias personas trabajando en cuadrilla —dijo Monk—. Una para distraer, una para sustraer, una que pasa el objeto robado, otra para impedir los movimientos de la víctima ofreciendo su ayuda y quizás una quinta que se esfuma con el botín.

—Así es. Y por lo que me han dicho estoy bastante seguro de que al menos una de ellas es un niño, de diez u once años, cada vez.

—¿El mismo niño?

—No, pero sí de esa edad. La gente los toma por mendigos, holgazanes que rondan a la espera de que les den algo de comer o sencillamente para no pasar frío. Se está mejor en un barco que en los muelles expuestos al viento.

Monk pensó en Scuff. Seguramente preferiría trabajar a robar, pero ¿qué empleo iba a encontrar un niño en el río durante el invierno? La idea de una comida caliente, un lugar seco a resguardo del viento y una manta bastaría para tentar a cualquiera. Scuff era valiente, imaginativo, despierto, el blanco ideal para uno de esos indeseables que daban cobijo a niños vagabundos para convertirlos en ladrones. Aquello distaba mucho de la vida ideal, pero a cambio comían, se vestían y en cierta medida estaban protegidos. Le enfermaba pensar que Scuff pudiese terminar así. Los tribunales no se mostraban indulgentes con los niños. Un ladrón era un ladrón.

—¿Algún sospechoso en concreto? —preguntó Monk.

Orme debió de percibir la emoción de su voz. Lo miró por un instante.

—Alguno. Sólo los brazos y las piernas de la banda, por decirlo así. Para que sirva de algo hay que atrapar al cabecilla. No será fácil.

—Habrá que trazar un plan —señaló Monk—. Ver si los robos siguen alguna pauta. ¿Ha aparecido algún objeto sustraído? ¿A quién le interesa esa clase de material? ¿A los grandes peristas?

Monk se refería a quienes se hacían con los objetos valiosos y sabían dónde y cuándo venderlos. Durban no debería haber preguntado: tendría que haber sabido sus nombres, los lugares donde traficaban, sus almacenes, los objetos en que estaban especializados.

—Sí, señor —dijo Orme sin agregar nada más.

Monk se dio cuenta, como si de repente hubiese llegado al borde de un agujero enorme, de lo mucho que Orme echaba de menos a Durban, así como de lo lejos que aún estaba él de llenar aquel hueco. Quizá nunca lograra ganarse una lealtad semejante ni conseguir que los hombres lo aceptaran como habían hecho con Durban, pero podía ganarse su respeto gracias a su habilidad y, con el tiempo, tal vez su confianza.

Por el momento era en Orme en quien confiaban, Orme a quien

serían leales y obedecerían. Monk sólo contaría con su apoyo aparente, y en el caso de Clacton ni eso. Constituía un problema pendiente de resolución, y todos estarían aguardando para ver cómo lo manejaba Monk. Tarde o temprano el propio Clacton provocaría un enfrentamiento y la autoridad de Monk dependería de si vencía y cómo.

Trató de recordar otros planes que había trazado en el pasado para atrapar bandas de ladrones, pero desde el accidente que le había arrebatado la memoria había trabajado sobre todo en casos de asesinato. Los robos pertenecían a un pasado anterior, en los primeros años, cuando él y Runcorn habían trabajado juntos, pensó Monk con ironía, no el uno contra el otro. Acudieron a su mente confusos recuerdos de viajes a los arrabales, aquellas extensas barriadas con sus túneles subterráneos y sus viviendas ruinosas e insalubres. Había pasadizos, trampillas, pendientes abruptas y callejones sin salida, infinidad de lugares y maneras de quedar rodeado, de que le cortaran el cuello a uno sin que nadie se enterara ni volviese a verlo. Cualquier cadáver podía desaparecer arrastrado por la corriente, y si acababa en la alcantarilla las ratas se encargaban de él.

Era un mundo violento y peligroso, sumido en una pobreza tan absoluta que sólo los más fuertes y afortunados sobrevivían. La policía rara vez se adentraba en él y cuando lo hacía llevaba consigo a alguien que mereciera su confianza, no sólo por su lealtad sino también por su destreza, velocidad, valor y, por encima de todo, arrojo. En otro tiempo él y Runcorn se habían profesado esa clase de confianza.

En las destartaladas casas del trecho anegado de la ribera sur conocido como Jacob's Island podía haber un centenar de hombres escondidos entre los restos de edificios que se iban hundiendo lentamente en el lodo. Lo mismo ocurría en las populosas barriadas del puerto, las inciertas mareas de la dársena del Pool de Londres con sus grandes buques cuyos cargamentos llegaban a los muelles para desaparecer en un par de días. Los fumaderos de opio de Limehouse o los restos de naufragios que salpicaban las orillas hasta el mar podían ocultar cualquier cosa. Tendría que poner su vida en manos de Orme igual que éste en las de él. Pero para alcanzar semejante confianza había que superar ciertas pruebas.

—Trazaré un plan —dijo en voz alta por fin—. Si usted tiene alguno, cuéntemelo.

—Sí, señor. Estaba pensando...

—Al grano —instó Monk.

—Me gustaría apresar a Fat Man —dijo Orme pensativo—. Le debo mucho a ese tipo, después de tanto tiempo.

—Deduzco que quiere decir mucho daño, no lo contrario.

—Desde luego, señor, mucho daño. —La voz de Orme sonaba en extremo cortante, como si cargara con peso un enorme.

Monk estaba abrumado por lo poco que sabía sobre aquellos hombres. Orme no parecía guardarle rencor. De hecho, lo había alejado adrede de la comisaría para que Farnham no lo viese llegar tarde, y la víspera le había cubierto las espaldas para que pudiera investigar el caso Havilland.

De pronto a Monk se le ocurrió que Orme le estaba permitiendo hacer todo aquello deliberadamente para luego traicionarlo ante Farnham, dándole suficiente cuerda para que se ahorcara con ella. ¿Por qué no había ocupado el propio Orme el puesto vacante de Durban? Era perfectamente capaz y los hombres confiaban en él y lo admiraban; ¡incluso estaba mucho mejor preparado que Monk! ¿Por qué Durban había propuesto a Monk? ¿Acaso también por traición?

Monk se sentía aturdido. Su ignorancia era como una inmensa corriente negra que lo arrastraba hacia la destrucción.

—He estado pensando, señor... —Orme seguía hablando—. Me consta que si nos deshacemos de Fat Man, que es el perista más importante de los que operan en el río, alguien ocupará su lugar. Me da la impresión de que ese alguien será Toes. Y a Toes nos será más fácil mantenerlo bajo control. Es avaricioso, pero poco más. Al menos por ahora. Fat Man es diferente. Tiene una vena cruel de la que hemos de librarnos. No duda en rajar lentamente a cualquier desgraciado que le lleve la contraria. Es muy hábil con el cuchillo. Sabe cómo hacer daño sin matar.

Monk miró el rostro serio y compungido de Orme y volvió a percibir su pesar.

—Muy bien, librémonos de él —accedió.

Orme lo miró fijamente.

—Sí, señor Monk. Y nada de ajustar cuentas personales. Ni favores ni venganza, como solía decir el señor Durban.

Se volvió enseguida con un nudo en la garganta, y Monk comprendió que el fantasma de Durban siempre iba a estar presente.

De modo que lo utilizaría. Dedicaría la jornada a revisar todos los archivos de Durban hasta dilucidar qué habría hecho éste para atrapar a los cabecillas de las bandas infantiles y seguir la pista de los objetos robados hasta llegar a Fat Man. Ni favores ni venganza. También deseaba saber por qué Orme no había obtenido un ascenso. A ese respecto quizá le conviniese más seguir en la inopia, pero tenía que averiguarlo. Podría ser importante algún día; quizá su vida dependiese de ello.

La mayor parte de los casos que estudió eran delitos rutinarios exactamente iguales a los que había resuelto desde su incorporación al cuerpo. Lo único inusual en las notas de Durban era que resultaban más breves de lo que Monk hubiese esperado, y más personales. Su caligrafía era firme aunque, a veces, descuidada, como si hubiese escrito con prisa o cansado. Contenían toques de humor y discretos apartes que sugerían que Clacton tampoco había sido muy del agrado de Durban. La diferencia residía en que éste sabía cómo mantenerlo a raya, en buena medida porque los demás hombres no estaban dispuestos a tolerar su deslealtad.

Monk sonrió. Al menos había encontrado la solución a ese problema, siempre y cuando supiera cómo sacar provecho de ella.

Leyó cuidadosamente los informes sobre los robos en los barcos de pasajeros. Parecían variar, aunque no supo detectar ninguna pauta concreta. Había otros delitos diversos, algunos muy graves. Durban dedicaba varias páginas a uno que al parecer le había impresionado especialmente. La caligrafía era menos cuidada en estos párrafos y muchas letras aparecían inacabadas.

Monk leyó el informe porque le atrajo el apremio que transmitía. No tenía nada que ver ni con robos ni con barcos de pasajeros. Trataba sobre el asesinato de un próspero cuarentón. Habían hallado su cadáver en el río. Al parecer lo habían matado de un disparo la noche anterior y arrojado su cuerpo al agua. Fue identificado como Roger Thorwood, de Chelsea, un barbero de considerables medios e influencia. Había dejado viuda, Beatrice, y tres hijos.

Durban había invertido mucho tiempo y energías en la investigación, y había comprobado todas las pistas. Sus esperanzas y frustraciones se reflejaban claramente en sus notas. Pero al cabo de tres meses no había descubierto nada y se vio obligado a abandonar el caso y a dedicar toda su atención a otros asuntos. La muerte de Roger Thorwood permaneció envuelta en el misterio. La última anotación de Durban sobre el tema figuraba garabateada y en algunos trozos resultaba ilegible.

He hablado con la señora Thorwood por última vez. No puedo hacer nada más. Todas las vías de investigación están cerradas. O no conducen a ninguna parte o llevan a un laberinto imposible. Nunca pensé que un día diría de un asesinato que era mejor olvidarlo, pero de éste lo digo. Y está mal contar con que Orme siga cargando con mis otras responsabilidades, aunque en el futuro pueda recibir justa recompensa por su trabajo y su lealtad. Eso no me lo debe a mí, sino que está en su naturaleza, pero no quita que le esté profundamente agradecido. No hay más que decir.

Monk se quedó mirando la página. Le resultó curiosamente difícil pasarla y continuar con los homicidios, robos, reyertas y accidentes que venían después. Había algo dolorosamente inacabado en ella, no sólo en relación con el misterio de la muerte de Roger Thorwood, sino con la evidente implicación de Durban en su esclarecimiento, o la ausencia del mismo. Se lo había tomado como algo personal. Su enojo y decepción estaban allí, así como algo menos manifiesto y que había tenido la precaución de no mencionar. ¿Protegía acaso a un tercero, o a sí mismo?

También había una alusión indirecta a que Orme nunca recibía la recompensa adecuada por su trabajo. Al parecer había cubierto a Durban del mismo modo que estaba haciendo con Monk. Eso volvía a suscitar la pregunta de por qué no había recibido el ascenso que su aptitud merecía. Todo indicaba que Durban conocía el motivo. Monk se dio cuenta de que quizás él también debería saberlo para formarse una opinión más justa de Orme. Aun así, le alegró no disponer en ese momento de tiempo para investigarlo.

Lo que necesitaba era un plan para atrapar a los ladrones que operaban en los barcos de pasajeros. Más importante aún, deseaba seguirles el rastro hasta el perista que los organizaba, y probablemente hasta el cabecilla de la banda infantil.

Orme regresó a las dos de la tarde. Juntos, sin mencionar a Durban para nada, planificaron una serie de acciones que entrañarían peligro y exigirían una sincronización rigurosa pero que los conduciría no sólo a atrapar a los ladrones sino a acabar con los peristas que tenían detrás.

Orme estaba nervioso, pero no vaciló ni puso objeción alguna a la intención de Monk de participar activamente.

—Y Clacton —agregó Monk.

Orme levantó la vista, sorprendido.

Monk sonrió, pero no dio más explicaciones.

Orme apretó los labios y asintió con la cabeza.

Monk se encontró con Runcorn junto al puesto de castañas que había al principio de Westminster Bridge Road. Eran las cuatro de la tarde y ya había oscurecido. Una pesada nube flotaba como un palio sobre la ciudad. El aire olía a humo de chimenea y el viento gélido anunciaba una nevada inminente. Río abajo la bruma subía con la marea entrante, y, frente a las aguas oscuras, Monk oía el aullido de las sirenas de niebla. Sonaban varias a la vez, y su estremecedor sonido transmitía una desolación absoluta. En ese momento resonaban vagamente, pero cuando la niebla se asentara se tragaría sus lamentos cortándolos antes de que terminasen, como gritos estrangulados en la garganta.

—Encontré al cochero —dijo Runcorn pelando una castaña caliente—. Llevó hasta Picadilly al hombre que el señor Barclay y la señora Ewart vieron salir de las caballerizas. Lo recuerda bastante bien porque hizo una cosa extraña: se apeó de su coche y cruzó la plaza, que estaba muy tranquila a esas horas de la madrugada, ya que todos los teatros de Haymarket y Shaftesbury Avenue hacía rato que habían cerrado. Entonces se subió a otro coche de punto y desapareció en dirección este por Coventry Street hacia Leicester Square. —Levantó la mirada de la castaña, atento a la reacción de Monk—. ¿Por qué cambió de coche si al suyo no le pasaba nada malo?

—Porque no quería dejar rastro —contestó Monk—. No me extrañaría que hubiese cambiado de coche una vez más, o incluso dos, antes de ir a donde quería.

—Exacto —convino Runcorn con una sonrisa—. No estaba borracho, no era un mendigo y, desde luego, no era mozo de cuadras.

—Puede que fuese...

Runcorn enarcó las cejas.

—¿Con lo que cuesta un coche de punto desde Westminster Bridge Road hasta el East End?

Monk deseó no haber dicho aquello. Desvió la mirada.

—No, claro que no. Fuera quien fuese, tenía dinero.

—¡Exacto! —exclamó Runcorn—. Me parece que la señora Ewart vio al hombre que disparó contra James Havilland. Nos dio una descripción bastante buena de él, y el cochero añadió algunos datos. Según parece tiene el pelo negro y al menos en esa ocasión iba bien afeitado. Le pareció que tenía el rostro enjuto y la nariz larga, estrecha entre los ojos.

—Un cochero muy observador —comentó Monk, un poco escéptico—. ¿Seguro que no estaba intentando quedar bien con la policía?

—No, su descripción es correcta —contestó Runcorn bajando la vista—. Encaja con lo que la señora Ewart recordaba de él. Lo que tenemos que hacer es identificar a su cliente. Será la misma persona que escribió a Havilland para que acudiese a la cuadra en plena noche. Todo se hizo con sumo cuidado. No robaron nada. El sujeto en ningún momento entró en la casa, por lo que hemos visto. No hay ningún rastro de él.

Monk no discutió. Se había planeado hasta el último detalle con precisión y notable habilidad, y, obviamente, con conocimiento de la vida personal de Havilland. Éste no había dudado en ir a la cuadra, ni había pedido a Cardman ni a uno de los lacayos que lo acompañaran o aguardasen despiertos. No había temido nada del sujeto con quien iba a reunirse. Y quienquiera que fuese no aprovechó la oportunidad para robar en la casa. O bien se asustó, lo que no parece posible, o fue recompensado por lo que hizo de otra manera. Así se lo hizo saber a Runcorn.

—Dinero —respondió Runcorn con amargura—. Alguien le pagó para que matara a Havilland.

—En esa clase de acuerdos el pago suele efectuarse en dos veces —señaló Monk—. La primera antes de cometer el crimen y la segunda después. Quizá logremos seguir el rastro del dinero. Es arriesgado cometer un asesinato en una zona como ésta. Seguro que no salió barato.

—Lo sé. Pudo haber ahorrado durante un tiempo...

—Tal vez, pero me parece que se trató de una emergencia —arguyó Monk—. Los acontecimientos se precipitaron. Havilland descubrió algo en esos túneles y hubo que silenciarlo deprisa.

—¿Quién envió esa carta? Eso es lo que quiero saber. Ése es el culpable, quien realmente le traicionó. —Runcorn miró a Monk buscando su aprobación—. ¡Es con quien esperaba reunirse!

Ninguno de los dos lo dijo en voz alta, pero Monk tuvo claro que Runcorn, al igual que él, estaba pensando en Alan Argyll. Alan estaba casado con una de las hijas de Havilland y Toby era el prometido de la otra. Havilland podía no estar de acuerdo con ellos, desconfiar de sus aptitudes como ingenieros o de sus prácticas comerciales, pero no temería un ataque violento por su parte.

—¿Por qué a medianoche? Y ¿por qué en la cuadra? —preguntó.

Runcorn enarcó las cejas.

—¡No era cosa de dispararle mucho más temprano! ¡Y evidentemente no querría hacerlo dentro de la casa!

—Me refiero a qué motivo aduciría Argyll para reunirse con él en la cuadra. Y ¿por qué accedió Havilland?

Runcorn lo pescó de inmediato.

—¡Tenemos que encontrar esa carta! Como mínimo saber quién la envió.

Monk se llevó una castaña a la boca. Estaba dulce y caliente.

—La sirvienta dijo que Havilland la quemó.

—A lo mejor no quemó el sobre.

Runcorn aún guardaba esperanzas. Monk se comió la última castaña.

—Vamos. —Se volvió y echó a andar.


Cardman se sorprendió al verlos de nuevo, pero los invitó a entrar. Iba impecablemente vestido y eso contrastaba con el aspecto desangelado del vestíbulo. Habían retirado el crespón negro y las coronas de flores, pero el reloj seguía parado y las estufas y hogares apagados.

—¿Qué se les ofrece, caballeros?

Monk fue el primero en hablar esta vez.

—Quizás esté al corriente de que la señora Plimpton y la sirvienta Lettie me hablaron de una carta que recibió el señor Havilland la noche en que lo mataron, la cual le hizo ir a la cuadra. Según la sirvienta, el señor Havilland destruyó la nota, pero es extremadamente importante que averigüemos cuanto podamos sobre ella, incluso a partir del sobre, si es que todavía existe.

Cardman puso los ojos como platos. Acababa de oír una palabra inquietante. La voz le tembló un poco.

—Ha dicho que lo mataron, señor... ¿Significa eso que, después de todo, otra persona fue la responsable? ¿Estaba en lo cierto la señorita Mary? —añadió en tono esperanzado.

—Sí, señor, todo indica que así fue —contestó Monk.

Cardman endureció su expresión.

—Y si no la encuentran, señor, ¿significa que no podrán demostrar quién lo hizo?

—Alguien lo atrajo a la cuadra —dijo Monk con gravedad—. Estamos seguros de que en realidad fue otra persona quien lo mató. A esa segunda persona no sé si podremos atraparla, pero es la primera la que más nos interesa.

—Sí, señor. —Cardman palideció. Quizá por fin caía en la cuenta de que tenía que ser alguien que conocía a Havilland y en quien éste confiaba, y todos los indicios apuntaban a los Argyll—. Me temo que hace un tiempo ya que vaciamos las papeleras del estudio. Ahora allí sólo hay los papeles del señor Havilland y, por supuesto, las facturas y recibos del mantenimiento de la casa. La señorita Mary se encargaba de eso. Aún no ha venido nadie a ver que... —No supo cómo continuar, abrumado por las realidades cotidianas de la pérdida.

—Seguro que el señor Argyll designará a alguien —dijo Monk, y al instante se dio cuenta de que se debía registrar urgentemente el estudio por si acaso hubiese algo entre los papeles de Havilland. Aunque era muy probable que ya lo hubiese hecho Mary, ¿habría reconocido el sobre por lo que había contenido?

—¿Dónde está el estudio? —preguntó Runcorn.

Cardman los acompañó.

—¿Les apetece un poco de té, señor? —ofreció—. Me temo que en esta habitación hace un frío glacial.

Ambos aceptaron.

Dos horas más tarde sabían un montón de cosas sobre la organización doméstica de Havilland y habían constatado la eficiencia con que Mary se había ocupado de ella después. Todo se había efectuado de manera precisa. Se habían comprobado las facturas y se habían pagado en los plazos previstos. No habían papeles innecesarios guardados, ninguna carta sin contestar, nada de notas garabateadas en sobres o trozos de papel.

—Quizá nunca deje de ser una pérdida de tiempo —dijo Runcorn, hastiado—. ¡Maldita sea! —exclamó con repentina furia—. ¡Apostaría mi vida a que fue Argyll! ¿Cómo demonios vamos a atraparlo? ¿Cómo pillamos a ese cabrón?

Las ideas se agolpaban en la mente de Monk. Él también estaba convencido de que había sido obra de Alan Argyll, con o sin la ayuda de Toby. Pero estaba igualmente seguro de que aún desconocían el auténtico motivo. Havilland había descubierto algo mucho más inminentemente peligroso que los daños que causasen unas máquinas mal mantenidas o la posibilidad de que reventara uno de los arroyos que no figuraban en los mapas. Fuera lo que fuese lo que había provocado su muerte, se trataba de algo con lo que había tropezado de repente, no de una creencia sostenida durante tiempo que acababa demostrándose.

—Su ropa debió de quedar muy manchada por la sangre —comenzó, razonando en voz alta.

Runcorn no veía adónde quería ir a parar. La irritación le hizo torcer el gesto.

—Muy bien. ¿Y eso qué importa ahora?

—Seguramente demasiada sangre como para poder limpiarla. De todos modos, ¿quién querría la ropa que llevaba puesta un hombre al suicidarse?

—Yo diría que... ¡Oh! ¡Debe de estar en alguna parte! ¡A lo mejor hay algo en los bolsillos! —Runcorn se levantó con renovada energía. Se dirigió hacia la puerta, pero entonces recordó que había una campanilla en la habitación para avisar a la servidumbre. Evitando mirar a Monk, se volvió, fue hasta ella y tiró del cordón.

Cardman acudió a la llamada y cinco minutos después se hallaban en el vestidor de James Havilland.

La ropa que llevaba puesta al morir estaba pulcramente doblada y apilada en uno de los estantes de la cómoda. Resultaba obvio que a Mary le habían faltado agallas para entrar en aquella habitación después de la aciaga noche y que tampoco había permitido que los criados lo hicieran. Tal vez pensara hacerlo más adelante, después de demostrar que su padre no era un suicida. Todo parecía estar aguardando.

Monk desdobló la ropa despacio. Los pantalones sólo estaban sucios de polvo y algunas hebras de heno. La chaqueta era bastante gruesa, elección de lo más natural en un hombre que iba a salir a la cuadra en plena noche de invierno, probablemente dispuesto a aguardar hasta que llegara alguien.

De nuevo surgió la misma pregunta: ¿por qué había accedido Havilland a reunirse en la cuadra con una persona a la que conocía? Si deseaba intimidad, era más sencillo enviar a la servidumbre a la cama y abrir personalmente la puerta cuando llegara su invitado. Monk tenía cada vez más claro que se le estaba escapando por completo un dato clave.

Runcorn aguardaba, observándolo.

Desenrolló la chaqueta y la extendió sobre el tocador. Había sangre, espesa y oscura, en la solapa izquierda y en el hombro. Estaba completamente seca y endurecida. Unas pocas salpicaduras manchaban la manga. Le habían pegado un tiro en la cabeza y Havilland seguramente murió en el acto.

—Regístrala —dijo Runcorn.

Sin esperanza de hallar nada, Monk metió la mano en el bolsillo interior y tocó un papel. Lo sacó. Estaba doblado pero no presentaba mancha alguna. Un sobre. En el reverso había unas notas garabateadas, la palabra «Tyburn», y unos números, la frase «sin remitente» y más números agrupados de la misma manera. Le dio la vuelta. En el anverso figuraba su nombre, «Sr. James Havilland». No había dirección. Lo habían entregado en mano. Levantó la vista hacia Runcorn, que exclamó con voz temblorosa por la emoción.

—¡Ya lo tenemos! ¡Es el sobre de la nota que recibió!

Abrió la mano. Monk se lo pasó.

—Esto lo ha escrito una mujer —dijo Runcorn un par de segundos después, sin disimular su decepción—. ¿Era una asignación, después de todo? ¿Quién demonios le disparó? ¿Un marido? ¿Es que el hombre de los coches de punto no tuvo nada que ver?

Monk también estaba desilusionado, pero por una razón muy distinta.

—Jenny Argyll... —dijo—. Si le hubiese escrito ella, habría salido a su encuentro. No olvide que Mary estaba en la casa. ¿Es posible que quisiera hablar con Jenny sin que Mary se enterase? ¿O Jenny con él?

Esta vez Runcorn miró alrededor buscando sin titubear la campanilla, y Cardman se presentó enseguida. Runcorn le mostró el sobre.

—¿Sabe de quién es esta letra? —preguntó.

Cardman se veía tan tenso como desconsolado, pero respondió sin vacilar.

—Sí, señor, es la caligrafía de la señorita Jennifer; es decir, la señora Argyll.

—Gracias —dijo Monk. Entonces se dio cuenta de lo que Cardman estaría pensando. Quizá Runcorn no lo aprobara, pero decidió contárselo a aquél de todos modos—. Un hombre fue visto saliendo del callejón de caballerizas hacia la hora en que dispararon al señor Havilland. Se cruzó con dos vecinos que regresaban del teatro y que afirman que olía a humo de pistola. Hemos rastreado sus movimientos. Tomó un coche de punto hasta Picadilly y allí cambió de coche para seguir hacia el este. Parece muy probable que fuese él quien mató al señor Havilland.

—Muchas gracias, señor —dijo Cardman con voz ronca.

Pestañeó con expresión de agradecimiento y lágrimas en los ojos.


Jenny Argyll los recibió con enorme frialdad. A aquella hora del día su marido estaba en su oficina o en una de las obras.

—El caso está cerrado —dijo sin rodeos. Los había hecho pasar al salón de recibir porque en la sala de estar el fuego no estaba encendido. A pesar de haber perdido a dos familiares, los Argyll aún recibían visitas. Todo estaba cubierto de crespón negro. Había coronas de flores en las puertas que daban al vestíbulo, los espejos estaban tapados y los relojes parados. Cabía suponer que aquella casa se había puesto de luto más por la muerte de Toby que por la de Mary, aunque Jenny bien podía llorar la desaparición de ésta en la intimidad.

Monk no había olvidado la rabia de Argyll al recibir la noticia de sus muertes ni el modo en que de inmediato hizo recaer las culpas sobre Mary. Si Toby la había matado, ¿había sido por orden de su hermano?

Esta vez Runcorn dejó que Monk llevara la iniciativa.

—Me temo que no, señora Argyll —dijo Monk con firmeza. Jenny iba vestida de negro. Su luto riguroso hacía que pareciese aún más pálida. Monk consideró que en condiciones normales debía de ser una mujer atractiva, aunque carecía de la fuerza que había visto en el semblante de Mary, o de su pasión, incluso sin vida. Había algo en sus facciones, en la curva de sus labios, que se salía de lo común.

—No puedo ayudarle —dijo Jenny de plano. Estaba de pie mirando por la ventana bajo la escasa luz invernal—. Y no veo qué bien puede hacernos seguir dando vueltas y más vueltas a nuestra aflicción. Por favor, déjennos llorar a nuestros muertos en paz..., y a solas.

—En estos momentos no nos ocupamos del deceso de la señorita Havilland y el señor Argyll —respondió Monk—, sino que estamos investigando lo que sucedió la noche en que falleció su padre.

—Eso ya lo han investigado —dijo Jenny en voz baja, con una mezcla de dolor y enfado—. No hay nada más que decir. Fue una tragedia para nuestra familia. ¡En nombre de Dios, déjennos en paz! ¿Es que no hemos sufrido bastante?

Monk detestaba tener que seguir. Era consciente de que Runcorn, a un par de metros de él, experimentaba el mismo pesar. Pero no podía dejarlo correr. Una persona, tal vez dos, habían sido tildadas de suicidas. No obstante, lo que aún era más apremiante era que una terrible tragedia estuviese a punto de ocurrir en los túneles, y cabía la posibilidad de que él lo evitara. ¿Qué importaban el temor o la desilusión de una mujer comparados con eso, o incluso hacer pedazos sus creencias acerca de su propia familia? La culpabilidad y la inocencia casi nunca afectaban a una sola persona.

—Usted escribió una carta a su padre e hizo que se la entregaran en mano la noche en que murió, señora Argyll. —Monk advirtió que ella se sobresaltaba y emitía un grito breve y ahogado—. Por favor, no nos avergüence negándolo —prosiguió—. La carta fue vista y su padre conservó el sobre. Obra en mi poder.

Jenny palideció y se volvió hacia él.

—¿Y qué quiere de mí? —preguntó con voz apenas audible. Los ojos echaban chispas de odio contra ellos por la humillación que le estaban infligiendo.

—Quiero saber qué decía esa carta, señora Argyll. Usted dispuso que su padre fuera a la cuadra solo en plena noche. Él le hizo caso y lo mataron.

—¡Se suicidó! —exclamó Jenny—. Por el amor de Dios, ¿por qué no lo dejan correr de una vez? ¡Estaba loco! ¡Tenía delirios! Le aterraban los recintos cerrados y al final no pudo soportarlo. ¿Qué más quiere saber? ¿Tanto nos odia como para regodearse viéndonos sufrir? ¿Es necesario que reabra las heridas una y otra vez? —Casi había perdido el dominio de sí misma.

—Siéntese, señora... —sugirió Monk.

—¡No pienso sentarme! —espetó ella—. No me trate con condescendencia en mi propia casa, maldito... —Volvió a tomar aire, jadeando, incapaz de dar con una palabra que se atreviera a emplear.

Lo único que podía hacer Monk era decirle la verdad antes de que se pusiera histérica y se desmayara o abandonase la habitación negándose a volver a verlos. Apenas tenía autoridad para estar allí. Farnham no le respaldaría.

—Un hombre fue visto saliendo del callejón de caballerizas justo después de que dispararan a su padre, señora Argyll. Olía a pólvora. Era desconocido en la zona y se marchó de inmediato cambiando varias veces de carruaje de regreso al West End. ¿Sabe quién era ese hombre?

Jenny lo miraba con incredulidad.

—¡Claro que no! —exclamó—. ¿Qué está diciendo, que disparó contra mi padre?

—Eso creo.

Jenny se tapó la boca con las manos y se desplomó sobre una silla. Contemplaba a Monk como si hubiese surgido de la nada envuelto en una nube de azufre.

—Lo siento —dijo él, y era más sincero de lo que se había creído capaz—. ¿Qué le decía a su padre en la carta para que saliera a la cuadra a medianoche, señora Argyll?

—Le..., le...

Monk aguardó.

Jenny recobró el dominio de sí misma con considerable esfuerzo. Su rostro reflejaba la dolorosa batalla que libraba en su fuero interno.

—Le pedía que se reuniera con mi marido para discutir en condiciones sobre los túneles que estaban construyendo, sin que Mary se enterara y los interrumpiese. Mi hermana era muy excitable.

—¿A medianoche? —inquirió Monk, sorprendido—. ¿Por qué no en las oficinas, por la mañana?

—Porque a papá le preocupaba la posibilidad de un accidente y se negaba a volver a las oficinas otra vez para que nadie le hiciera caso —repuso Jenny de inmediato—. Iba a hablar con las autoridades. Habrían tenido que paralizar las obras hasta que concluyera la investigación y descubriesen que no era verdad. Pero no podían aceptar la palabra de mi marido porque estaba en juego la vida de muchos hombres. Mi padre había perdido el juicio, señor Monk, el sentido de la proporción. Vivía aterrado y eso entorpecía su capacidad de raciocinio. A veces... ocurre. Los peligros bajo tierra, la oscuridad... alteran la mente.

—¿Así, pues, organizó una reunión urgente?

—Sí.

—¡Pero su marido no acudió! —señaló Monk—. Estuvo en una fiesta hasta bastante después de la medianoche. Usted declaró a la policía que había asistido con él. ¿Acaso no era cierto?

—Sí, era cierto. Yo..., yo pensé que mi padre se habría negado a reunirse con Alan. Era muy... testarudo —añadió sin apartar los ojos de los de Monk.

—¿Eso fue lo que dijo el señor Argyll? —preguntó él.

Jenny vaciló, pero sólo un instante.

—Sí.

—Ya veo. —Monk no mentía. Ni por un instante había supuesto que Argyll tuviera intención de matar personalmente a Havilland. Había pagado al asesino de pelo negro y puente de la nariz fino para que lo hiciera—. Gracias, señora Argyll.

Una vez en la calle, caminando junto a Runcorn por la acera helada, Monk preguntó:

—¿Supones que pagó al asesino él mismo o se lo habrá encargado a un hombre de confianza?

—¿A Toby, por ejemplo?

—Es probable, pero no necesariamente. ¿Quién iba a saber siquiera dónde contratar a un sicario?

Runcorn meditó un rato mientras caminaba en silencio.

—¿En quién más confiaría? —dijo al fin.

—¿Puedes seguir la pista del dinero? —preguntó Monk.

—A no ser que haya ido ahorrando penique a penique durante años, desde luego que puedo. Pero estoy de acuerdo en que se hizo de improviso. Havilland descubrió algo y Argyll no pudo aguardar. Tuvo que sacar el dinero del banco, o de donde lo tuviera guardado, y pagar al asesino con uno o dos días de antelación. Es mi caso, Monk. Dispongo de hombres para que trabajen en él y de autoridad para inspeccionar cuentas bancarias o lo que haga falta. Averiguaré dónde estuvo Argyll cada minuto de la semana anterior al homicidio de Havilland. Y de la siguiente también. Salvo que esté loco, no pagaría todo el importe hasta cerciorarse de que se había efectuado el trabajo.

—¿Qué quieres que haga?

Monk tuvo dificultades para preguntarlo, pero el plan de Runcorn tenía todo el sentido del mundo. Podía desplegar a sus hombres para investigar, interrogar, sonsacar respuestas que Monk no conseguiría. Debía regresar a Wapping y empezar a ganarse la lealtad que iba a necesitar de sus propios hombres. La muerte de Havilland no tenía nada que ver con ellos.

Runcorn sonrió.

—Vuelve a tu río —contestó—. Te enviaré un mensaje.


Al cabo de dos días llegó la carta, escrita con la prolija caligrafía de Runcorn. Un mensajero la entregó a Monk en mano.

Apreciado Monk:

He seguido el rastro del dinero. Procedía del banco de Alan Argyll, pero se lo entregó a Sixsmith para gastos. Argyll dispone de coartada para antes y después de los hechos. Es listo como el demonio. No existe constancia de una segunda suma. Puede haber un montón de motivos para ello, ¡pero si Sixsmith le estafó es que es idiota!

Estoy convencido de que Argyll es quien está detrás de todo, pero fue Sixsmith quien efectuó la entrega, fuera lo que fuese lo que creyera estar pagando. Seguí sus movimientos, sé dónde lo hizo. No tengo elección, debo arrestarlo de inmediato. No estoy contento. Tenemos al criado, no al amo, pero tengo que acusarlo. Aún nos queda trabajo por hacer.

Runcorn

Monk dio las gracias al mensajero y garabateó un acuse de recibo.

Apreciado Runcorn:
Lo entiendo y, desde luego, ¡nos queda un montón de trabajo por delante! Haré cuanto esté en mi mano. Cuenta conmigo.

Monk

Entregó la nota al mensajero. Cuando éste hubo cerrado la puerta, se puso a maldecir con tanta furia contenida que se sorprendió a sí mismo.

Argyll los había engañado. Habían seguido la pista para acabar viéndose obligados a arrestar a un hombre que sabían inocente mientras Argyll los contemplaba y se reía de ellos. ¡Así se pudriera en el infierno!

# 8

Transcurrieron tres días antes de que Monk tuviera tiempo de pensar de nuevo en el caso Havilland. Se produjo un gran incendio en uno de los almacenes del Pool de Londres y los pirómanos intentaron escapar por el río. El asunto concluyó con éxito pero al final de la segunda jornada Monk y sus hombres estaban agotados, mugrientos y helados hasta los huesos.

A las ocho y media, mientras fuera soplaba el viento y la estufa de leña olía a humo, Monk estaba sentado en su despacho terminando de redactar su informe cuando oyó llamar a la puerta. Contestó y entró Clacton, que cerró la puerta a sus espaldas. Se aproximó hasta plantarse frente al escritorio con aire desenvuelto y más elegante de lo que quizás él mismo fuese consciente. Miró a Monk con un amago de sonrisa, como si fuesen iguales.

—¿Qué ocurre? —preguntó Monk.

—Se ha trabajado de firme estos últimos dos días —comentó Clacton.

—Todos lo hemos hecho —contestó Monk. Si Clacton esperaba que le concediera un permiso se llevaría un buen chasco.

—Sí —confirmó Clacton—. Usted más que nadie..., señor.

Monk se sintió incomodo. Vio una chispa de expectativa en los ojos de Clacton.

—Usted no ha venido aquí para decirme eso.

—Pues claro que sí, señor —contestó Clacton—. Sé lo duro que debió de ser para usted; no habrá tenido mucho tiempo para dedicarse a su negocio, imagino.

—¿De qué negocio está hablando, Clacton? —inquirió Monk.

Clacton guiñó un ojo y sonrió.

—Ya sabe, su trabajo privado, para el señor Argyll, ¿no? ¿Intenta averiguar quién mató a su suegro para que salga del atolladero? Eso debe resultar caro, ¿no?

Monk se concentró. Había previsto toda clase de ataques por parte de Clacton, incluso la remota posibilidad de la violencia física, pero no una insinuación de ese tipo, jamás. ¿Cómo debía reaccionar? ¿Con humor, enojo, sinceridad? ¿Cuál sería el siguiente movimiento de Clacton?

—Pensaba que no lo sabía, ¿verdad? —dijo Clacton, a todas luces satisfecho—. Nos mira por encima del hombro como si estuviéramos por debajo de usted. ¡No somos tan listos como el gran señor Monk! Pero usted no se entera de nada cuando se trata de asuntos del río. ¡Necesita que Orme lo lleve de la mano para no caerse al agua! Bueno, puede que los demás sean idiotas, pero no es mi caso. Yo sé lo que me hago, y si no quiere que Farnham se entere, tendrá el buen tino de darme una parte de lo que obtenga.

No había tiempo para sopesar consecuencias.

—Dudo mucho que el señor Argyll me pague por algo de lo que he descubierto hasta ahora —dijo Monk con acritud—. Al parecer, él es el responsable de la muerte de Havilland.

—¿Ah, sí? —Clacton enarcó las cejas—. Vaya, en cambio han arrestado a Sixsmith. Dígame, ¿por qué cree que habrá sido? ¿Se han alterado un poco las pruebas, quizá?

Monk tenía frío, estaba cansado y entumecido pero de pronto, además, lo asaltó el temor. Reconoció la malicia y el odio del joven que tenía delante. No se trataba de lealtad hacia Durban ni hacia ninguna otra persona, sino que obraba por puro interés personal. No tenía tiempo de preocuparse del motivo. Clacton era, sencillamente, peligroso.

—¿Piensa que puede encontrar esas presuntas pruebas? —preguntó Monk sin ambages.

Clacton entornó los ojos.

—¿No me cree capaz?

—Me alegraré si lo es —respondió Monk—. ¡Es a Argyll a quien quiero atrapar!

Por primera vez Clacton dejó de hacer pie.

—¡Qué tontería! ¿Y quién le pagará?

—Su Majestad —repuso Monk—. Hay una conspiración detrás de la muerte de Havilland. Miles de libras invertidas en el negocio de la construcción y un montón de poder que ganar. Vaya corriendo a decirle al señor Farnham lo que piensa. Aunque más le vale marcharse y seguir con su trabajo, y alegrarse de seguir teniéndolo.

Clacton se mostró desconcertado. Ahora era él quien tenía que sopesar sus alternativas y eso le disgustaba. Se habían vuelto las tornas sin que siquiera se diese cuenta.

—¡Sigo creyendo que es usted un tramposo! —masculló—. ¡Y un día lo pillaré!

—No —dijo Monk—. No lo hará. Por mucho que lo intente. ¡Y ahora, largo!

Poco a poco, como si aún estuviera inseguro de si le quedaba otra arma, Clacton se volvió y salió del despacho dejando la puerta abierta. Monk reparó en que al entrar en la sala principal recuperaba su actitud arrogante.

El té se había enfriado, pero Monk no quiso ir por más. La mano le temblaba un poco y sentía un nudo en la garganta. Con su acusación Clacton había ido más allá de lo que jamás hubiera imaginado.

A la mañana siguiente se dirigió al bufete de sir Oliver Rathbone. Monk estaba dispuesto a aguardar cuanto fuese necesario para verle, pero finalmente no fue más que una hora. Rathbone llegó tan elegante como siempre, con un traje de lana gris y un grueso abrigo para protegerse del gélido viento del este. Pareció sorprendido al ver a Monk, aunque también complacido. Desde que se había dado cuenta de lo mucho que amaba a Margaret Ballinger, su rivalidad con él se había atenuado considerablemente. Era como si por fin hubiese alcanzado una especie de seguridad interior, y ahora estaba abierto a un abanico más generoso de sentimientos.

—¡Monk! ¿Cómo estás? —Rathbone era muy distinto de Monk, un hombre con una formación excelente y a gusto consigo mismo. Su elegancia era innata.

Monk sonrió. Al principio Rathbone le desconcertaba, pero el tiempo y la experiencia le habían enseñado a ver la humanidad que había debajo de la superficie.

—Necesito tu ayuda en un caso.

—Por supuesto. ¿Qué otra cosa te habría traído aquí a media mañana? —Rathbone no se tomó la molestia de disimular su buen humor e interés. Si Monk necesitaba apoyo en asuntos legales, seguro que plantearía un problema interesante, que era justo lo que deseaba—. Siéntate y cuéntame.

Monk obedeció. Sucintamente describió la caída de Mary Havilland y Toby Argyll del puente, luego el descubrimiento de la muerte anterior de James Havilland y el curso de la investigación que había conducido a la detención de Aston Sixsmith.

—¿Seguro que no quieres que defienda a Sixsmith? —preguntó Rathbone, incrédulo.

—No... preferiría que no lo hicieras —contestó Monk, que empezaba a preguntarse si lo que tenía previsto pedir resultaría imposible. Una vez más, la ira contra Argyll se apoderó de él, así como una sensación de impotencia ante la habilidad con que había manipulado tanto a Sixsmith como a la policía para ponerlos en la situación que quería. Monk recordaba su expresión de enfado, arrogancia y dolor como si lo hubiese visto un momento antes—. Quiero que lleves la acusación contra Sixsmith, pero de manera que atrapemos al hombre que hay detrás —explicó a Rathbone—. Me parece que Sixsmith no sabía para qué era el dinero. Argyll le dijo lo que tenía que hacer y él lo hizo, a ciegas o movido por su lealtad hacia los Argyll, convencido de que era para algún propósito legítimo.

Rathbone enarcó las rubias cejas.

—¿Como qué, por ejemplo?

—La construcción de túneles es una tarea ardua. No digo que no intentara simplificarla pagando sobornos a los elementos más violentos entre quienes conocen las alcantarillas y los ríos y fuentes subterráneos. No lo sé.

Rathbone reflexionó un momento. Estaba claro que había captado su interés. Miró a Monk.

—Piensas que el mayor de los hermanos Argyll se sirvió de Sixsmith para pagar a un asesino que matara a Havilland, porque éste representaba una amenaza. ¿Quién encontró al asesino, si no lo hizo el propio Sixsmith?

Monk se sintió tan incómodo como si estuviera en el banquillo de los acusados. Con respuestas imprecisas o incompletas sería imposible escapar.

—El propio Alan Argyll, o quizá Toby —contestó—. Alan se ha tomado muchas molestias para dar cuentas de dónde estuvo antes y después de la muerte de Havilland, pero Toby era varios años más joven, pasaba más tiempo en las obras y conocía a algunos de los peones más bravucones.

—¿Según quién? —inquirió Rathbone.

—Según Sixsmith —repuso Monk—. Aunque puede verificarse fácilmente.

—Tendrás que hacerlo —señaló Rathbone—. ¿Dices que el dinero procedía de Argyll?

—Sí.

—¿Pruebas? Si sostiene que el dinero era para salarios, o para una máquina nueva, y que Sixsmith se apropió de él indebidamente, ¿puedes demostrar que miente?

—No, no sin que me quede alguna duda —dijo Monk, tenso.

—¿Y es ésa una duda fundada?

—No lo sé, pero estoy seguro de ello.

—Eso no es relevante —dijo Rathbone con cierta aspereza—. ¿Por qué iba Argyll a desear tanto ver muerto a Havilland como para estar dispuesto a servirse de Sixsmith para contratar a un sicario?

—Porque sabía que los túneles eran peligrosos y que las obras debían paralizarse —respondió Monk.

—¿Acaso no son siempre peligrosas esas obras? El hundimiento del colector del Fleet fue terrible.

—Eso es «cortar y cubrir» —explicó Monk—. Imagínatelo bajo tierra, posiblemente hundiéndose por ambos extremos, lleno de agua o, peor aún, gas.

—¿El gas es peor? Pensaba que el agua ya es de por sí bastante espantosa.

—Se trataría de gas metano, inflamable. Bastaría una chispa para que todo prendiera de golpe. Si subiera por las alcantarillas podría comenzar otro Gran Incendio de Londres.

Rathbone palideció.

—Vaya, me hago una idea, Monk. ¿Por qué crees que es algo más que la pesadilla de un chiflado? Seguro que Argyll desearía tan poco que eso ocurriera como Havilland o cualquier otro. Si existiese un peligro real paralizaría las obras él mismo. ¿De qué tenía miedo, de que Havilland sembrara el pánico entre los obreros y éstos se declararan en huelga? ¿No bastaría con prohibirle la entrada a las obras? ¿No te parece excesivo un asesinato, además de peligroso y caro?

—Havilland no iba a hablar con los peones, sino con las autoridades, lo que es muy diferente. Argyll no podía impedirlo con tanta facilidad. E incluso un temor totalmente infundado cerraría las excavaciones el tiempo suficiente para causar serios retrasos en el trabajo, lo que costaría un montón de dinero. Para un hombre despiadado, alguien que quizá se mueve en un estrecho margen de pérdidas y ganancias, o sobre el que pesa una inversión excesiva, eso podría ser motivo para asesinar.

Rathbone frunció el entrecejo.

—Pero con el motivo no basta, Monk, y lo sabes tan bien como yo. ¿Por qué no suponer que fue Sixsmith, tal como parece?

—Porque fue la esposa de Argyll quien envió la carta a su padre pidiéndole que fuera a la cuadra después de medianoche —contestó Monk—. Y lo hizo a petición de Argyll.

—¿Y si Argyll dice que no le pidió que la escribiera? —preguntó Rathbone—. No puedes obligarla a incriminarlo, ya que iría contra su propio interés.

—Otros jurarán que es su caligrafía.

—¿Tienes la carta? No me lo habías dicho...

—¡No la tengo! Sólo el sobre...

—¡El sobre! ¡Por el amor de Dios, Monk! ¡Podía contener cualquier cosa! ¿Alguien vio esa carta? ¿Lleva matasellos el sobre?

Monk tuvo la impresión de que su argumento se le iba de las manos. Le constaba que Rathbone estaba siendo perfectamente razonable, que se comportaba como debía comportarse. Y para él exponer en privado, y en ese momento, los puntos flacos que presentaba el caso era infinitamente mejor que hacerlo más tarde en público. Su genio se avivó y le vinieron ganas de arremeter, pero decidió que perder el control era infantil y ayudaba a Argyll. Lo mejor que podía hacer era mantener su ira a raya.

—El sobre fue entregado en mano —contestó con ecuanimidad—. Pero está más allá de toda duda razonable que fue el que recibió aquella tarde, porque tomó notas en él con su letra y estaba en la chaqueta que llevaba puesta, que es, justamente, donde lo encontré.

—¿Podría corresponder a otra carta recibida con anterioridad? Rathbone no dejaba cabos sueltos.

—Las anotaciones aludían a cosas que habían ocurrido esa tarde —dijo Monk con satisfacción.

—Bien. Así pues, la señora Argyll le envió una nota. Si le piden que jure que se trataba de una invitación a cenar para la semana siguiente y ella se aviene, ¿qué tenemos?

—Una mujer dispuesta a mentir a dos agentes de la ley, estando bajo juramento.

—Para salvar a su marido, su hogar, su fuente de ingresos y su posición social, y por consiguiente la de sus hijos. —Rathbone apretó los labios y torció el gesto—. Un fenómeno nada inusual, Monk. Y que no resultará fácil destruir. No te ganarás el favor del jurado con eso.

—¡Quiero que me crean, no que me encuentren simpático! —espetó Monk.

—Los jurados no sólo actúan movidos por la razón, sino por los sentimientos —señaló Rathbone—. Estás jugando una baza peligrosa. Veo que puede acusarse a Sixsmith como cómplice, aunque probablemente no supiera nada acerca del asesinato, y que quizás haya factores suficientes para implicar a Argyll, pero tendrás que aportar mucho más de lo que tienes. —Frunció el entrecejo—. A veces ocurre. Consigues atrapar a todo el mundo menos al verdadero culpable. Parece que Argyll se cubrió las espaldas bastante bien. Para llegar hasta él tendrás que destruir a ese hombre, Sixsmith, que quizá sea absolutamente inocente de todos los cargos a excepción, quizá, de algunos sobornos típicos en ese negocio. También destruirás a la esposa de Argyll, que está haciendo lo que cualquier mujer haría para proteger a sus hijos, tal vez hasta proteger su fe en que su marido es un hombre honrado. Y probablemente la necesite para sobrevivir con un mínimo de cordura. Eso por no mencionar a los hijos.

Monk vaciló. ¿Merecía la pena destruir a los culpables tan sólo de debilidades humanas corrientes, con tal de alcanzar al verdadero culpable? ¿Por qué? ¿Por venganza? ¿Para proteger a futuras víctimas?

—Ahora no tienes elección —continuó Rathbone en voz baja—. Al menos en lo que atañe a Sixsmith. Lo acusaré, cómo no, y destaparé cuanto pueda. Mientras tanto, date prisa en descubrir más cosas sobre ese misterioso asesino. Demuestra quién lo contrató, si llegó a recibir el segundo pago, si sabe para quién trabajó. Sobre todo tienes que demostrar que lo que Havilland iba a hacer era suficiente para que Argyll quisiera matarlo. Por ahora lo único que tienes es un ingeniero que perdió el valor y se convirtió en una molestia. Los hombres cuerdos no cometen homicidios por eso. Dame todos los datos de lo que Argyll iba a perder, y que sean datos que le conciernan a él, no sólo a Sixsmith.

—Si no iba a paralizar las obras, ¿qué motivo tendría Sixsmith para desear verle muerto? —inquirió Monk—. El motivo es el mismo.

—Exacto —dijo Rathbone.

—¡La empresa es de Argyll, no de Sixsmith! —arguyó Monk—. Sixsmith puede encontrar empleo en cualquier parte. Es un ingeniero de primera y con una buena reputación.

—La perdería si se produjera un hundimiento —dijo Rathbone con aspereza.

Monk se levantó.

—¡Lo encontraré! ¿De cuánto tiempo dispongo?

—¿Hasta que comience la vista? Tres semanas.

—Pues más vale que me ponga manos a la obra —repuso Monk, y se dirigió hacia la puerta.

—¡Monk!

Se volvió.

—¿Sí?

—Si tienes razón y es Argyll, ve con cuidado. Es un hombre muy poderoso y tu trabajo es peligroso.

Monk miró a Rathbone con repentina sorpresa. Su rostro transmitía un afecto que no había esperado ver.

—Lo haré —prometió—. Dispongo de buenos colaboradores.


Lo primero que Monk hizo fue ir a hablar con Runcorn. Lo más probable era que fuese tan consciente como Rathbone de la pobreza del caso; no obstante, Monk lo bosquejó en términos legales mientras Runcorn, sentado tras su escritorio, le observaba con pesadumbre.

—Tenemos que saber más acerca de ese hombre de las caballerizas —dijo cuando Monk hubo terminado—. Quizás obtengamos una descripción mejor si volvemos a preguntar al cochero y lo presionamos un poco. —Se ruborizó levemente—. Y habrá que interrogar a la señora Ewart para ver si está en situación de añadir algo más.

La señora Ewart se sorprendió al verlos de nuevo, pero hizo patente que no se trataba de una sorpresa desagradable. Llevaba un vestido oscuro de lana color vino que daba calidez a su rostro y se mostró menos tensa que en la ocasión anterior. Monk se preguntó si en parte se debería a que su hermano no se encontrara en casa a aquellas horas del día.

Los hizo pasar al salón de recibir, donde ardía un buen fuego que irradiaba su agradable calor. La habitación no era como Monk se había figurado. La ostentosa decoración le restaba comodidad. Los cuadros de las paredes eran grandes y con marcos recargados, la clase de objeto que uno elige más para impresionar que porque le guste. Había algo impersonal en ellos, así como en los adornos de marfil tallado de la repisa de la chimenea y en los pocos libros, encuadernados en piel, que ocupaban la estantería. Los volúmenes estaban agrupados, uniformes en tamaño y color, inmaculados, como si nunca los hubiese leído nadie. Entonces Monk recordó que Melisande era viuda y aquélla era la casa de Barclay, no la suya. Por un instante se preguntó qué decoración habría elegido ella.

Melisande miraba a Runcorn. A la luz de la mañana su rostro parecía menos cansado que la primera vez que se vieron, pero aun así conservaba el mismo rastro de tristeza en la sonrisa y tras la inteligencia de sus ojos.

—Lamento volver a molestarla, señora —se disculpó Runcorn sosteniendo su mirada con firmeza—. Pero hemos investigado el asunto más a fondo y es muy probable que el individuo que usted vio fuese quien disparó contra el señor Havilland. Hay un hombre detenido por haberlo contratado que pronto será llevado a juicio, pero si no recabamos más información, igual se sale con la suya.

—Por supuesto —dijo Melisande—. Deben capturar al hombre que lo hizo a toda costa. ¿Qué más puedo hacer para ayudarles? No tengo ni idea de adónde fue luego; sólo vi que se dirigía hacia la calle principal. Me imagino que tomaría un coche de punto para marcharse de esta zona cuanto antes.

—Así lo hizo, señora. Le hemos seguido el rastro hasta Picadilly y de allí se dirigió al este —corroboró Runcorn. Se abstuvo de mirar a Monk en todo momento—. Es sólo que el cochero apenas le vio y no se le dan muy bien las descripciones. Si consiguiera usted recordar cualquier otro detalle quizá nos facilitaría el dar con él.

Melisande reflexionó un rato hurgando en sus recuerdos. Se estremeció, como si no sólo pensara en el frío de aquella noche, sino también en lo que había ocurrido a menos de cien metros de donde había estado ella. La admiración de Runcorn hacia ella resultaba patente en su mirada, pero era aquella vulnerabilidad, aquella tristeza, lo que le atraía. Monk lo sabía porque lo había entrevisto con anterioridad, y conocía a Runcorn mejor de lo que él mismo creía. Había en él cierta dulzura que antes nunca se permitía mostrar, una capacidad de compasión que sólo ahora se atrevía a reconocer.

¿O acaso lo reciente era la generosidad de espíritu en Monk necesaria para darse cuenta?

La señora Ewart estaba contestando a la pregunta con tanto cuidado y detalle como le era posible.

—Tenía el rostro alargado y el puente de la nariz estrecho —dijo—, pero los ojos no eran pequeños, y presentaba bolsas en los párpados. —De pronto abrió mucho los ojos, como sobresaltada—. ¡Eran claros! Su piel era olivácea y el pelo, que caía por encima del cuello del abrigo, negro, o al menos lo parecía a la luz de las farolas. Y las cejas también. Pero tenía los ojos claros, azules o grises. Azules, me parece. Y... los dientes... —Se estremeció y adoptó una expresión de disculpa, como si lo que iba a decir fuese una tontería—. Sí, tenía los colmillos inusualmente puntiagudos. Sonrió al explicar lo de... la mancha. Me... —Tragó saliva—. Me figuro que era sangre del pobre señor Havilland, ¿no? Le vi los dientes cuando sonrió.

Melisande miró a Runcorn a la espera de su reacción, aunque resultaba inconcebible que eso le importara. ¿Habría percibido su gentileza? ¿O era tan sólo que necesitaba que alguien comprendiera el horror que sentía?

Monk quedó estupefacto y avergonzado al comprobar que se ponía en el lugar de Runcorn, que le dolía aquel súbito e imposible sueño del que su colega se permitía despertar. Sentía una extraordinaria mezcla de enojo, impaciencia y dolor, una confusión cuya posibilidad habría negado un año antes.

Runcorn estaba dando las gracias a Melisande pero sin dejar de insistir. ¿Prolongaba la entrevista a propósito? Le preguntaba sobre la ropa del presunto asesino. ¿Llevaba guantes? No. ¿Se había fijado en sus manos? Fuertes y delgadas. ¿Botas? No tenía ni idea. ¿Algún otro detalle? Si se acordaba de algo, que le avisara cuanto antes. Le dio su tarjeta.

Le agradecieron la colaboración y se fueron. Monk apenas había abierto la boca. En la calle, a plena luz y con el viento gélido soplando desde el río, Runcorn siguió con la vista al frente, negándose a cruzar una mirada con Monk. Carecía de sentido forzar una conversación innecesaria. Más tarde se pondrían de acuerdo sobre los pasos que cada uno daría a continuación. Caminaron muy juntos el uno del otro, con la cabeza un poco inclinada y el cuello del abrigo levantado para protegerse del frío.


Monk sólo podía comenzar por el carácter y las oportunidades del hombre que había pagado al asesino.

¿Era Alan Argyll quien lo había encontrado, o Toby? ¿O sería cierto que Sixsmith lo había contratado primero para la tarea que argüía?

Ése era el hilo más obvio por el que empezar a tirar. Monk podía hablar con los alcantarilleros que peinaban las cloacas en busca de objetos de valor perdidos, con los desembarradores que dirigían a los hombres que limpiaban las peores acumulaciones de deshechos y cieno que obturaban los canales más estrechos. Sin embargo, pasaría una temporada antes de que sus servicios fuesen requeridos de nuevo y mientras tanto no tenían otro modo de ganarse la vida.

Se dirigía a pie desde la comisaría de Wapping hacia una de las excavaciones a cielo abierto cuando Scuff le salió al paso. El chico aún tenía sus nuevas botas usadas y el abrigo que le llegaba a las espinillas, pero ahora llevaba además una gorra de tela, demasiado grande para él, hundida hasta las orejas.

—Buenos días —saludó Monk amigablemente.

Scuff le miró.

—¿Va todo bien?

Monk sonrió.

—Cada vez mejor, gracias —respondió. Le constaba que la pregunta no aludía a su salud; era su competencia en el trabajo lo que preocupaba a Scuff—. El señor Orme es un buen hombre.

Scuff no tenía muy claro si llegaría al extremo de llamar «bueno» a un policía, pero no discutió.

—Clacton es un mal tipo —dijo en cambio—. Vigílelo o se la jugará.

—Ya lo sé —reconoció Monk, aunque le sorprendió que el muchacho estuviera enterado.

—¿De veras? —Scuff no parecía impresionado—. No da usted la impresión de saber gran cosa. Sigue sin pillar a esos ladrones, ¿no? —Fue un desafío, no una pregunta—. Y no deje que lo líen con lo de atrapar a Fat Man. Nadie lo ha intentado sin salir escaldado. —Se mostró preocupado e inquieto.

Quizá fuese sólo interés por las empanadas calientes, pero Monk seguía sintiendo un pellizco de placer en su fuero interno, y también de culpa.

—En realidad he estado ocupado con otro asunto —contestó para distraer la atención de Scuff. Él y Orme habían acordado unos planes preliminares que Orme había estado llevando a cabo, pero no tenía sentido asustar a Scuff innecesariamente—. Ahora mismo estoy investigando el asesinato de un hombre ocurrido hace un par de meses.

—¿No es un poco tarde? —Scuff hizo una mueca. La incompetencia de Monk le desconcertaba y preocupaba. Por una razón u otra parecía considerarse responsable de él. Monk se sentía a un tiempo conmovido y picado. Se encontró defendiendo su posición, tratando de recobrar el debido respeto.

—Cuando ocurrió, la policía pensó que era un suicidio —explicó—. Luego su hija se cayó de un puente y el caso pasó a mí. Al investigar su pasado me enteré de lo del padre y comenzó a parecer que después de todo no había sido suicidio.

—¿Qué quiere decir con eso de caerse de un puente? —inquirió Scuff—. Nadie se cae de los puentes. No puedes. Hay barandillas y esas cosas. ¿A ella también la mataron, o saltó?

—Tampoco estoy seguro sobre eso. —Monk sonrió atribulado—.

Y vi cómo ocurría. Pero cuando dos personas forcejean a cierta distancia a media luz, justo antes de que enciendan las farolas, cuesta decir lo que ves.

—Pero ¿a su padre lo mató otro tipo? —insistió Scuff.

—Sí. Al hombre en cuestión lo vieron salir del lugar donde se cometió el crimen. Tengo una idea bastante aproximada de su aspecto y sé que se dirigió al este desde Picadilly.

Scuff soltó un suspiro de desesperación.

—¿Eso es todo lo que tiene? ¡No sé qué voy a hacer con usted! —Se sonó la nariz y se la secó con la manga.

Monk disimuló su sonrisa con dificultad. Al parecer Scuff le había adoptado y sentía la misma exasperación que cualquier padre ante un hijo difícil. Se encontró ridículamente preso de una emoción que le producía un nudo en la garganta.

—Bueno, a lo mejor podrías aconsejarme —sugirió con mucho tacto.

—Olvídelo —replicó Scuff.

—¿No quieres aconsejarme? —le preguntó Monk, sorprendido.

Scuff le miró con ojos como platos.

—¡Ése es mi consejo! No va a encontrarlo.

—Puede que no, pero voy a intentarlo —dijo Monk con firmeza—. Asesinó a un hombre e hizo que pareciera un suicidio, de modo que el pobre hombre fue enterrado fuera del camposanto y toda su familia lo creyó un cobarde y un pecador. Por poco le partió el corazón a la hija menor, que se pasó día y noche tratando de demostrar que no era nada de eso. Ahora todo indica que a ella también la mataron. Y lo único que han hecho ha sido enterrarla en tierra no consagrada y tildarla de suicida.

Scuff dio un par de saltitos para no rezagarse.

—Menuda bobada —soltó, aunque había admiración en su voz—. Bueno, si nadie se lo dice, supongo que será mejor que le eche un cable. ¿Cómo es ese hombre que mató al padre de la chica?

Monk pensó unos instantes. ¿Qué riesgo había en contárselo a Scuff? Si le decía vaguedades, ninguno.

—Delgado, pelo negro —contestó.

Scuff lo miró con ceño.

—No confía en mí —masculló.

Monk sintió una punzada de culpabilidad. ¿Cómo podía reparar aquella ofensa?

—De acuerdo. Lo que ocurre es que no quiero que te veas implicado —dijo—. Si mata por dinero, no se lo pensará dos veces antes de deshacerse de ti en cuanto te tenga a tiro.

—¿A mí? —Scuff se mostró indignado—. ¡Yo no estoy ni la mitad de verde que usted! ¡Sé cuidar de mí mismo! ¡Se piensa que no tengo sesos!

—Pienso que tienes sesos de sobra, ¡los suficientes para acercarte demasiado a él y salir mal parado! —replicó Monk—. ¡Déjalo correr, Scuff! Es asunto de la policía. Además, llevas razón —agregó—. Lo más probable es que nunca lo encuentren. Pero es el hombre que le pagó el que me interesa de verdad.

Scuff caminó en silencio unos cincuenta metros. Cruzaron una calle y siguieron adelante.

—¿Enterrarán a esa chica como Dios manda? —preguntó finalmente.

—Me ocuparé de que así sea —contestó Monk complacido de que Scuff comprendiera el meollo del asunto tan deprisa—. Tengo frío. ¿Te apetece beber algo caliente?

—No me importaría —repuso Scuff, aunque de mala gana—. Si a ese hombre no lo mataron en el río, ¿por qué no se encargan los polis normales?

—También ellos se ocupan del asunto.

Doblaron la esquina alejándose del río y del viento más fuerte. Las aceras estaban resbaladizas a causa del hielo. Un carro de carbón traqueteaba ruidosamente por el adoquinado de la calzada; los caballos parecían echar humo al respirar.

—Seguro que tampoco se fía de ellos —dijo Scuff.

—No es una cuestión de confianza —repuso Monk—. Necesitamos toda la ayuda que podamos encontrar. ¡Estamos buscando a un hombre por todo Londres que se gana la vida matando gente! Sé qué aspecto tiene pero nada más. Disparó contra un hombre y causó la muerte de su hija. Es posible que una persona inocente ingrese en prisión por el asesinato y que quien le pagó se salga con la suya. Y lo que es peor: nunca demostraremos el verdadero motivo que le empujó a hacerlo, ¡y podría producirse un hundimiento en uno de los túneles del nuevo alcantarillado que segara la vida de un montón de hombres! ¡Por más difícil que sea, tengo que intentarlo! De modo que vayamos a tomar un té y una empanada caliente, ¡y basta de enfurruñarse!

Scuff reflexionó sobre todo aquello durante unos minutos.

—¿Sólo sabe que es flaco y tiene el pelo negro? —preguntó por fin con una sonrisa radiante—. ¡El que lo vio seguro que sabe algo más!

—Tenía la nariz afilada y los ojos más bien grandes —contestó Monk—. Azules o grises. Y los dientes más puntiagudos de lo normal.

Scuff se encogió de hombros.

—Vaya, vaya. Pues entonces a lo mejor lo encuentra. Hay un tipo que vende empanadas muy ricas allí, al otro lado de la calle.

—¿Y té?

Scuff puso los ojos en blanco.

—¡Pues claro que tiene té! ¿Dónde ha visto una empanada sin té?

Por la tarde Monk retomó sus obligaciones con la patrulla fluvial obligándose a apartar de la mente el caso Havilland y sus implicaciones. Había que ocuparse de los robos. Se lo debía a Durban y, más aún, a Orme. Tampoco había que olvidar el asunto de Clacton. Era muy consciente de que lo había puesto en su sitio sólo por un tiempo. Clacton estaba al acecho, aguardando la oportunidad de pillarle en otra flaqueza o equivocación. Se trataba de algo más que de dinero. ¿Su propio ascenso? ¿Para complacer a un tercero? ¿Sencillamente para que le pusieran otro jefe, uno a quien manipular más fácilmente?

El motivo era lo de menos. El asunto no podía esperar más. Orme, como mínimo, aguardaba a que Monk hiciera algo al respecto. Quizá los demás también. ¿Acaso Runcorn había temido a Monk del mismo modo, como una de las cargas propias del liderazgo que deben soportarse hasta hallar el modo de resolverlas? Hizo una mueca al pensarlo.

En el río hacía frío, la marea subía deprisa y picada, y Monk estuvo muy atareado en el caso del robo de un almacén. A las seis y media éste quedó resuelto y se encontró a solas en un viejo embarcadero más allá de King Edward's Stairs. La oscuridad era absoluta bajo la mole de un almacén medio quemado. En la orilla opuesta las luces emitían destellos borrosos por culpa del viento. Los marineros de las gabarras se hablaban a gritos surcando las aguas que tenía a sus pies y las rachas de viento entrecortaban sus voces y distorsionaban sus palabras.

Oyó el golpe de la lancha contra la escalera de embarque y unos pies que subían, luego la robusta silueta de Orme se recortó contra el débil resplandor del agua.

Monk fue a su encuentro.

—Encontré el cargamento —dijo a media voz—. ¿Han hallado la barca que usaron?

—Sí, señor. Butterworth ha ido a echarles una mano. Me han dicho que los de la Policía Metropolitana arrestaron a Sixsmith. ¿Es verdad? Debo confesar que pensaba que era Argyll. No he sido tan listo como creía —añadió atribulado.

—Yo también lo pensaba —dijo Monk—. Y aún lo pienso.

Contó a Orme en pocas palabras que tenía intención de hallar al asesino. Orme se mostró dubitativo.

—Tendrá suerte si llega a verle el pelo, señor Monk. Pero le ayudaré en lo que pueda. Si alguien lo conocía, será un hombre del río o un tipo de esos que viven en los túneles, o en Jacob's Island. Podría ser un marinero de paso y que a estas alturas ya esté camino de Birmania o en las junglas de Panamá, o en el cabo de Buena Esperanza.

—No se trataba de un marinero —dijo Monk convencido—. Tenía el rostro pálido, era delgado, y usó una pistola; de hecho, parece ser que la del propio Havilland. Aunque este homicidio se planeó con mucho cuidado. Así que tal vez fuera él mismo, en lugar de Havilland, quien compró el arma en la casa de empeños. Creo que es un sicario y que se gana la vida matando.

—Hay quien lo hace —corroboró Orme.

La conversación derivó hacia la trampa que estaban tendiendo no sólo para atrapar a los autores de los robos a bordo de barcos de pasajeros, sino también para que los condujera, con pruebas, a la mano que movía los hilos. Monk y Orme esperaban sinceramente que se tratara de Fat Man.

—Será peligroso —advirtió Orme—. Las cosas pueden ponerse feas.

Monk sonrió.

—Sí, me consta. En este asunto ha habido algo muy feo desde el principio.

Monk contaba con que Orme respondiera, tal vez para negarlo, pero se quedó callado. ¿Por qué? ¿No entendía a qué estaba aludiendo Monk, o acaso ya conocía la respuesta? ¿Por qué tenía que confiar en Monk, un recién llegado a la Policía Fluvial? Apenas lo conocía. Nunca se habían enfrentado juntos a un peligro real aparte del que entrañaban las aguas agitadas por el mal tiempo, una gabarra que hubiese perdido el control, el trabajo nocturno en el río donde un patinazo a oscuras podía ser letal. Eso no bastaba para poner a prueba el coraje o la lealtad de los compañeros. La confianza había que ganársela, y sólo un loco pondría a ciegas su vida en manos de otro hombre.

¿O acaso Orme estaba protegiendo a alguien? ¿Era concebible que quisiera que Monk fracasara estrepitosamente para así ocupar su puesto? Orme lo merecía. Los hombres confiaban en él, tal como hiciera Durban. Lo cual llevó a Monk a plantearse otra vez la vieja cuestión: ¿por qué Durban había recomendado a Monk para el puesto y no a Orme? Carecía de sentido, y de pie allí, a oscuras en la ventosa orilla con los constantes bofetones del agua contra las piedras, se sintió tan expuesto como si hubiese estado desnudo a plena luz.

Con todo, formuló la pregunta:

—¿Quién hizo correr el rumor de que somos corruptos? Alguien tuvo que iniciarlo.

—No lo sé, señor. —La voz de Orme era grave y dura—. Pero como que me voy a morir que pienso averiguarlo.

Oyeron el golpeteo de la lancha contra la escalera. Tenían que salir a patrullar. Ninguno de los dos dijo nada más. El plan se pondría en marcha a la tarde siguiente. Había mucho que revisar y preparar hasta entonces.


Si querían echarle el guante a Fat Man necesitaban que los ladrones robaran un artículo tan valioso que no pudieran repartírselo como harían con un botín de dinero ni romperlo como rompían las joyas para vender las piedras por separado. Tenía que ser algo que sólo tuviera valor en su entereza, algo que además fuera demasiado especial y valioso como para que pudieran venderlo por su cuenta.

Monk y Orme habían obtenido permiso de Farnham para tomar prestada una exquisita talla de marfil y oro. Intacta, valía una fortuna; rota, sólo el peso del oro, que representaba una cifra sorprendentemente baja. Con un simple vistazo cualquier carterista sabría que valía lo suficiente como para mantenerla durante una década, siempre y cuando encontrara un buen comprador.

Farnham había insistido en que la llevara el propio Monk.

—Hará bien el papel —dijo torciendo la boca al pasarle la figura envuelta en un paño de gamuza. Admiró ostensiblemente el buen corte de su chaqueta y la camisa blanca con la corbata de seda, y luego los pantalones perfectamente planchados y las botas lustradas. Aquellas prendas eran reminiscencias de los años anteriores al accidente, cuando buena parte de su dinero iba a parar a manos del sastre. No reflejaban la moda de una temporada, como habría sido el caso en un vestido de mujer, sino una elegancia intemporal. Hablaban de dinero antiguo, de buen gusto innato, no del que se adquiere para impresionar al prójimo. Farnham quizá no fuese capaz de describirlo, pero sabía lo que significaba. Resultaba inapropiado en un subordinado, motivo por el que la sonrisa de Farnham molestó a Monk. Recordó lo mucho que había odiado Runcorn su manera de vestir y se sintió aún más incómodo.

—Gracias, señor.

Monk cogió la talla y la metió en el bolsillo interior de su abrigo. Abultaba en exceso.

—Cuídela bien, Monk —advirtió Farnham—. ¡Cerrarán la Policía Fluvial si la pierde! Con el rumor que circula, nadie se creerá que no nos la hemos apropiado nosotros.

Monk se inquietó. ¿Se dirigía derecho a una trampa a sabiendas y era tan estúpido como para caer en ella? ¿O estaba tan maniatado que no tenía otra opción?

—Sí, señor —dijo con voz ronca, como si el aire del río le hubiese irritado la garganta.

—Orme le entregará un arma después —agregó Farnham—. Por ahora tiene que ir desarmado. Un ladrón detectaría hasta una navaja y sabría que algo va mal. Es una lástima. Le deja a usted en una posición muy vulnerable, pero no hay nada que hacer. —Seguía sonriendo, sin mostrar apenas los dientes—. Buena suerte.

—Gracias. —Monk se volvió y salió a la sala principal donde los demás hombres aguardaban. Dos de ellos iban de paisano y se mezclarían con el pasaje para vigilar de cerca a los ladrones. El resto permanecería en sus respectivas lanchas policiales preparado para ir detrás de cualquiera que intentase escapar por agua.

Orme asintió con la cabeza e indicó a los hombres que se pusieran en marcha. Monk reparó, con un escalofrío y la boca seca, en que todos portaban dagas sujetas al cinturón. Tres de ellos también llevaban armas adicionales que entregarían a los agentes disfrazados si la operación desembocaba en violencia. Monk no sabía si había luchado cuerpo a cuerpo en los años anteriores al accidente, pero desde luego tenía muy claro que desde entonces no lo había hecho. No era un agente de uniforme sino un detective. Ya era demasiado tarde para preguntarse si estaba listo para hacerlo, si era lo bastante fuerte, lo bastante rápido, incluso si manejaría la daga con destreza.

Siguió a los hombres y salieron al exterior azotado por el viento. Todos estaban preparados, conocían sus deberes, el plan principal y las contingencias. No había más que decir.

En el embarcadero, Orme distribuyó a los hombres armados en tres lanchas que zarparon río arriba. Monk y los otros dos que iban vestidos de paisano tomaron un coche de punto hasta Westminster, donde subieron a bordo del primer transbordador con destino a Greenwich.

La corriente era mansa pero el viento cortante. Mientras el transbordador se adentraba en el río, Monk se alegró de reunirse con los demás pasajeros bajo cubierta en la atestada cabina que proporcionaba cierto refugio. Había otras cincuenta personas a bordo, como mínimo: hombres, mujeres y varios niños. Todos llevaban abrigo de invierno, sombrero y bufanda, prendas que ofrecían mil escondrijos donde ocultar lo extraído de los bolsillos ajenos. Un caballero obeso llevaba un abrigo con cuello de pieles desabrochado que se agitaba al caminar. Podría haber escondido media docena de paquetes de una libra de azúcar sin que los bultos se notaran en su persona.

Una mujer delgada envuelta en grandes chales regañaba a tres niños que la seguían en fila. Parecía un ama de casa normal y corriente, pero también podría ser quien pasara los objetos robados que recibiría de los carteristas hasta que éstos, a salvo ya de toda sospecha, fueran a recuperarlos. Más adelante le entregarían su parte del botín.

El plan consistía en que, si no le robaban durante el trayecto hasta Greenwich, se encontraría con uno de los agentes de paisano y le mostraría la talla como si tuviera intención de vendérsela. El policía fingiría no estar interesado y Monk regresaría a Westminster. No quería imaginar siquiera lo que podía ocurrir si los ladrones se hacían con ella y no lograba arrestarlos.

A lo largo del trayecto el barco efectuaba varias escalas en las que cualquiera podía desembarcar. Si arrestaban a los ladrones demasiado pronto el conjunto de la operación resultaría un fiasco. La policía tendría a los culpables de los robos, pero no al cerebro de éstos.

Un hombre chocó contra Monk, se disculpó y siguió su camino. Monk se llevó las manos al bolsillo. La talla seguía allí.

Volvió a ocurrir lo mismo varias veces. Estaba tan nervioso que tenía los dedos entumecidos y temblorosos.

Butterworth se lo llevó por delante y se disculpó, empleando la contraseña para hacerle saber que le habían robado. ¿Por qué no había desaparecido la talla? ¡Si no se la arrebataban nunca darían con Fat Man!

Habían dejado atrás los muelles de Surrey y avanzaban rumbo a Limehouse Reach.

Diez minutos después el bolsillo estaba vacío ¡y Monk ni siquiera lo había notado! El pánico se apoderó de él y le bañó el cuerpo entero de sudor frío. No sabía quién había cogido la talla, ni siquiera si se trataba de un hombre o de una mujer. Dio media vuelta. ¿Dónde estaba Butterworth?

—Flaco, bigote, cara triste, como de rata —dijo el agente Jones casi junto a su codo—. Por allí, camino de la cubierta superior.

Monk se encontró jadeando de alivio, apenas capaz de llenar los pulmones de aire. ¿Debía decir que sabía quién había robado la estatuilla? La mentira murió en sus labios. Jones habría advertido en su reacción que no era verdad.

—Gracias —dijo en cambio—. Ése es el que hay que vigilar, los demás no importan.

Butterworth estaba a unos dos metros del hombre del bigote. Fingía buscar algo en los bolsillos de su abrigo pero no le quitaba el ojo de encima. Él también lo había visto. Ambos eran buenos, más rápidos que Monk.

El barco llegó al muelle de Dog and Duck Stairs y el hombre que había robado la talla saltó a tierra. Monk, Jones y Butterworth hicieron lo propio junto con otra media docena de pasajeros.

El ladrón enfiló el muelle retrocediendo hacia la dársena de Greenland Dock. Había oscurecido y el viento anunciaba lluvia. Las farolas se encendían una tras otra. En cierto modo era la hora más complicada para no perder de vista a un sujeto. Las sombras resultaban engañosas; pensabas que veías a alguien y de repente ya no lo veías. Había manchas de luz y largos trechos de penumbra. El ruido, el movimiento y los reflejos cambiantes del agua estaban por todas partes.

Monk, Jones y Butterworth avanzaban por separado con la intención de darse tres oportunidades para no perder al ladrón. Sería mejor arrestarlo y no atrapar a nadie más que perder la talla. Aunque entonces todo el dispositivo habría fracasado. Un ladrón sólo era un ladrón. Habrían mostrado sus cartas a cambio de nada.

Había otro hombre en las sombras. Monk se detuvo por miedo a alcanzarlos y ser visto. Entonces se dio cuenta de que no debería haberse parado. Había atraído la atención hacia él. Llevaba años sin hacer aquella clase de trabajo. Retrocedió un par de metros y se agachó fingiendo recoger algo que se le había caído y luego reanudó su camino. El desconocido dio alcance al ladrón. Su silueta bajo la farola le resultó familiar. Era bajo y gordo, y llevaba un abrigo largo y sombrero sin ala. Le había visto a bordo del barco. ¿Se trataría de otro ladrón?

Un tercer hombre se había unido a ellos cuando giraron a la derecha y bajaron por otra escalera antigua hasta el agua. Una barca los aguardaba y casi de inmediato la oscuridad los engulló.

Monk se quedó solo, desplazando el peso del cuerpo de un pie al otro, mientras escrutaba con angustia la negrura en busca de Orme. ¿Dónde demonios estaba? Había gabarras remontando el río. Sus luces de navegación emitían destellos. Un viento gélido gemía en los postes rotos del embarcadero.

Monk oyó un ruido a sus espaldas. Giró sobre sí mismo. Había un hombre a unos tres metros de él. Ni siquiera le había oído acercarse. Monk iba desarmado y detrás de él sólo tenía el río.

Una barca se detuvo junto a la escalera. Monk se dirigió a ella a grandes zancadas y vio cuatro hombres a bordo, tres de ellos a los remos, en formación policial. Había sitio para otros dos; a pesar de las estrecheces, no sería peligroso. Orme ocupaba la popa. Monk no le veía la cara pero reconoció su silueta recortada contra la cambiante superficie del agua.

Monk bajó la escalera tan deprisa como pudo resbalando en la piedra mojada y cubierta de verdín. Orme le tendió la mano y lo sostuvo cuando se precipitó hacia delante en el último escalón. Cayó con torpeza en la lancha y se incorporó para ocupar de inmediato uno de los asientos. Acto seguido sus manos asieron un remo y se dispuso a bogar con todo su peso en cuanto dieran la orden.

Butterworth bajó la escalera, subió a bordo y se agazapó en la proa. Una vez dada la voz se adentraron en la corriente y remaron hacia atrás con ahínco para dar alcance a la barca de los ladrones.

Nadie habló; cada hombre se concentraba en el batir de su remo. En la popa, Orme forzaba la vista para penetrar en la penumbra y, contrarrestando el balanceo que causaban las estelas de las gabarras que iban río arriba y abajo, esquivar los barcos fondeados que aguardaban la luz del día para descargar en las dársenas.

¿Hacia dónde se dirigían? Monk supuso que hacia Jacob's Island. Intentó distinguir en la oscuridad las caóticas siluetas de la orilla. Distinguió el negro perfil de las grúas recortado contra el cielo, así como los mástiles de unos cuantos barcos. El horizonte de tejados se interrumpía señalando la entrada a una dársena, luego más almacenes, esta vez irregulares, algunos abiertos al cielo, con los muros ladeados como si se hundieran en el fango. Llevaba razón: Jacob's Island.

Diez minutos después estaban todos en la orilla mojada y cubierta de escombros avanzando lentamente y con sigilo, tanteando el suelo con el pie antes de dar cada paso por si la basura ocultaba la trampa que representaba un tablón podrido. En algún lugar delante de ellos los ladrones se estaban reuniendo. A partir de los robos había contado diez.

Monk empuñaba un puñal que le había entregado Orme. El

peso del arma le resultaba extraño pero sumamente tranquilizador. Dios quisiera que supiese cómo usarla si se veía obligado a hacerlo.

Siguieron adelante, ocho policías fluviales rodeando a un número impreciso de ladrones, y tal vez también a sus peristas. De pronto se hallaron dentro de los primeros edificios, restos de almacenes abandonados cuyos sótanos ya estaban inundados. El hedor agrio que despedía el lodo depositado por la marea, a cloaca, desperdicios y ratas muertas resultaba nauseabundo. Todo parecía en movimiento, chorreante como si el edificio entero se fuera deslizando en el fango, hundiéndose centímetro a centímetro. Una rata se escabulló por las tablas hasta dejarse caer en una charca. Los sonidos huecos de la noche se apagaron de nuevo. Allí no sonaba el palmoteo vivo de la marea, sólo el crujido de la madera al asentarse, romperse y combarse.

Más adelante percibieron voces y luz. Monk, puñal en mano, se escondió tras una puerta y observó. Vio las siluetas de nueve hombres en cuclillas que no eran más que bultos, sombras en la penumbra, pero el hombre con la talla de marfil estaba allí.

Monk se quedó inmóvil, casi sin respirar. No alcanzaba a oír lo que decían pero sus movimientos eran elocuentes. Estaban dividiendo el botín del día. Sintió un nudo en el estómago al ver tal abundancia de objetos robados. Era mucho más de lo que había esperado.

Aguardó. Orme estaba en algún lugar a su izquierda, Butterworth a su derecha; Jones y los demás habían ido por detrás para rodearlos.

Los ladrones estaban discutiendo sobre cómo vender la talla de marfil. La discusión parecía no tener fin. No eran nueve sino diez. Monk seguramente los había contado mal momentos antes. Estaba helado hasta la médula, tenía los pies entumecidos y los dientes le castañeteaban. La perspectiva no era buena. Él sólo tenía que vérselas con siete hombres. Pero lo que importaba era la estatuilla; ante todo debía recobrarla; eso y dar con Fat Man.

La pestilencia del fango resultaba asfixiante.

¿Por qué no se ponían de acuerdo en lo más obvio y le llevaban la talla a Fat Man? Era el rey de los peristas. Les daría más que nadie porque sabría encontrar un comprador.

¡No iban a hacerlo! ¡Sabían que Fat Man se quedaría con la mitad, de modo que intentarían venderla por su cuenta! Entonces lo único que lograría Monk sería recuperar la talla y arrestar a un puñado de rateros. Quizá cesaran los robos durante una o dos semanas, pero ¿qué importaba eso? Instintivamente se volvió hacia Orme y vio su rostro por un instante a la débil luz de las velas de los ladrones. La expresión de derrota de Orme pellizcó las entrañas de Monk como si fuese el responsable directo del fracaso.

Otra rata se escabulló a la carrera. Entonces se oyó un ruido distinto, más amortiguado, como producido por un objeto de mayor peso. Monk sintió que le daba un vuelco el corazón. Orme se volvió en el mismo instante que él y ambos vieron la sombra de un hombre desaparecer entre las paredes combadas.

Monk dio media vuelta. A su derecha Butterworth aguzaba el oído. Él también había percibido algo y forzaba la vista, hacia donde Monk había visto desaparecer al hombre. Butterworth miraba fijamente hacia unos cinco metros más allá.

Monk estaba aterido. La mano que empuñaba el puñal era como de hielo. Temblaba de la cabeza a los pies.

La primera vez había estado en lo cierto. De los diez ladrones, uno se había largado, traicionando a sus colegas. ¿A quién habría avisado?

La respuesta ya estaba surgiendo en la mancha de luz de las velas en lo que quedaba de habitación. De pronto se materializó un hombre grotescamente obeso. Envolvía su hinchada barriga con un chaleco de satén, su rostro abotargado era todo sonrisas y sus ojos semejaban agujeros de bala en un muro de yeso blanco.

El silencio se apoderó de los ladrones como si los tuviera cogidos por el cuello.

—¡Bien! —susurró Fat Man con una voz sibilante—. Qué bonito trabajo.

Monk no supo si aludía a la traición o al marfil.

Un hombre soltó un grito y acto seguido se contuvo.

Fat Man hizo caso omiso.

—Disciplina, disciplina... —Sacudió la cabeza y sus enormes carrillos se agitaron—. Sin orden, perecemos. ¿Cuántas veces os lo he dicho? Si me hubieseis entregado eso a mí, abierta y francamente como habíamos acordado, lo habría vendido y os habría dado la mitad. —Apretó los labios. Se quedó inmóvil—. Pero como he tenido que tomarme la molestia de venir a buscarlo en persona y traer a mis hombres conmigo, tendré que quedarme con todo lo que saque. Gastos, ¿entendéis?

Nadie se movió.

—Y disciplina... Siempre disciplina —prosiguió Fat Man—. No puedo permitir que las cosas se desmadren. ¡De ningún modo! —Ladró la última palabra cuando uno de los ladrones hizo ademán de ir a levantarse llevándose la mano a la cintura en busca del arma—. Qué estúpido, Doyle. Eres idiota de remate. ¿Supones que he venido desarmado? Vamos hombre, ¡me conoces muy bien! O quizá no tanto, de lo contrario no habrías intentado ninguna artimaña.

Pero Doyle estaba demasiado enojado como para hacer caso a una advertencia. Se sacó una daga del cinto y se abalanzó sobre Fat Man.

Fat Man gritó y acto seguido las sombras cobraron vida. Se produjo un amasijo de cuerpos jadeantes, de brazos y piernas. La luz de las velas se reflejaba en los arcos brillantes que trazaban las navajas y puñales. En menos de un minuto Monk se dio cuenta de que los seguidores de Fat Man acabarían venciendo. Eran más e iban mejor armados.

Orme miraba fijamente a Monk, aguardando la orden.

Por un nauseabundo instante de ceguera Monk deseó escapar. ¿Cuántos hombres podía perder en una refriega con armas blancas a la luz de las velas, enfrentándose a los ladrones y a los hombres de Fat Man a la vez?

¿Qué probabilidades tenían de salir bien parados? Eran policías. Llevaban el uniforme de la reina. ¿Acaso Fat Man iba a llevarse la talla mientras ellos se quedaban mirando como un atajo de cobardes? Monk supo exactamente a cuántos hombres perdería en ese caso: a todos.

—¡Adelante! —ordenó, e irrumpió en la habitación el primero en pos de Fat Man.

Los momentos siguientes fueron violentos, dolorosos y aterradores. Monk arremetió en lo más reñido de la pelea y al principio se le hacía raro empuñar el puñal. Dudaba entre clavarlo o utilizar el filo. Un hombre delgado, escuálido casi pero asombrosamente fuerte le golpeó de refilón el brazo con una porra. El dolor devolvió a Monk a la realidad avivando su furia. Blandió el puñal contra el canijo y falló. Una navaja le rajó el hombro derecho y notó la sangre correr por su brazo. Esta vez el arma no erró y la sacudida de la hoja contra el hueso lo estremeció.

Pero una vez que le hubo subido la bilis a la boca no tuvo tiempo de pensar en lo que había hecho. Orme estaba a su derecha, en apuros, y Clacton forcejeaba un poco más allá. Jones fue a socorrerlo. ¿Dónde estaba Fat Man?

Monk se volvió y lanzó un golpe de puñal al atacante de Orme alcanzándole sólo la manga. Luego, sólo se oyeron los chasquidos metálicos del acero, mientras el olor a sudor y sangre tapaba el hedor del limo.

Monk cayó de bruces al recibir un empujón por detrás, pero logró apartar su propio puñal en el último instante. Rodó sobre sí mismo y se incorporó. La emprendió a golpes de filo y consiguió hundir el arma en la carne del adversario. Se oyó un aullido y varios juramentos. Al menos era más fácil reconocer a sus hombres gracias a las guerreras del uniforme, aunque casi todos habían perdido la gorra durante la pelea.

Una suerte de memoria muscular devolvió a Monk la destreza para esquivar y embestir, para agacharse, mantenerse de pie, arremeter y golpear. La sangre le ardía y de un modo desaforado casi disfrutaba con ello. Apenas sentía su propio dolor.

De repente se vio acorralado en un rincón. Tenía dos hombres delante, y pronto llegó un tercero. El miedo era angustiante. ¿Cómo se había dejado atrapar en una lucha tan desigual?

Una daga se alzó. La vio relucir a la luz de las velas y, por un instante, un par de metros más allá, vislumbró el rostro de Clacton. Estaba mirándolo con una sonrisa, y no iba a ayudarlo.

Monk no tenía escapatoria, no podía moverse ni a la izquierda ni a la derecha. Se enfrentaría a uno de ellos, al menos, a dos si era posible. No tenía espacio para levantar el arma, pero entró a fondo clavándosela al hombre que tenía a la izquierda, esperando sentir en cualquier momento un filo hundiéndose en su pecho y luego la oscuridad, el olvido.

Trató de sacar la hoja del cuerpo del enemigo, pero había alguien encima, pesado, sin vida, inmovilizándole el brazo. Entonces vio a Orme liberando su propia daga, y comprendió lo ocurrido.

—Démonos prisa, señor —dijo Orme en tono apremiante—.

Hemos hecho un buen trabajo. Uno de los hombres de Fat Man ha matado al ladrón que tenía la talla y ahora ésta está en poder del propio Fat Man. Hay que volver a las lanchas.

Monk reaccionó sin vacilar. Que los ladrones siguieran peleando entre sí. Tenía que atrapar a Fat Man y recuperar la talla. Aún podían ganar, quizá más deprisa y sonadamente que con el plan original. Quitó al ladrón muerto el alfanje con que un momento antes había estado a punto de matarlo. Estremeciéndose y dando traspiés volvió a atravesar el edificio en ruinas tras los pasos de Orme. Tropezó con escombros y cayó varias veces al suelo pero al salir a la noche invernal, bañada por luna, Orme sólo iba un par de metros por delante de él. A unos seis metros de ellos Fat Man avanzaba esforzadamente con el abrigo agitándose como un par de alas rotas y el puño en alto aferrando algo. Tenía que ser la talla.

Orme le estaba dando alcance. Monk se obligó a correr más deprisa. Casi los había alcanzado cuando llegaron al borde del embarcadero podrido que se adentraba unos quince metros en el río. Una barca aguardaba a Fat Man y los hombres de Orme no estaban a la vista.

Fat Man se volvió con un gesto de triunfo.

—¡Buenas noches, caballeros! —dijo con regocijo y sarcasmo—. ¡Gracias por el marfil!

Se metió la talla en el bolsillo y giró en redondo. Un crujido anunció la rotura del último tablón bajo su enorme peso. Por un espantoso instante no comprendió qué ocurría. Entonces, al ceder el suelo, gritó y agitó los brazos desesperadamente. Pero no había de dónde agarrarse, sólo bordes podridos que cedían. El agua negra lo engulló con un ruido de succión, tragándoselo de un solo bocado. Un momento después sólo volvían a oírse los rítmicos sorbetones del agua, como si Fat Man nunca hubiese existido. Sus pesadas botas y el enorme cuerpo lo habían hundido hasta el fondo, y allí el fango lo había apresado igual que argamasa.

Orme y Monk se detuvieron en seco.

El barquero de Fat Man los vio y se apresuró a coger los remos y desaparecer en la noche. Bajo el resplandor de la luna el agua estaba moteada de plata y resultaba fácil verlos. Una de las lanchas policiales salió de detrás de los postes del siguiente embarcadero en persecución de los huidos. Una segunda fue al encuentro de Monk y Orme, y después una tercera.

—Tiene el marfil —dijo Monk, que no experimentaba ninguna sensación de victoria. Farnham lo consideraría un precio demasiado elevado por el triunfo obtenido y se encargaría de que Monk no lo olvidara.

—Lo sacaremos de ahí —le aseguró Orme con calma.

—¿Sacarlo? ¿Cómo? No podemos bajar. Un buzo se perdería en cuestión de minutos. ¡Es puro lodo!

—Con unos garfios —contestó Orme—. La corriente que hay ahora nos ayudará a encontrarlo. La lleva en el bolsillo. Ahí estará a salvo. —Miró a Monk de arriba abajo con preocupación—. Le han hecho un corte muy feo, señor. Más vale que se lo haga mirar. ¿Conoce a algún médico?

De pronto Monk fue consciente de que el brazo le dolía y de que tenía la manga empapada en sangre. ¡Maldición! Era un abrigo muy bueno. O lo había sido.

—Sí —dijo distraídamente, pensando que sería lo más sensato—. Pero ¿qué pasa con Fat Man? Podría hundirse en el cieno hasta que éste lo tapara por completo.

—No se inquiete, señor. Enseguida traeré a un destacamento con garfios. Sé muy bien lo que vale esa talla. —Sonrió y sus dientes brillaron a la luz de la luna—. Y estaría bien sacar a ese viejo cabrón y poder enseñarlo, mejor que limitarse a hacer correr la voz.

—Tengan cuidado —advirtió Monk—. ¡Empapado y cubierto de fango pesará media tonelada!

—¡Por lo menos! —Orme se echó a reír, como si acabara de caer en la cuenta de lo cerca que habían estado de fracasar, y sin conocer todavía la gravedad de las heridas que habían sufrido sus hombres, o si alguno había muerto.

Entonces Monk se acordó de Clacton. ¿Sabía Orme que no había intervenido a propósito? Si lo sabía, ¿haría algo al respecto? ¿Confiaría en que lo hiciera Monk? Mientras sopesaba la idea, Monk casi resolvió enfrentarse a Clacton tildándolo no ya de traidor, sino de mero cobarde. Quizá fuese la mejor manera de hacerlo.

Tendió la mano izquierda a Orme.

—Ha sido una buena noche —dijo con afecto.

—Sí, señor —convino Orme estrechándosela, también con la izquierda—. Muy buena. De hecho, mejor de lo que pensaba.

—Gracias —dijo Monk, y era sincero.

Orme lo advirtió.

—No hay de qué, señor. Lo hemos hecho bien. Pero más vale que el médico le vea ese brazo cuanto antes. Tiene mala pinta.

Monk obedeció y abordó con cierta torpeza la lancha que aguardaba. El brazo ya se le estaba agarrotando.

Casi una hora más tarde, de nuevo en la orilla norte y al filo de la medianoche, Monk por fin se sentó en una silla de madera en la pequeña trastienda de un médico a quien todos en el puerto llamaban Crow.* Monk le había conocido el año anterior por mediación de Scuff, cuando Durban vivía y trabajaba con él en el caso Louvain.

Crow sacudió la cabeza. Tenía la frente ancha y una larga y negra cabellera. Su sonrisa era amplia y luminosa, y revelaba una dentadura notablemente saludable.

—Así que los ha atrapado —dijo examinando el corte profundo del brazo de Monk mientras éste mantenía la vista apartada y concentraba su enojo en el abrigo destrozado.

—Sí —confirmó Monk apretando los dientes—. Y a Fat Man también.

—Será listo si consigue meterlo preso —dijo Crow haciendo una mueca.

—Ya lo creo —dijo Monk con un gesto de dolor—. Está muerto.

—¿Muerto? —Sin querer, Crow tiró del hilo con que estaba suturando la herida—. Perdón —se disculpó—. ¿En serio? ¿Está seguro? ¿Fat Man?

—Absolutamente. —Monk apretó aún más los dientes—. Un muelle podrido cedió bajo su peso, en Jacob's Island. Fue directo al lodo del fondo y no volvió a emerger.

Crow se mostró muy satisfecho.

—Qué final más apropiado. Se lo diré a Scuff. Se alegrará de que al menos resolviera eso. No se mueva. Esto le va a doler.

Monk soltó un grito ahogado y una oleada de náuseas se apoderó de él unos instantes mientras el dolor borraba todo lo demás. Luego percibió un olor penetrante y acre.

* En inglés, «Cuervo». (N. del T.)

—¿Qué demonios es eso? —inquirió, con los ojos llenos de lágrimas.

—Sales aromáticas —respondió Crow—. Se había puesto un poco verde.

—¿Sales aromáticas? —repitió Monk con incredulidad.

—En efecto —dijo Crow con una sonrisa—. De primera. Así que ha acabado con Fat Man. Eso le dará un buen espaldarazo a su reputación. Nadie lo había conseguido hasta ahora.

—Nuestra reputación estaba bastante necesitada de ayuda —dijo Monk, a quien aún le escocían los ojos—. Alguien ha hecho circular el rumor de que somos no sólo incompetentes sino, muy probablemente, corruptos. Me encantaría saber quién ha sido. Supongo que no tendrá usted alguna idea... —Miró a Crow fijamente.

Crow se encogió de hombros.

—¿Quiere la verdad?

—¡Claro que sí! —respondió Monk con aspereza pero con una nota de aprensión—. ¿Quién ha sido? No puedo seguir dando palos de ciego.

—En realidad no se trataba tanto de la Policía Fluvial como cuerpo sino de usted personalmente —contestó Crow—. Todos los que cuentan saben que en ningún caso fue Durban. Y el señor Orme es bastante buen hombre. No es culpa suya que sea policía.

—¿De mí personalmente? —Monk sintió que la herida del brazo le palpitaba con violencia. Costaba creer que sólo fuese un corte, nada de qué preocuparse, según había insistido Crow. Se curaría bastante bien si le daba ocasión—. ¡Pero aún no me ha dicho quién fue!

—Se ha ganado enemigos, señor Monk. Seguro que ha importunado a alguien muy poderoso.

—¡Eso es obvio! —espetó Monk. Cerró el puño con fuerza y en el mismo instante deseó no haberlo hecho.

Crow le dedicó una sonrisa.

—Pero también ha hecho amigos —apuntó—. El señor Orme se ocupó de que todos hicieran piña. Es mejor que no sepa más.

—Crow... —comenzó Monk.

Crow pestañeó y la sonrisa permaneció impávida.

—Cuide del señor Orme; es de los buenos. Leal. Y la lealtad vale un imperio. Voy a buscarle un coche de punto para que lo lleve a casa. De otro modo se caerá de narices, y eso no es nada apropiado para un héroe.

Monk lo fulminó con la mirada aunque en realidad le estaba agradecido; por los cuidados, por el coche de punto, pero sobre todo por estar al corriente de la lealtad de Orme. Decidió que a partir de ese momento se esforzaría más para merecerla.

Pero ¿quién había hecho correr el rumor de que era un hombre corrupto? ¿Argyll otra vez?

# 9

Mediaba el mes de febrero cuando Aston Sixsmith fue a juicio. Había estado en libertad bajo fianza desde poco después de su arresto, ya que sólo lo habían acusado de cohecho.

—Pero ¿podrás demostrar la complicidad de Argyll? —preguntó Monk a Rathbone la noche anterior al inicio de la vista. La herida de Monk se estaba curando bien y se hallaban cómodamente sentados ante un buen fuego en el domicilio de Rathbone. La lluvia repiqueteaba contra las ventanas y los canalones estaban a rebosar. Aún no habían encontrado al asesino pese a los esfuerzos empleados, y sus deberes en la Policía Fluvial habían consumido casi todo el tiempo de Monk desde la muerte de Fat Man. Había resultado una tarea espantosa enganchar con garfios el cadáver e izarlo a través del agujero abierto en el muelle. Sin embargo, para inmenso alivio de Monk y pese a los sentimientos encontrados de Farnham, la talla había sido recuperada. Si se hubiese perdido habría responsabilizado a Monk, no a sí mismo.

Tal como habían ido las cosas, Monk se había afianzado en su puesto y Clacton se mostraba mucho más conciliador. Obviamente, detestaba a Monk, pero algo lo empujaba a tratar a su nuevo jefe con respeto. Monk aún tenía que averiguar cuál era el verdadero motivo.

—Argyll es culpable de homicidio —insistió Monk ante Rathbone—. Y lo que resulta todavía más importante, seguimos expuestos al peligro del desastre en los túneles que Havilland temía.

—¡Pero no sabes decirme en qué consiste! —señaló Rathbone—. Están empleando las mismas máquinas que antes y no ha ocurrido nada.

—Soy consciente de ello —reconoció Monk—. He investigado todo lo que he podido, pero nadie quiere hablar conmigo. Los peones tienen miedo de perder sus empleos. Prefieren enfrentarse a un hundimiento futuro a morir de hambre a corto plazo.

—Haré cuanto pueda —prometió Rathbone—. Pero aún no tengo ni idea de cómo separar al Argyll culpable del relativamente inocente Sixsmith. Por no mencionar a la esposa de Argyll, quien sin duda tiene tanto miedo de enfrentarse a la verdad sobre él como teme el escándalo y la pérdida de su hogar. Y a Applegate, que asignó los contratos a Argyll, y a los peones completamente inocentes que manejan las máquinas. Y no nos olvidemos del comisario Runcorn, que fue quien dirigió la investigación sobre la muerte de Havilland y cargará con la culpa de haberla considerado suicidio y dar el caso por resuelto. ¿Estás dispuesto a que todos ellos caigan con él, mancillados con la misma brocha? ¡Culpables por complicidad!

—No —dijo Monk tajante—. No lo estoy.

—Bien, puede que haya que elegir entre arrastrarlos a todos para asegurarnos de atrapar al culpable o dejarlos en paz para asegurarnos de salvar a los inocentes —dijo Rathbone.

—Si llegamos a eso, entonces los dejaremos marchar —dijo Monk con dureza—. ¡Pero antes debemos intentarlo!

Rathbone lo miró con tristeza.

—Una acusación sin pruebas condenará a los inocentes y dejará libre al culpable.

Monk se quedó sin argumentos. Lo que Rathbone decía era cierto, y lo entendía muy bien.

—Ahora es demasiado tarde para echarse atrás.

—Podría retirar los cargos contra Sixsmith.

Llevado por algo más que su ira contra Argyll o la necesidad de vencer, Monk dijo:

—Debemos hacer cuanto esté en nuestra mano para averiguar si Havilland tenía miedo de un desastre real o sólo de abrir túneles a oscuras. Y si Mary también lo descubrió y por eso la mataron, no podemos volver la vista hacia otro lado.

Mientras lo decía tenía claro que eso no acababa de ser lo que le motivaba. Era más bien el rostro pálido de Mary manchado de agua del río lo que le obsesionaba. Incluso si todos los demás elementos se resolvían, nada de lo que hiciera bastaría hasta que su nombre quedara limpio y ella y su padre fueran enterrados como habrían deseado. Pero no había necesidad de que Rathbone lo supiese. Era una herida íntima, inextricablemente unida al amor que Monk sentía por Hester.

Rathbone estaba mirándolo.

—He investigado las máquinas de Argyll —dijo—. Son muy semejantes a las que usan los demás. De hecho, mejores, porque han sido rectificadas con destreza e ingenio sin que por ello resulten más peligrosas.

—¡Hay algo! —insistió Monk.

—Pues tráemelo —dijo Rathbone sin más.


A la mañana siguiente, en el Old Bailey, tras el nombramiento del jurado y el discurso de apertura, Oliver Rathbone inició la acusación. Su primer testigo fue Runcorn.

Monk se encontraba en la galería del público, sentado al lado de Hester. Ninguno de los dos era testigo, de modo que disponían de autorización para asistir. Miró de soslayo el rostro de su esposa. Estaba pálida, y supo que pensaba en Mary Havilland. Imaginó lo que debía de estar recordando acerca de su propia aflicción, de la sensación de impotencia y culpabilidad por no haber estado presente en el momento de la muerte de su padre. Siempre le rondaba la creencia, por peregrina que fuese, de que habría podido hacer o decir algo que alterara el curso de los acontecimientos. Monk no había presenciado su ira, y tampoco la había oído culpar a su hermano James de no haber sabido evitarlo. Nunca había arremetido contra él, que Monk supiera. ¿Cómo podía mantener a raya la amargura y la sensación de futilidad?

Entonces, de súbito, tuvo una idea. ¡Qué increíblemente estúpido había sido al no verlo antes! ¿Acaso no era su necesidad de entregarse a luchar contra el dolor, la injusticia, la impotencia, su manera de hacer que el pasado fuese tolerable? ¿Acaso su disposición a perdonar no nacía de su comprensión de lo que era fallarle a alguien? Trabajaba con todas sus fuerzas en Portpool Lane, no sólo para cubrir una ínfima parte de las necesidades de aquellas mujeres sino también para responder a la suya. Nada que no implicase librar batalla con todo el corazón sería suficiente para ella, jamás. Él estaba protegiéndola del peligro que corría porque temía por sí mismo, por miedo a lo que significaría perderla. Pensaba en sus propias noches de insomnio, en los riesgos que él imaginaba. Y obrando así no hacía más que agravar el peligro que la amenazaba en su fuero interno.

Obedeciendo a un impulso apoyó una mano sobre la de ella y la estrechó con ternura. Al cabo de un instante sus dedos respondieron. Monk sabía qué significaba ese momento. Era la asunción de la pérdida de algo íntimo que él le había arrebatado. Tendría que devolvérselo cuanto antes por mucho miedo que sintiera por Hester, o por él sin ella.

En ese momento Runcorn subía la breve escalera de caracol hasta el alto y expuesto estrado de los testigos. Se le veía incómodo, a pesar de que sin duda había prestado declaración ante un tribunal un sinfín de veces a lo largo de los años. Iba impecablemente vestido, casi con excesiva sobriedad, como para asistir a misa, con el cuello almidonado y demasiado prieto. Contestó a todas las preguntas de Rathbone con precisión, sin agregar nada. Su voz presentaba un nada característico tono de aflicción, como si también él estuviera pensando no tanto en James Havilland como en su hija Mary.

Rathbone le dio las gracias y se sentó.

Runcorn volvió un rostro adusto hacia Dobie, el abogado defensor, que se puso de pie, se alisó la toga y se plantó en medio del entarimado. Levantó la vista hacia el estrado de los testigos y miró a Runcorn entornando los ojos como si no estuviera seguro de lo que veía. Era un joven de rostro blando y una cabellera morena muy rizada.

—Comandante Runcorn; ése es su rango, ¿verdad? —preguntó casi con timidez.

—Sí, señor —contestó Runcorn.

—Muy bien. ¿Implica eso que posee una amplia experiencia en la investigación de muertes violentas, sean accidentes, suicidios o asesinatos?

—Sí, señor.

—¿Es bueno en ese cometido?

Runcorn lo miró desconcertado.

—Le ofrezco mis disculpas. —Dobie sacudió la cabeza—. Ha sido una pregunta injusta. La modestia le impediría contestar con sinceridad. Daré por sentado que lo es. —Miró por un instante a Rathbone como si esperara alguna objeción.

Rathbone no iba a protestar y ambos lo sabían.

—No tengo nada que objetar a la conclusión del señor Dobie, señoría, aunque no deje de parecer un poco prematura.

El juez endureció el semblante apreciando el modo en que Dobie había salido del aprieto.

En el banquillo, muy por encima del entarimado y donde los que ocupaban la galería tenían que estirar el cuello para verle, Aston Sixsmith estaba sentado agarrando la barandilla con ambas manos. Tenía los nudillos blancos y no apartaba los ojos de Dobie.

Dobie miró a Runcorn.

—¿Sería lícito suponer que se tomó la muerte de James Havilland muy en serio?

—Por supuesto.

Runcorn veía adónde conducía aquella pregunta, pero aun así no podía evitar la encerrona. Hacía mucho tiempo que había aprendido a no añadir nada que no fuera estrictamente necesario.

—¿Y sacó la conclusión de que se había quitado la vida él mismo?

—Sí, señor; la primera vez sí.

Runcorn se estaba esforzando para no revelar su inquietud con movimientos involuntarios. Parecía paralizado.

Dobie sonrió.

—Le preguntaré en su debido momento por qué juzgó necesario considerarlo una segunda vez. Porque lo juzgó necesario, ¿verdad? ¿No fue ningún otro motivo el que lo llevó a reabrir un caso cerrado? ¿Un favor debido, un sentimiento de piedad, por ejemplo?

—No, señor —respondió Runcorn, pero su rostro revelaba que no decía toda la verdad.

Monk se movió incómodo en su asiento. Anhelaba ayudar a Runcorn pero no estaba en condiciones de hacer nada en absoluto.

—¿Qué le llevó a concluir que Havilland se había matado? La primera vez, quiero decir —preguntó Dobie en tono amable.

—El que el arma estuviese a su lado, el que no hubiesen robado nada y la ausencia de indicios de allanamiento —dijo Runcorn, abatido.

—¿Había algo de valor que un ladrón pudiera haberse llevado?

—Sí, señor.

—¿Encontró alguna prueba de que el señor Havilland se sentía preocupado o angustiado antes de los hechos?

—Nadie esperaba que se quitara la vida —sentenció Runcorn.

—Suele ocurrir. —Dobie se encogió levemente de hombros—. Siempre resulta difícil imaginarlo. ¿A quién pertenecía el arma que empleó, perdón, que fue empleada, comisario?

Runcorn estaba tenso. Sus grandes manos se aferraban a la barandilla del estrado.

—A él.

—Y, por supuesto, lo verificó.

—Sí.

—¿Tendría usted la bondad de contar al tribunal qué le hizo cuestionar, dos meses después, su primera decisión? Ésta parece sumamente razonable; en realidad, se diría que era la única que podía tomar.

Runcorn se había puesto muy colorado, pero la mirada que devolvía a Dobie no vacilaba ni un ápice.

—Su hija también falleció en circunstancias trágicas y discutibles —contestó.

—¿Discutibles? —repitió Dobie con tono de incredulidad—. Pensaba que ella también se había quitado la vida. ¿Lo habré entendido mal? ¿No yace también en terreno destinado a los suicidas?

Fue su primer error táctico. Al lado de Monk, Hester cerró los ojos y las delicadas comisuras de sus labios se tensaron. Permaneció inmóvil, llena de recuerdos tan vívidos como antiguos. En el resto de la galería se oyó un ligero suspiro. Monk se volvió hacia los miembros del jurado y vio compasión y desagrado en sus rostros. Quizá no estuvieran en desacuerdo, pero encontraban cruel la alusión.

Dobie aún no se había percatado. Estaba aguardando a que Runcorn contestara.

—Fue la premura y la posible injusticia de ese hecho lo que me hizo volver a investigar la muerte del señor Havilland —contestó Runcorn en voz baja, visiblemente emocionado—. Conocí a Mary Havilland debido al fallecimiento de su padre. Siempre se mostró convencida de que lo habían asesinado. Entonces no le creí, pero eso me condujo a reabrir el caso y ahondar en él.

Un rubor de cólera encendió el rostro inexpresivo de Dobie.

—¿Está siendo sincero con nosotros, comisario? ¿No fue en realidad la visita de un tal señor Monk lo que provocó que investigara de nuevo? Es amigo suyo, ¿verdad? Y, por favor, no nos engañe.

—Monk y yo servimos juntos hace años —contestó Runcorn—. Ahora está en la Policía Fluvial. Como investigaba la muerte de Mary Havilland y se enteró de lo de su padre, vino a verme para saber con mayor detalle lo que había ocurrido.

—¿Y le refirió usted la conclusión que había sacado entonces, que Havilland se había pegado un tiro?

—Le facilité los pormenores de nuestra investigación. A la luz de la muerte de la hija, decidimos revisar el caso —dijo Runcorn con obstinación.

—¿Por si se había equivocado usted, comisario?

—Espero que no. ¡Pero si me equivoqué, soy lo bastante hombre como para admitirlo!

Segundo error táctico. Hubo un murmullo de aplauso en la galería.

Hester sonrió con expresión de aprobación.

Dobie intentó ridiculizar un poco más a Runcorn, pero finalmente se dio cuenta de que estaba haciendo un flaco favor a su cliente y le dejó marchar.

El médico forense dio un amplio margen a la posible hora en que se había cometido el crimen, en respuesta a las preguntas de Rathbone. Dobie lo hizo resaltar, pero no contraatacó.

Rathbone llamó a Cardman, que permaneció en el estrado con la rigidez de un soldado frente al pelotón de fusilamiento, con los labios apretados y blanco como la cera. Monk sólo podía imaginar lo mucho que detestaba esa situación. Con la mayor parquedad posible fue respondiendo a la preguntas de Rathbone sobre la carta que había recibido Havilland. Describió la reacción de éste, que mandó a la servidumbre a la cama diciendo que él mismo se encargaría de cerrar la casa antes de acostarse. Identificó la caligrafía del sobre como perteneciente a la hija mayor de Havilland, la actual señora Argyll. Rathbone le dio las gracias.

Dobie se puso de pie esbozando una sonrisa.

—Esto debe de resultarle muy desagradable.

Cardman no contestó.

—¿Vio el contenido del sobre?

—¡No, señor, por supuesto que no! —exclamó Cardman, perplejo.

La insinuación de que leía la correspondencia de su patrón le resultaba a todas luces repugnante.

—¿El señor Havilland le refirió el contenido de la carta?

—No, señor.

—¿Lo ignora, entonces?

—En efecto.

—¿Sabe dónde está esa carta ahora?

—El señor Havilland la destruyó, me parece.

—¿Le parece?

—¡Es lo que dijo la criada que se la entregó!

—De modo que la destruyó... Entiendo. —Dobie sonrió—. Quizás eso explique por qué sir Oliver no nos ha concedido el privilegio de leerla. Señor Cardman, ¿tiene alguna razón para creer que esa... carta... quizá guarde alguna relación con la muerte del señor Havilland?

Cardman soltó un profundo suspiro y contestó:

—No, señor.

—Yo tampoco —declaró Dobie. Se encogió de hombros y extendió las manos con las palmas hacia arriba—. ¡Nadie la tiene!

El primer testigo de la tarde fue Melisande Ewart. Runcorn, que ya había prestado declaración, era libre por ello de quedarse en la sala. Se sentó en la galería al otro lado del pasillo. Monk observó su espalda rígida, las manos crispadas, la mirada fija en el semblante de Melisande.

Ella se mantuvo de pie en el estrado, serena pero con las mejillas ligeramente encendidas.

Rathbone se mostró amable con ella, sonsacándole poco a poco el relato de la visita que le hicieran Monk y Runcorn, así como lo que les había dicho. Finalmente le hizo describir al hombre que salió del callejón de carruajes y chocó con ella.

—Gracias, señora Ewart —concluyó Rathbone—. Le ruego que permanezca en el estrado por si el señor Dobie desea hablar con usted.

Monk volvió a mirar al jurado y reparó en que sus rostros reflejaban tanto interés como aprobación. Melisande era una mujer dulce y de considerable belleza, y se conducía con calma y elegancia. Dobie sería un idiota si la atacaba. No obstante, lo hizo.

—Ha dicho que regresaba del teatro, ¿no es así, señora? —comenzó.

—Sí —confirmó ella.

—¿Hacia medianoche?

—Sí.

—Vaya, eso es un poco tarde. ¿Asistió a una fiesta al finalizar la función?

—No. Había demasiado tráfico.

—¡Me imagino! ¿Qué obra vio? —preguntó Dobie, que obviamente conocía la respuesta.

—*Hamlet* —contestó Melisande.

—Una gran tragedia, tal vez la mejor, aunque llena de violencia y muertes muy poco naturales —observó Dobie—. Se produce un asesinato tras otro. ¡Incluido el del propio padre! Tal como finalmente se consigue demostrar.

—Conozco la trama —dijo Melisande con cierta frialdad.

Runcorn abría y cerraba despacio los puños y tenía blancos los nudillos de sus grandes manos.

—Y justo al llegar a casa —prosiguió Dobie—, tarde y emocionalmente exhausta por una de las obras más impactantes en lengua inglesa, ve a un hombre salir del callejón de caballerizas próximo a su casa. —Parecía razonable, incluso tranquilizador—. Es oscuro, casi choca con usted. Él se disculpa por su torpeza y por estar un poco borracho, y sigue su camino. ¿He resumido correctamente lo que realmente ocurrió, señora Ewart?

Melisande titubeó y dirigió una mirada a Rathbone como si le pidiera ayuda.

Runcorn hizo ademán de ir a levantarse pero se dejó caer de nuevo en el asiento torciendo el gesto con enojo.

Hester agarró el brazo de Monk clavándole los dedos.

—Su versión no es más incorrecta, señor, que incompleta —contestó Melisande a Dobie—. Ese hombre era desconocido en el barrio y no tenía ningún asunto legítimo que atender en el callejón de caballerizas. Presentaba una mancha grande y oscura en el hombro de su chaqueta. Yo no pregunté nada pero él vio que me fijaba y me dijo que era de estiércol. Que había tropezado y caído en el callejón. Pero era mentira. Estaba lo bastante cerca de él como para oler el estiércol. Más bien parecía sangre.

—Aunque fuese sangre, eso no significa que fuera culpable de asesinato —arguyó Dobie.

Melisande puso ojos como platos.

—¿Está diciendo que quizás entrase en la cuadra del señor Havilland y cayera encima de su cadáver inocentemente, sin pensar que debía comunicarlo?

Dobie se puso colorado y una risa ahogada recorrió la sala del tribunal.

—Bravo —susurró Hester a Monk.

Runcorn sonreía.

Dobie volvió al ataque, pero estaba perdiendo, y lo sabía. Al cabo de un momento se retiró. Rathbone dio las gracias de nuevo a Melisande y llamó al primero de sus nerviosos, poco interesantes pero necesarios testigos que iban a demostrar la traza del dinero que Aston Sixsmith había pagado al asesino. Detallaron cada uno de los movimientos del dinero desde el banco de Argyll hasta su destino final. La línea de investigación era tan tediosa como necesaria. Proseguiría el resto de la jornada y si Dobie quería refutar parte de ella probablemente duraría aún más.

Cuando el tribunal levantó la sesión no hubo tiempo para conversaciones personales. Monk se despidió de Hester y alcanzó a Rathbone en el pasillo exterior.

—Tengo que hablar con Sixsmith —dijo Monk en tono apremiante—. ¿Puedes arreglarlo? Convéncele de que me reciba.

—¿Cómo? —Rathbone parecía cansado a pesar de la victoria con Melisande Ewart—. Ya he revisado todos los argumentos que se me ocurren sobre Sixsmith. El pobre hombre está desesperado y aturdido por lo que le ha sucedido. Ha trabajado para Argyll durante años y se siente totalmente traicionado.

—No me extraña —contestó Monk caminando al paso de Rathbone—. Y si demostramos que lo asesinaron pero no que Argyll fue quien contrató al asesino, ¡es posible que Sixsmith pague por ello colgando de una soga!

—De acuerdo —accedió Rathbone—. No me digas más. Pero no le des falsas esperanzas, Monk. —Sus ojos encerraban una advertencia, incluso temor.

—No es ésa mi intención —prometió Monk confiando poder cumplir su palabra—, sino exactamente lo contrario.

Rathbone tardó media hora en organizar la reunión en una habitación que daba al pasillo contiguo a la sala. Monk encontró a Sixsmith algo más menudo de como lo recordaba de cuando había ido a verlo al túnel. Vestido con un traje de calle resultaba igualmente robusto y ancho de espaldas, pero no tan alto. Llevaba el pelo bien cortado, camisa blanca y las manos limpias. No tenía las uñas rotas, detalle llamativo habida cuenta del entorno en el que solía trabajar.

Ocupó la silla que había enfrente de Monk y puso las manos sobre la mesa que los separaba. Estaba pálido y se había cortado al afeitarse. Una vena pequeña palpitaba en su sien izquierda.

—¿Qué quiere? —preguntó sin rodeos—. ¿No ha hecho ya bastante?

Monk no disponía de tiempo para suavizar lo que tenía que decir, por muy duro que sonara.

—Sir Oliver Rathbone puede atar todos los cabos relacionados con el dinero, desde la cuenta bancaria de Argyll hasta que usted se lo entregó al hombre que asesinó a Havilland.

—Si piensa que voy a declararme culpable, pierde el tiempo —dijo Sixsmith, enfadado—. Y ya que estamos en ello, el mío también. ¡Nunca he negado haber pagado ese dinero! Creía que era para sobornar a un puñado de rufianes. Debían encargarse de unos alcantarilleros que no paraban de incordiarnos y que encima difundían rumores sobre ríos subterráneos que no figuran en los mapas... Estaban sembrando el pánico entre nuestros peones.

—¡Pues entonces dígalo! —le retó Monk.

—¿Admitir que soborné a unos matones para que ahuyentaran a golpes a unos pocos hombres que nos molestaban? —dijo Sixsmith—. Me llevarían tan deprisa a la horca que apenas vería el suelo. ¿Es que es imbécil?

—¡Yo no, pero usted sí! —replicó Monk—. Rathbone lo demostrará, de todos modos. Si quiere salir de ésta con vida, admitirá el intento de soborno. No dio resultado, así que en realidad no se cometió delito alguno...

—¡Hubo un asesinato! —exclamó Sixsmith con expresión sombría—. Si eso no es delito, ¿qué lo es, en nombre de Dios?

—¿Sabía usted que se iba a cometer un asesinato?

—¡Por supuesto que no! —respondió Sixsmith con tono de desesperación—. Pero sé que dar una paliza a los alcantarilleros es ilegal. Aunque ¿qué diablos saben los hombres del Parlamento sobre el mundo real? ¿Doblarían la espalda toda una jornada cavando y apilando tierra y piedras para luego izarlas con cabrestantes hasta la superficie? ¿Saben lo que es pasar todas las horas de luz dentro de un agujero apestoso, encharcado y lleno de ratas, escarbando como un animal para que el agua corra en las cloacas? —Respiró hondo—. Tenemos que librarnos de los alcantarilleros que siembran el miedo sólo para conservar sus viejos feudos en las cloacas que aún quedan. ¿Sabe cuánto vale el feudo de un alcantarillero?

—Sí —respondió Monk con aspereza—. Y también sé que detestan los cambios. ¡Cuénteselo al tribunal! Dígales que Argyll también lo sabía y que tenía que hacer algo al respecto.

Sixsmith parecía agotado, como si hubiese estado batallando mentalmente con todos aquellos argumentos durante semanas.

Monk sintió una enorme compasión por él.

—Lo siento —dijo con amabilidad—. Que te traicione alguien en quien confiabas es una de las penas más duras que puede soportar un hombre. Pero no dispone de tiempo para pensar en ello. Tiene que salvarse contando no sólo la verdad sino todo.

Sixsmith levantó la cabeza y trató de sonreír, aunque no hizo más que enseñar los dientes.

—Argyll dirá que me dio el dinero para sobornar a los alcantarilleros de modo que dejaran a los peones en paz y que yo lo utilicé para hacer que mataran a Havilland.

—¿Por qué iba usted a hacer eso?

Sixsmith vaciló un momento.

—¿Por qué? —repitió Monk—. No es su empresa sino la de Argyll. Su reputación es excelente. Si él se hundía, usted encontraría un nuevo puesto de trabajo en cuestión de días.

—¿Está al corriente de mi reputación? —preguntó Sixsmith, sorprendido.

—Por supuesto. Argyll no podía permitirse que Havilland saboteara su túnel. Sin duda contrató al asesino, pero lo arregló para que usted le pagara. ¿Por qué iba a hacer eso, sino para incriminarle a usted si se llegaba a descubrir que Havilland había muerto asesinado? ¡Fue un acto deliberado!

Sixsmith pestañeó azorado, como si se rehusara a creerlo.

—¿Fue usted el primero en hablar con el asesino? —insistió

Monk. Aborrecía presionar a Sixsmith para que se diera cuenta, pero su vida podía depender de ello—. ¿O fue Argyll quien organizó el encuentro, le dio a usted el dinero y le encargó que efectuara la entrega?

—Claro que lo hizo él —contestó Sixsmith en voz baja.

—¿Sabe quién era el asesino? ¿Sabe dónde encontrarlo ahora, o cualquier otra cosa acerca de él? —preguntó Monk.

—No. —Sixsmith lo miró fijamente—. No... no sé nada.

—¿Quién pidió a la señora Argyll que escribiera a su padre para que éste saliese y aguardara en la cuadra a medianoche?

—¿Cree que realmente hubo una carta? —Sixsmith abrió desmesuradamente los ojos—. ¿Alguien la vio?

—Sí, creo que la hubo —contestó Monk—. Ella lo admitió, pero no podemos obligarla a declarar contra su marido.

Sixsmith agachó la cabeza y la tomó entre sus manos como si alguien le hubiera ofrecido esperanza y luego se la hubiese quitado.

—Podemos intentar convencerla. —Monk deseaba fervientemente ayudarlo, darle fuerzas para seguir adelante—. Por su propio bien —añadió—. ¡Explique la verdad sobre el dinero! Cuénteselo todo a Dobie.

—No puede ayudarme —susurró Sixsmith—. Él cree que sí, pero es joven y se imagina que ganará siempre. Esta vez no será así. Argyll se ha rodeado de demasiadas personas inocentes: Jenny, la pobre Mary Havilland, los peones que obedecieron sus órdenes para ahuyentar a los alcantarilleros de vez en cuando... ¡Esos pobres diablos no tienen elección! O trabajan o pasan hambre. Y hemos de cumplir con el plazo de entrega que señala el contrato o no conseguiremos otro. —Miró a Monk como tratando de discernir si lo comprendía—. Y luego está Morgan Applegate —prosiguió—, que fue quien nos concedió los contratos para las obras. Podría verse implicado en sobornos y comisiones. Argyll está al corriente de todo; lo dispuso de esa manera. No tengo ninguna oportunidad, señor Monk. Prefiero que me cuelguen por sobornar a alguien para que asesine a un hombre a arrastrar a los demás conmigo. De todos modos me colgarán; de eso ya se ha encargado Argyll. —Miró a Monk con expresión de angustia, aferrándose aún a una esperanza disparatada, pero a punto de perderla.

Monk hizo algo que había prometido no hacer.

—Rathbone no quiere condenarlo, Sixsmith —dijo en voz baja—. Es a Argyll a quien busca. Sabe tan bien como usted que es quien está detrás de todo esto. Diga la verdad, luche por su vida y él le ayudará.

Sixsmith le miró fijamente, anhelando creerle. Sus ojos reflejaban la lucha que se libraba en su interior. Al fin, muy despacio, asintió con la cabeza.

Hester había visitado a Rose Applegate más de una vez desde que acordaron hacer cuanto pudieran para limpiar el nombre de Mary Havilland del estigma de haberse suicidado. Dos días antes de que comenzara el juicio habían asistido juntas a una reunión benéfica vespertina organizada para recaudar fondos destinados a dar instrucción a niños huérfanos de modo que se convirtieran en hombres de provecho para sí mismos y para la sociedad. Se trataba de una causa tan obviamente encomiable que incluso una mujer que guardase luto, como era el caso de Jenny Argyll, podía asistir sin temor a que alguien se lo reprochara.

—¿Seguro que irá? —había preguntado Hester preocupada.

—Desde luego —le aseguró Rose—. Lady Dalrymple ha invitado adrede a los Argyll y pertenece justo a ese nivel de la sociedad a cuyos miembros una no se atreve a decepcionar. Es suficientemente *nouveau riche* para fijarse y ofenderse si una rehúsa, a menos que padezcas una enfermedad contagiosa. Sea como fuere, la señora Argyll se ha pasado toda la temporada de invierno de luto riguroso, de modo que no ve la hora de salir de casa antes de morirse de aburrimiento y de que todos los que son alguien se hayan olvidado de ella.

De modo que Hester y Rose se habían sumado a las honorables señoras que asistieron al evento y se las habían ingeniado para pasar buena parte del rato en compañía de Jenny Argyll, encauzando la conversación con fingida naturalidad hacia el tema de la pérdida de un familiar... Para acabar desembocando en el tremendo espanto del inminente juicio de Aston Sixsmith.

—Sabe algo —le dijo Rose a Hester cuando se reunieron al día siguiente, víspera del juicio.

Estaban a solas en el salón de recibir de Rose, sentadas junto al fuego. Fuera la lluvia de febrero azotaba las ventanas y hacía imposible ver el tráfico que circulaba por la calle.

—Estoy casi convencida de que se negará a volver a vernos, excepto si no tiene alternativa —dijo Rose con tono de abatimiento—. Y ¿cómo vamos a coincidir con ella? Con Sixsmith en pleno juicio por haber organizado el asesinato de su padre, de luto tanto por éste como por su hermana... ¡Dudo mucho que se deje ver en actos sociales! ¡La horrorosa recepción de lady Dalrymple para mejorar las condiciones de vida de los huérfanos tardará siglos en repetirse!

—¿No hay ninguna ceremonia a la que pudiera acudir —preguntó Hester—, aunque sólo sea para demostrar cierta bravuconería? Tiene que haber algo convenientemente sombrío y...

—¡Pues claro! —exclamó Rose con expresión de júbilo—. ¡Es perfecto! Mañana se celebra un oficio conmemorativo en honor de sir Edwin Roscastle.

Hester no supo qué decir.

—¿Quién era? —preguntó Hester—. ¿Ella asistirá?

Rose adoptó una graciosa expresión de desagrado.

—Un farsante de la vieja guardia, pero muy influyente —respondió Rose—; siempre andaba alardeando de su bondad. Sabía adular a quien convenía y eso le valió un reconocimiento infinito. A todo el mundo le gusta que lo vean cantando las alabanzas de un difunto virtuoso. Les hace sentir bien que los asocien con él. —Arrugó la nariz—. Morgan no tiene la menor intención de asistir, porque no lo soportaba y nunca se molestó en disimularlo. Pero conozco a lord Montague, que es quien lo organiza, y puedo convencerlo de que pida un donativo a Alan Argyll con vistas a convertirse en patrono de su fundación. Es imposible que rehúse, pues le vendrá de perlas para el negocio.

—¿Está segura?

—¡Claro que lo estoy! Es mañana por la tarde, a las ocho. Podemos ir juntas.

Hester se alarmó. La idea era espléndida, demasiado buena para dejarla escapar, pero hacía años que no asistía a un acto social como aquél y estaba segura de que no tenía nada apropiado que ponerse.

—Rose, yo...

Resultaba embarazoso admitirlo, e incluso cabía que pareciera que le faltaba valor y se inventaba una excusa.

Rose la miró y de pronto lo entendió.

—Poca antelación para adquirir un vestido —dijo con sumo tacto—. Tome prestado uno mío. Soy más alta que usted, pero mi doncella puede arreglarlo esta misma tarde. Debemos trazar un plan de acción.

De este modo acompañó Hester a Rose Applegate al oficio en memoria del difunto sir Edwin Roscastle. Fue un acto extremadamente formal con gran número de asistentes, incluida la flor y nata de la sociedad. Llegaron a la iglesia y se apearon de sus carruajes. Iban muy elegantes, de negro, púrpura, gris y lavanda, según el grado de luto que deseaban exhibir y el color que creían que los favorecía más. Algunos se habían equivocado de pleno en lo segundo, tal como Rose comentaba a Hester en voz baja al indicarle quién era quién.

—¡Ahí está! —la interrumpió Hester al ver a Jenny Argyll subir la escalinata. Lucía un vestido negro, sobrio aunque a la última moda, y se movía con cierta gracia haciendo caso omiso del cortante viento del este, si bien tuvo la precaución de utilizar a su marido para resguardarse de él.

Rose no paraba de tiritar.

—Ya podemos entrar. ¿Por qué parece que siempre decidan celebrar estas cosas en la peor época del año? ¿Por qué la gente importante no tiene la consideración de morirse durante el verano?

—Hará menos frío en la recepción, después del oficio religioso —señaló Hester—. ¡Dios quiera que los Argyll se queden!

—¡Claro que se quedarán! —le aseguró Rose—. Allí es donde uno trata de congraciarse, de hacer amistades útiles y lucirse en general. Y eso, por supuesto, es lo que todo el mundo ha venido a hacer aquí.

—¿Nadie ha venido para recordar a sir Edwin?

Rose la miró desconcertada.

—¡Desde luego que no! —respondió—. ¡Era un hombre horrible! Cuanto antes caiga en el olvido absoluto, mejor. Morir fue lo mejor que hizo en su vida y tardó demasiado en hacerlo —replicó Rose.

A Hester el comentario le pareció bastante cruel, pero Rose le gustaba tanto que se abstuvo de expresarlo. Y cuando hubieron escuchado sentadas los panegíricos y oyó qué clase de gente admiraba al difunto y por qué, se sintió inclinada a adoptar una opinión similar.

La recepción que siguió fue harina de otro costal. Toda la concurrencia parecía estar tan helada físicamente y aburrida emocionalmente como lo estaban ella y Rose. Recorrieron a paso vivo el centenar de metros de calle oscura y ventosa hasta el salón donde aguardaba un surtido de delicadas pastas, salchichas y empanadas calientes, así como vinos selectos. Hester aceptó agradecida un ponche de clarete. Le sorprendió ver que Rose se decantaba por la limonada, pero no hizo ningún comentario.

Comenzaron a deambular entre los invitados con la intención de abordar a Jenny Argyll en cuanto fuese posible sin llamar la atención y, por descontado, cuando Argyll no estuviera demasiado cerca de ella.

Rose iba de lavanda y gris oscuro. Con su cabello rubio y su pálido cutis componía una figura que a nadie pasaba inadvertida. Aquélla no era una ocasión apropiada para reír, pero poseía una cariñosa sonrisa e irradiaba una suerte de íntimo entusiasmo que atraía a la gente. Hester se rió para sus adentros al reparar en que eso era bastante más cierto entre el público masculino que entre el femenino.

—Cuánto me alegra que haya venido —dijo Rose afectuosamente a Jenny a modo de táctica para entablar conversación—. Hay muy pocas cosas que una pueda hacer durante el luto sin ganarse el comentario hiriente de alguien. Una se siente espantosamente aislada. ¡Al menos así fue para mí! ¿O tal vez estoy haciendo suposiciones erróneas?

Jenny no tenía otro remedio que contestar para no resultar descortés, a lo que había que añadir que Rose era, para su marido, la esposa del miembro del Parlamento más importante. Puso sus ideas en orden no sin esfuerzo y respondió:

—Para nada. Agradezco su apoyo y comprensión.

Hester se mantuvo a una distancia prudencial. Jenny Argyll parecía serena, pero Hester percibió que la capa de barniz era muy fina. Sus movimientos resultaban poco espontáneos y unas elocuentes ojeras delataban demasiadas noches en vela y demasiadas emociones contenidas a las que no osaba dar rienda suelta por miedo a no recobrar la estabilidad. Hester la habría compadecido si no hubiese estado convencida de que Jenny había puesto su propio bienestar y seguridad por delante de los de su hermana.

Pero al seguir observando a Jenny, al ver cómo se obligaba a ser educada con Rose Applegate, se apiadó de ella. La mirada cautelosa de Jenny revelaba un intenso temor. Hester se avergonzó por haberla juzgado tan a la ligera. Desconocía qué otros factores pesaban en la mente de Jenny, qué deudas o dependencias tenía, qué rehenes del azar. Jenny había perdido a su padre y a su hermana. ¿No era ése un precio terrible que ya había pagado?

Rose estaba hablando de nuevo. Hester supo lo que estaría diciendo: intentaría acorralar a Jenny para que admitiera haber escrito a instancias de Argyll, quizás obligada por éste, la carta que condujo a su padre a la muerte.

De repente Alan Argyll se materializó al lado de Hester con una fuente de apetitosos pastelitos en la mano.

—Disculpe —dijo al pasar rozándola con toda su atención puesta en su esposa y expresión ceñuda. Era casi como si tuviese miedo de que lo traicionara. Habló con Rose, pero sus palabras se perdieron en el murmullo de las conversaciones y no llegaron a oídos de Hester. Con ademán protector, apoyó una mano en el brazo de Jenny que se hizo a un lado, alejándose de él. ¿Fue porque había una oronda señora de negro que deseaba pasar o porque su contacto le desagradaba? Mantuvo la cabeza erguida, el rostro medio apartado. El movimiento fue discreto, apenas un encogimiento.

Rose volvió a hablar, tensa y con los ojos muy abiertos.

Hester se aproximó a ellos. Quería percibir el tono en que se pronunciaban las palabras, la inflexión de las voces. ¿Protegía Jenny Argyll a su marido por deseo propio o porque se sentía en la obligación? ¿Tenía alguna idea de lo que había hecho? ¿Era por eso por lo que encontraba instintivamente repelente su contacto?

Rose se volvió, vio a Hester e hizo las presentaciones de rigor. Vaciló un momento al pronunciar el nombre de Hester, sabedora de que eso de «Monk» provocaría poderosas y encontradas emociones tanto en Jenny como en Argyll.

—¿Cómo están ustedes? —dijo Hester con tanta serenidad como pudo mirando primero a Jenny y a continuación a su marido. Él no le pareció atractivo, aunque tampoco desagradable. No percibió la crueldad que había esperado encontrar en él. Hasta su poder parecía atemperado. ¿Acaso tenía miedo, no ya de la policía o el tribunal sino de la posibilidad de que su esposa declarara contra él? Era el causante de la muerte de su padre y su hermana, ¿qué monumental arrogancia le había llevado a suponer que Jenny lo soportaría y se quedaría de brazos cruzados? Pero ¿estaba su esposa aún tan aterrada que incluso en esas circunstancias lo protegería?

Rose conversaba sobre trivialidades. De pronto miraron a Hester, aguardando de ella la respuesta a una pregunta que se había perdido.

—Sí, por supuesto —se aventuró a decir.

Argyll la observaba con frialdad y recelo. Hester intentó imaginarse una vida atada irremisiblemente a un hombre tan indiferente: vivir en su casa, a veces en intimidad, preocuparse por su alimentación y su ropa así como por las de los hijos. El nombre y el honor de él estaban ligados a los suyos, y tal vez al final también su conciencia. ¡Qué atadura tan aplastante! La avergonzó lo que tenía que hacerle a Jenny, pero la alternativa resultaba intolerable. Tanto si se daba importancia o no a que Mary descansara en la tumba de un suicida, igual que su padre, nadie podía argüir que Aston Sixsmith debiera ser ahorcado por un crimen que no había cometido.

Jenny forzaba la voz, que sonaba demasiado aguda y alta. La conversación giraba alrededor de lugares comunes: una remembranza del fallecido y las causas que había apoyado. Un sirviente se acercó con una bandeja llena de vasos de ponche de vino y limonada.

Estaban un poco apretujados. No había sitio para que el sirviente pasara entre ellos. Argyll le cogió la bandeja y se la ofreció a Hester. Habida cuenta de lo fuerte que era el ponche que había tomado al llegar, decidió que la limonada sería más prudente esta vez.

—Gracias —aceptó.

Debido al modo en que estaban distribuidos, con Jenny a la vera de su marido, lo más natural fue pasársela a ella a continuación. Titubeó por un instante y al final se decidió por el vino.

Rose tomó limonada igual que antes. Alzó su vaso.

—¡Por los valientes que promueven la reforma social! —exclamó, y bebió un buen sorbo.

El resto de los presentes se hizo eco de su brindis. Sirvieron más comida. Esta vez pastelitos dulces rellenos de fruta escarchada o deliciosas cremas de sabores inusuales. Eran excepcionalmente buenos.

Un hombre corpulento de pobladas patillas atrajo la atención de Argyll.

Un trío comenzó a tocar una pieza triste cuya melodía resultaba indiscernible.

Rose se volvió hacia Jenny.

—¿No es espantoso? —susurró con expresión de disgusto.

Jenny la miró perpleja. Hasta entonces habían mantenido la conversación intrascendente propia del trato social entre iguales que se muestran corteses por interés mutuo.

De pronto, Rose se echó a reír.

—¡No, la comida no! La música, si es que se la puede llamar así. ¿Por qué diablos no podemos ser más sinceros? Nadie tiene ganas de entonar un canto fúnebre sólo porque ese viejo idiota esté muerto. La mayoría no veía la hora de que dejase este mundo. La muerte fue lo único que por fin le hizo morderse la lengua.

Jenny fingió no estar desconcertada. Respiró hondo y contestó con voz levemente temblorosa:

—Quizá sea cierto, pero sería más prudente no decirlo en voz alta, señora Applegate.

Hester se dio cuenta de que había estado aguantando la respiración casi hasta que le dolió. ¿Qué demonios le pasaba a Rose? Aquello no formaba parte de su plan.

—¡Ser prudente todo el tiempo es una soberana estupidez! —exclamó Rose—. ¡Ponemos tanto cuidado en ser prudentes que jamás cometemos ninguna indiscreción salvo las más colosales y catastróficas! —Extendió ambos brazos para mostrar la enormidad de esas indiscreciones y por poco hizo caer la copa que sostenía Jenny—. ¡Tenga más cuidado! —le reprochó—. El vino malo mancha, ¿sabe?

Jenny se violentó. Varias personas se volvieron hacia Rose y enseguida apartaron la vista.

Pasó un sirviente y Rose cogió otro vaso de su bandeja. Se lo bebió de un trago y lo arrojó a sus espaldas, de modo que se estrelló contra el suelo haciéndose añicos. No le hizo el menor caso y salió a grandes zancadas en dirección a los músicos. Componía una estampa magnífica con la cabeza en alto, las faldas ondeando, el hermoso rostro rebosante de vida. Se detuvo delante de la tarima.

—¡Por Dios, basta ya de este espantoso lamento! —ordenó con fiereza—. Usted, la del violín, suena como un gato maullando para que le arrojen una raspa de pescado. A no ser que piense que el viejo bellaco fue de cabeza al suplicio eterno, cosa que admito como probable, ¡procure tocar como si creyera que el perdón divino le abrió las puertas del cielo!

La violinista se llevó las manos al pecho y dejó que el violín se deslizara por su vestido hasta caer al suelo.

Rose se agachó a recogerlo. Lo apoyó bajo el mentón, cogió el arco y se puso a tocar asombrosamente bien. Comenzó con la misma música que habían estado tocando pero alteró el *tempo* adaptándolo al del *music hall* para acto seguido atacar una canción más rápida, un tema alegre y picante.

La pianista soltó un chillido de horror y se quedó paralizada en la banqueta con la boca abierta. La violoncelista rompió a llorar.

—¡Ya basta! —le ordenó Rose—. ¡Un poco de compostura! ¡Y coja ese instrumento como Dios manda! —Señaló el violoncelo—. ¡Como si fuese su amante, no como si acabara de hacerle una proposición indecente!

La violoncelista tiró el instrumento al suelo y huyó de la tarima.

Una dama del público se desmayó o lo fingió. A otra le entró un ataque de risa. Un hombre comenzó a cantar la canción. Tenía una potente voz de barítono y, por desgracia, se sabía la letra entera.

Hester se quedó helada, consciente de tener a Jenny a su lado y a Alan Argyll un poco más allá, ambos paralizados.

Rose no vacilaba un ápice y seguía tocando con ritmo perfecto, balanceándose y siguiendo el ritmo con los pies.

De repente la pianista abandonó todo decoro y se puso a tocar. Su rostro era una máscara con una sonrisa aterrada que dejaba todos sus dientes al descubierto.

Alan Argyll se acercó a Hester.

—Por el amor de Dios... —dijo entre dientes—. ¿No puede hacer nada para detenerla? ¡Esto es terrible! ¡Morgan Applegate no lo olvidará nunca!

Hester cayó en la cuenta de que era la única persona que podía hacer algo. Era amiga de Rose y por consiguiente sería un acto de extrema compasión y necesidad que interviniese. Avanzó hasta la tarima, se recogió las faldas y subió. Rose seguía tocando con mucha elegancia. En ese momento interpretaba otra canción, aunque no más apropiada.

—¡Rose! —dijo Hester en voz baja pero con tono autoritario—. Ya hemos tenido bastante. Deje que la violinista recupere su instrumento. Es hora de irse a casa.

—¡Hogar, dulce hogar! —exclamó Rose alegremente—. Es una canción espantosa, Hester. ¡Rematadamente sensiblera! Estamos celebrando el deceso de sir como-se-llame. Al menos... Quiero decir que recordamos su vida con... pesar... ¡Ay, no tendría que haberlo dicho! —Se echó a reír—. Se parece demasiado a la verdad, y nunca hay que decir la verdad en los funerales. Si un hombre fue un soso de tomo y lomo, como lord Kinsdale, se dice que era extremadamente distinguido.

Se oyó el grito de horror de una camarera fascinada y agarrada a una fuente de pastelitos.

—Si una mujer era horrible, como lady Alcott —prosiguió Rose sin hacer caso—, se habla del buen corazón que tenía. —Volvió a reír apartándose de Hester y levantó la voz—. Si un hombre fue mentiroso y tramposo, como el señor Worthington, se alaba su ingenio. Si engañó a su esposa con medio vecindario, se elogia su generosidad. Todo el mundo pone cara seria y llora mucho en los pañuelos para disimular la risa. Tú no lo entiendes —agregó mirando un poco mareada a Hester—. Has pasado demasiado tiempo en el ejército.

—¡Por Dios! —refunfuñó alguien.

Otra persona se echó a reír. Era una risa contagiosa, histérica, que iba subiendo de volumen.

Rose estaba borracha como una cuba. Debía de haber bebido mucho más de lo que Hester creía. ¿Sería ésta la terrible debilidad contra la que Morgan Applegate había intentado protegerla? ¿Tenía la más remota idea de cómo era su esposa? ¡Lo que estaba diciendo en voz tan terriblemente alta era espantoso! Más aún por ser perfectamente cierto, por ser lo que todos pensaban en secreto.

Rose se disponía a tocar el violín otra vez. La pianista aguardaba debatiéndose entre la angustia y el éxtasis. Seguramente recordaría aquella velada hasta el fin de sus días. Mantuvo los ojos al frente e inspiró profundamente antes de tocar un resonante acorde grave seguido por un trino de notas agudas.

Hester estaba fuera de sí. La situación escapaba a su control y una parte de ella estaba a punto de echarse a reír. Lo único que le impedía hacerlo era la conciencia de la perdición de su nueva amiga. Arrebató el arco del violín a Rose, agarrándolo de una manera que probablemente no le hizo ningún bien, y lo arrojó detrás de ella, hacia el fondo de la tarima, donde al menos nadie iba a pisarlo. La violinista titular seguía desplomada en el suelo y alguien le daba aire con un abanico. La violoncelista había desaparecido por completo.

—Vas a irte a casa porque aquí ya no eres bienvenida —dijo Hester a Rose con tanta seriedad como pudo—. ¡Suelta ese violín y sujétate a mi brazo! ¡Haz lo que te digo!

—Pensaba que íbamos a jugar a algo —protestó Rose—. A charadas, ¿no te parece? O a lo mejor no, a eso jugamos todo el tiempo, en realidad, ¿no es verdad? ¿Y a la gallinita ciega? Podríamos andar todos a tientas, chocando entre nosotros y agarrando a la más guapa, o al más rico... No, eso ya lo hacemos, también. Sin parar. ¿Tú qué propones? —Miró a Hester expectante.

Hester notaba que la sangre le encendía la cara.

—Vámonos a casa —dijo entre dientes, presa de una repentina furia por aquella innecesaria ruina de una reputación—. ¡Ahora mismo!

Rose se asustó más por el tono que por las palabras. Obedeció a regañadientes.

Hester la rodeó con un brazo y le agarró la muñeca con la otra mano. Con torpeza pero de manera eficiente la llevó hasta el borde de la tarima. Rose, sin embargo, calculó mal la altura del escalón, tropezó con su propia falda y cayó de bruces librándose de hacerse daño al arrastrar a Hester con ella y parando el golpe con las manos en el último momento. Hester fue a dar contra el suelo y se le cortó la respiración. Sólo así evitó soltar una palabra que no había vuelto a pronunciar desde los tiempos en el ejército a los que Rose acababa de aludir. Finalmente, después de librarse de las faldas y de hacer lo posible por no pisar a Rose y caer otra vez, Hester consiguió ponerse de pie.

—¡Levántate! —ordenó airada a Rose.

Rose rodó lentamente por el suelo y se irguió aún sentada, mostrándose atónita, para empezar a reír otra vez.

Hester se agachó, cogió a Rose de la mano y tiró con fuerza. Rose se deslizó por el suelo pero siguió sentada.

Alan Argyll salió de entre el gentío. Todos los demás se arremolinaban intentando fingir que no había ocurrido nada. Unos contemplaban el espectáculo y otros evitaban mirar de manera ostensible.

—¡Por Dios, llévesela de aquí! —gruñó a Hester—. ¡No se quede ahí parada! ¡Levántela!

Se agachó y puso a Rose de pie, sosteniéndola con destreza para que no le fallaran las rodillas. Entonces, al advertir que volvía a desplomarse, cargó con ella al hombro y se dirigió hacia la puerta. Hester los siguió.

Una vez fuera fue sencillo mandar aviso al cochero de Rose. Diez minutos después Argyll la ayudaba, con considerable esfuerzo, a subirla al coche.

—Puesto que ha venido con ella supongo que la acompañará —dijo mirando a Hester con desdén—. Alguien tendrá que explicarle esto a su marido. Más vale que no lo convierta en un hábito o terminará encerrada.

—Me las arreglaré muy bien —le aseguró Hester con aspereza—. Me parece que se ha dormido. Sus criados nos asistirán en cuanto lleguemos a su casa. Gracias por su ayuda. Buenas noches.

Estaba enojada, avergonzada y ahora que ya había pasado, un poco asustada. ¿Qué diablos iba a decirle a Morgan Applegate? Tal como había señalado Argyll, su carrera política jamás se recobraría de semejante revés. Se hablaría del caso durante años, incluso décadas.

El trayecto fue espantoso, no por algo que hiciera Rose sino por lo que Hester temía que fuese a hacer. Iban a toda velocidad por calles iluminadas por farolas bajo la lluvia; los adoquines resplandecían, las alcantarillas rebosaban; se oía el repiqueteo del agua en el tejadillo, las salpicaduras bajo el suelo, el chacoloteo de los caballos y el silbido de las ruedas. Iban dando bandazos porque corrían demasiado. El cochero temía que Rose estuviera enferma y necesitara ser atendida tan pronto como él la llevara a casa.

Hester tenía pavor a lo que Applegate diría. No lo habían comentado en voz alta pero tenía la impresión de que le había confiado el cuidado de Rose. Desde el día en que se conocieron Hester había notado en él un aire protector, como si fuese consciente de una vulnerabilidad concreta de su esposa, algo que prefería que nadie conociera. Y ahora todo indicaba que Hester los había defraudado a ambos de la peor manera posible.

Salvo que no tenía ni idea de cómo lo había hecho.

El carruaje frenó bruscamente pero Rose no se despertó. Fuera se oyeron gritos y se encendieron luces. Finalmente, la puerta del carruaje se abrió y apareció un lacayo. Se inclinó sin echar siquiera un vistazo a Hester, tomó a Rose con sumo cuidado y se la llevó por el callejón de caballerizas hacia la puerta trasera de la casa.

El cochero ayudó a Hester a apearse y la acompañó por el patio hasta la trascocina. Tenía los bajos de la falda empapados y los hombros y el pelo húmedos. Nada había habido más lejos de su mente al marcharse de la recepción que enviar a alguien a recoger su capa o, en realidad, la capa de Rose.

Una vez en la caldeada cocina se dio cuenta del frío que tenía. Le temblaba todo el cuerpo y sentía los pies entumecidos. La cabeza le empezó a palpitar como si también hubiese bebido más de la cuenta.

La cocinera se apiadó de ella y le preparó una taza de té bien cargado, aunque no le dio nada para acompañarla, ni una galleta ni una rebanada de pan, como si Hester tuviera la culpa del estado en que Rose se encontraba.

Transcurrió más de media hora antes de que Morgan Applegate abriera la puerta de la cocina. Iba en mangas de camisa y tenía el cabello revuelto y el rostro colorado salvo en torno a los labios.

—Señora Monk —dijo con ira apenas contenida—, tenga la bondad de acompañarme.

Era una orden más que una petición. Hester se levantó y fue tras él. Estaba profundamente dolida por su aflicción pero en absoluto dispuesta a que le hablaran como si fuese un niño travieso.

Applegate entró en la biblioteca, en cuyo hogar crepitaba un fuego. Sostuvo la puerta para que entrara y la cerró dando un portazo.

—¡Explíquese! —dijo simplemente.

Hester lo miró con toda la dignidad de que pudo hacer acopio estando calada hasta los huesos, con ropa prestada y tras haber soportado una de las veladas más vergonzantes de su vida. Se recordó a sí misma que había sobrevivido y sido útil en hospitales de infecciosos y en campos de batalla. Aquélla era una tragedia de orden menor. Se negó hasta a mostrar la debida formalidad.

—Me parece que Rose ha bebido más de la cuenta, señor Applegate. Yo sólo la he visto tomar limonada, y aunque no puede haber bebido más de una o dos copas sin que me diera cuenta, parece tener una intolerancia nada usual al alcohol. A no ser, por supuesto, que el ponche fuese realmente fuerte. Yo sólo tomé una copa y por tanto no lo sé.

Applegate respiraba pesadamente, como si no encontrara las palabras adecuadas para responder.

—Lamento muchísimo que ocurriera —prosiguió Hester—, y lamento decirle que aún no sabe lo peor. —Era mejor aclarárselo en ese momento que dejar que lo descubriera de un modo mucho más embarazoso—. Había un pésimo trío tocando y Rose se ha apropiado del violín y se ha puesto a tocar sorprendentemente bien. Por desgracia ha transformado la melodía en una divertida canción de *music-hall* bastante vulgar. Seguramente preferirá que le ahorre los detalles escabrosos de la escena, pero ha sido... memorable.

—¡Dios mío! —Applegate se puso blanco como la cera—. ¿Por qué?

Hester vaciló.

—¿Por qué? —repitió Applegate.

—Ha sido muy franca sobre lo que la gente dice de los demás y lo que piensa en realidad. Ha dado nombres. Lo lamento, de verdad —agregó.

Applegate la miró fijamente y el enfado se le fue pasando.

—Tendría que habérselo advertido. Rose... solía... —Abrió la manos con gesto de impotencia—. ¡Llevaba años sin hacerlo! ¿Por qué ahora? —Sus ojos suplicaban una razón para la ruina que le había caído encima sin previo aviso.

De súbito Hester supo la respuesta. Fue tan evidente como una bofetada.

—¡Alan Argyll! —exclamó—. ¡Le puso algo en la bebida! ¡Sabía que estábamos allí con la intención de convencer a Jenny de que declarase! Fue después de conversar con él cuando Rose empezó a comportarse de esa manera. ¿Es posible que estuviera al corriente de su... debilidad?

No iba a insultar a ninguno de los dos hablando con afectación y eufemismos. Ya era demasiado tarde para eso.

—Si se tomó la molestia de investigar... —admitió Applegate. Se sentó lentamente en el sillón que tenía detrás dejando que Hester hiciera lo que quisiese. Dio la impresión de arrugarse como una muñeca de trapo a la que hubiesen quitado el relleno—. ¿Tan espantoso ha sido? —preguntó sin levantar la vista.

Mentir sólo le habría puesto en una posición más vulnerable.

—Sí —dijo Hester—. También fue absolutamente divertido, y es precisamente esa franqueza lo que me temo que la gente no olvidará ni perdonará.

Applegate guardó silencio.

Hester comenzaba a entrar en calor gracias al fuego. El dobladillo de la falda estaba muy cerca de la chimenea y soltaba vapor. Se arrodilló delante de Applegate.

—Lo siento. Creíamos que era una buena causa y que podíamos vencer.

—Y es una buena causa —admitió él en voz baja. Hizo ademán de ir a agregar algo, pero cambió de parecer.

—¿Se pondrá bien? —preguntó Hester—. ¿Mañana? ¿Pasado?

Entonces tuvo un escalofrío al comprender que había dicho una torpeza. Quien nunca estaría bien sería el propio Applegate. Su posición devendría insostenible. Después de aquello no podría llevar a Rose a ningún evento social. Quizá ni siquiera él se vería con ánimos de asistir.

De repente Applegate levantó la cabeza. A pesar del miedo y del agotamiento que empañaban sus ojos, en ellos brillaba también la luz de la decisión.

—Renunciaré a mi escaño en el Parlamento. Regresaremos al campo. Tenemos una casa en Dorset. Allí podremos vivir la mar de bien sin necesidad de volver a Londres para nada. Es un lugar tranquilo y maravilloso, no nos faltará de nada. Nos tendremos el uno al otro, y eso bastará.

Era ridículo, pero Hester sintió que le venían ganas de llorar.

Debía de amarla tanto que toda su felicidad residía en estar con ella. Estaba enojado con el comportamiento de su esposa, no contra ella. Tal vez fuese incluso contra él mismo, porque conocía la debilidad de su esposa y no la había sabido proteger.

—Perdone —se disculpó Applegate—. Debe de estar helada. Es... No tendría que haberla culpado. Usted no podía protegerla de algo que desconocía. ¿O prefiere ir directamente a su casa?

—Lo cierto es que me gustaría ir a casa y ponerme ropa seca —repuso Hester con una sonrisa—. Es una noche pésima.

—Haré que mi cochero la acompañe —le ofreció Applegate.


Monk abrió la puerta principal de par en par casi antes de que el coche se detuviera. Cuando Hester se apeó salió a grandes zancadas a la calle haciendo caso omiso de la lluvia.

—¿Dónde te habías metido? —inquirió—. Estás empapada y tienes muy mala cara. Se suponía que... —Entonces vio la expresión de su rostro y se interrumpió—. ¿Qué ha sucedido?

Hester despidió al cochero y entró en la casa. Estaba tiritando otra vez, de modo que se sentó en la butaca más próxima al fuego y se acurrucó. Ahora que ya no debía enfrentarse a la aflicción de Morgan Applegate ni a las urgentes necesidades de Rose, la invadió una profunda sensación de derrota. Se preguntó cómo había podido ser tan estúpida de creer que podría vencer tan poderosos intereses creados. Su orgullo desmedido había precipitado su propia caída y con su temeraria ignorancia había arrastrado a Rose con ella.

—¿Qué ha pasado? —volvió a preguntar Monk.

Hester le describió la velada con tanta exactitud como recordaba aunque obvió buena parte de lo que había dicho Rose y resumió el resto.

—Seguro que Argyll le echó alcohol a la limonada —concluyó—. No sé cómo; sólo he visto su mano un instante encima del vaso. Después de la actuación de esta noche Rose tendrá que desaparecer, y ni ella ni su marido podrán aportar pruebas de ninguna clase. Y tampoco podremos obligar a Jenny a declarar. Yo no tendré ocasión de participar de nuevo de la vida social de la mano de Rose. De hecho —añadió, ruborizándose—, puede que sea recordada con poca consideración debido a mi papel en todo esto. Lo lamento. Lo lamento muchísimo.

Monk se quedó pasmado.

—Estás... ¿Por qué te disculpas? ¿Qué es lo que todavía no me has dicho, Hester?

Hester lo miró.

—¡Nada! Pero sabían quién era yo y también que soy tu esposa. ¿Acaso la mujer de un policía no debería comportarse mejor?

Monk la observó con ojos como platos y de pronto se echó a reír.

—¡No le veo la gracia! —exclamó Hester con indignación.

Él rió todavía más, y Hester se vio en el dilema de perder los estribos o reír a su vez. Eligió lo segundo. Se pusieron de pie ante el fuego con las mejillas surcadas de lágrimas.

—Será mejor que dejes la política —dijo Monk por fin—. No se te da nada bien.

—¡Normalmente no lo hago tan mal como hoy! —se defendió Hester, aunque sin convicción.

—No te engañes —respondió Monk con picardía—. Creo que deberías volver a hacer de enfermera. En eso eres imbatible.

—Nadie me querrá contratar —dijo Hester compungida.

—Al contrario. En Portpool Lane eres muy querida; hasta Squeaky Robinson te quiere, a su manera.

Hester no daba crédito a sus oídos y se debatía entre la duda y la esperanza.

—Pero dijiste...

—Lo sé. Me equivoqué.

No agregó nada más, porque ella le echó los brazos al cuello y lo besó apasionadamente.

# 10

Pese a tener motivos de alegría, Hester despertó por la mañana sintiendo un gran remordimiento por lo sucedido a Rose. Hizo un paquete con la ropa que le había prestado y la devolvió a su propietaria. Su experiencia en el ejército le había enseñado algo sobre el sufrimiento posterior a la ingesta desmesurada de alcohol y sabía cómo atender a quienes lo padecían. Pasó varias horas haciendo cuanto pudo por Rose, recibiendo a cambio la inmensa gratitud de la enferma y de su marido, y después, tras desearles lo mejor para el futuro, se marchó.

Llegó a casa de los Argyll poco después de mediodía.

—Buenos días, señora... Monk —dijo Jenny con cierta incertidumbre cuando el mayordomo hizo pasar a Hester al salón de recibir y cerró la puerta.

—Buenos días, señora Argyll —contestó Hester esbozando una sonrisa—. He pensado que después del desastre de anoche seguramente estaría preocupada por la señora Applegate. Me consta que eran buenas amigas. —Sin darse cuenta ya estaba hablando en pasado—. Y considero que le debo una disculpa. De haber sido consciente de su vulnerabilidad quizás hubiese podido evitar lo ocurrido. Hay personas para quienes una sola gota de alcohol constituye un veneno.

Jenny carraspeó. Saltaba a la vista que se sentía muy violenta. Vestía otra vez de negro, por supuesto, aunque con toques de lavanda en el cuello y los puños. Las posibilidades de la vida, la pasión y la risa estaban presentes en su rostro, aunque enmascaradas por la discreción.

—Supongo que será así —dijo con tono de incertidumbre, pero no podía pedir a Hester que se marchara salvo si estaba dispuesta a mostrarse inexplicablemente grosera—. Sobre eso no tengo el menor conocimiento.

—Y espero que nunca lo tenga —dijo Hester cariñosamente—. Yo aprendí mientras cuidaba soldados heridos y a los que se enfrentaban a la muerte en el campo de batalla. —Vio una breve mueca de compasión en el rostro de Jenny—. Cuando nos enfrentamos a decisiones que nos resultan casi insoportables —prosiguió como si de pronto las uniera alguna clase de vínculo—, no siempre encontramos el valor necesario para hacer lo correcto, sobre todo si hacerlo puede costarnos lo que más apreciamos. Estoy segura de que su sensibilidad le permite comprenderlo, señora Argyll.

—Bueno..., yo... —Jenny sabía por instinto que la conversación estaba conduciéndola a un terreno que prefería no pisar. El comportamiento de Hester traslucía una resolución inequívoca. Aquélla no era una visita de cortesía.

Hester abrió a la fuerza la grieta que la ocasión le presentaba.

—Estoy convencida de que busca usted la manera más amable de preguntar cómo se encuentra Rose esta mañana —mintió—. He ido a verla y sentía una gran malestar, pero se le pasará. Creo que no tendrá consecuencias físicas, aunque la herida a su reputación nunca se curará.

—Me figuro que no —coincidió Jenny. Por fin se encontraba en un terreno que conocía mejor—. Dudo que la sociedad olvide o pase por alto lo que hizo. Supongo... Espero que no habrá venido a pedirme que la ayude, ¿verdad? —Tragó saliva—. No tengo influencia en esos asuntos.

—¡Jamás se me habría ocurrido! —exclamó Hester enseguida—. No sé qué se podría hacer para ayudarla, ni veo ninguna razón por la usted debiera comprometer su posición intentándolo.

Jenny se relajó ostensiblemente y sus mejillas recobraron parte de su color natural. Se serenó lo bastante como para invitar a Hester a sentarse, cosa que también hizo ella.

—A mi entender lo mejor sería que se retirara de la vida social —dijo Jenny.

—Estoy completamente de acuerdo —convino Hester—. Sabía

que usted tendría la compasión y la delicadeza suficientes para entenderlo.

Jenny se mostró complacida, aunque también un tanto confusa.

—Lo lamento tanto... —agregó Hester—. Estoy desolada.

—Bueno, no...

—Rose no bebió alcohol a sabiendas —la interrumpió Hester—. Se lo administró alguien que quería desacreditarla hasta el punto de que le resultara imposible aparecer en público en un futuro inmediato.

Había decidido previamente que atacar a Argyll demasiado pronto sería una estrategia muy mala. Debía actuar con mayor prudencia.

Jenny palideció.

—¿Qué le hace pensar eso? Seguro que..., seguro que si tiene semejante... debilidad...

No terminó la frase. Hester frunció el entrecejo y, fingiendo concentrarse, respondió:

—Sin duda era consciente de su problema. Cuesta creer que lo hubiese expuesto en público recientemente, pues en tal caso estaríamos al corriente, y por tanto para ella también fue una sorpresa. Alguien provocó ese incidente, porque la señora Applegate sólo bebió limonada.

Jenny la miró fijamente. Respiró hondo varias veces para calmarse.

—Podría ser culpa de los pastelitos —sugirió no muy convencida—. Algunas cocineras mezclan la fruta escarchada con brandy. O las cremas con licor.

Hester no los había probado, pero tendría que habérsele ocurrido. ¡Y a Rose también!

—¿Cree... cree que con eso bastaría? —dijo Hester para romper el silencio. Estaba jugando una partida, una batalla de ingenio que no podía prolongar. El juicio se acercaba al veredicto final. A Rathbone se le agotaba el tiempo y una vez que la defensa comenzara quizá no le permitieran presentar más pruebas. Detestaba tener que ser tan brutal.

Jenny negó con la cabeza.

—No tengo ni idea. Aunque eso parece. Lo que vimos fue... irrefutable. Me temo que la pobre estaba muy intoxicada, en efecto. —Reflexionó un instante—. Lo siento mucho.

Las ideas se agolpaban en la mente de Hester. Tenía que encontrar el modo de usar la compasión de Jenny, convertirla en un sentimiento de culpa. Ya no dudaba que era Alan Argyll quien había matado a Havilland moralmente, aunque no con sus manos, y quien con suma habilidad había hecho recaer las culpas en Sixsmith.

—Es natural —dijo en voz alta—. A veces las consecuencias de nuestros actos no son ni remotamente tal como habíamos supuesto que serían.

Poco a poco iba avanzando hacia la cuestión de la carta de Jenny a su padre.

Jenny palideció. Sus manos frotaron la tela negra de su falda sin llegar a estrujarla y acto seguido se obligó a volverlas a relajar. Había esfuerzo en sus gestos, control.

—Estoy convencida de que ella no podía saber que unos pastelitos pudieran causar tal efecto.

—Pero es que todo empezó después de la limonada, antes de los pastelitos —corrigió Hester sin tener claro que fuese verdad.

—¿Pero cómo iba nadie a...? —comenzó Jenny con el cutis blanco como la nieve.

Hester se encogió de hombros.

—Una botellita, o un frasco como los de medicinas. Un momento de distracción. No lo veo tan complicado.

Jenny se vio obligada a llenar el silencio.

—¿Quién diablos haría algo así?

—Alguien que deseara desacreditarla —repitió Hester—. Rose había indagado sobre los asuntos que su difunto padre estaba investigando, sólo para asegurarse de que no existía peligro alguno de que se produjera un accidente grave, y...

Jenny la interrumpió.

—¡Mi padre tenía las facultades mentales perturbadas! —dijo bruscamente—. No había ninguna clase de peligro. Las máquinas que utiliza la empresa de mi marido son las mejores que existen. Los avances modernos las han perfeccionado, por eso son más rápidos, no porque pongan menos cuidado en lo que hacen. —Tenía las mejillas encendidas y los ojos brillantes—. Esa espantosa acusación sólo ha sido fruto de... No me gusta emplear esta palabra, pero ha sido fruto de la histeria de mi padre.

Hester casi podría haberla creído de no ser por el hombre que Melisande Ewart había visto salir del callejón de caballerizas.

—¿Y por eso escribió a su padre pidiéndole que se reuniera con su marido en la cuadra? —preguntó Hester afectando incomprensión—. ¿Y por eso el pobre señor Sixsmith se enfrenta a una acusación de asesinato?

A Jenny casi se le quebró la voz.

—¡No es asesinato! Sólo es... Sólo es soborno. Y hasta eso es una estupidez. Mi marido se encargará de que lo absuelvan. El señor Dobie es un abogado excelente.

Ahora sí que estrujaba el vestido con fuerza y tenía los nudillos blancos.

—¿En serio? —dijo Hester—. ¿Lo cree sinceramente, señora Argyll? ¿Por qué diablos iba a hacerlo? ¿Quién sino él pudo haber contratado al hombre que disparó a James Havilland, o sea a su padre?

Una sucesión de sentimientos desbocados cruzó el semblante de Jenny: terror, confusión, odio, pánico por la telaraña de horror que se iba estrechando a su alrededor, obligándola a enfrentarse a una atrocidad inenarrable.

Hester se inclinó un poco hacia delante. Odiaba tener que desempeñar ese papel.

—Alguien contrató a un hombre para que matara a su padre y por tanto, en cierto modo, también a su hermana. ¿Podrá dormir tranquila sin contar al tribunal que su marido le hizo escribir una carta pidiendo a su padre que acudiera a la cuadra aquella noche? ¿Podrá seguir adelante con su vida y mirar a los ojos a su marido cada noche a la hora de cenar, o cuando estén acostados, sabiendo que entre los dos permitieron que Aston Sixsmith muriera en la horca, cuando precisamente usted habría podido demostrar su inocencia?

Las lágrimas bañaban el rostro de Jenny.

—¡No tiene ni idea de lo que me está pidiendo! —dijo jadeando—. ¡Ni idea!

—Tal vez no —admitió Hester—. Pero usted sí. Y si es sincera, sabe de sobra el precio que pagarán no sólo usted y sus hijos sino también el señor Sixsmith, si opta por quedarse cruzada de brazos. ¿Querrá explicárselo a sus hijos o se lo guardará para sí? Más adelante, cuando sean mayores, ¿creerán que lo hizo por ellos y la seguirán amando? ¿O creerán que lo hizo por usted misma, por su propio bienestar y seguridad, y la despreciarán por ello?

—¡Es usted una mujer despiadada! —exclamó Jenny atragantándose.

—Soy sincera —contestó Hester—. A veces parece que sea lo mismo. Pero le aseguro que no me causa ningún placer. Aún tiene ocasión de lograr que su padre reciba sepultura con honor y de limpiar su nombre.

Jenny permaneció inmóvil en la butaca agarrándose las manos con fuerza. La luz de la lámpara, necesaria incluso a mediodía, borraba todo el color de su piel.

—La verdad puede ser muy dolorosa —agregó Hester—, pero deja la herida más limpia que las mentiras. Evita que se encone.

Jenny asintió muy despacio con la cabeza.

—Le ruego que no vuelva más —susurró—. Haré lo que dice pero no quiero volver a verla. Me ha obligado a mirar a la cara un horror que creía poder evitar. Permítame hacerlo a solas.

—Por supuesto.

Hester se puso de pie y caminó lentamente hasta la puerta. Sabía que los criados la acompañarían a la calle donde el carruaje de Morgan Applegate estaría aguardando para llevarla a casa.


Aquella misma mañana Monk cruzó el río mientras el día amanecía gris y ensombrecido por la lluvia. Primero fue a la comisaría para asegurarse de que no hubiese surgido ningún asunto importante que reclamara su atención y luego tomó un coche de punto que lo llevó al Old Bailey para ver a Rathbone.

—¡Borracha! —exclamó Rathbone incrédulo—. ¿Rose Applegate?

—E imperdonablemente franca —agregó Monk.

Rathbone soltó un taco, cosa que muy rara vez se permitía hacer.

—Estamos perdiendo este caso, Monk —dijo con abatimiento—. Si no voy con un cuidado exquisito terminaré condenando a Sixsmith tanto si quiero como si no, y Argyll quedará en libertad. Me hierve la sangre sólo de pensarlo, pero aunque destruya a la mitad de los hombres honestos que lo rodean, los peones, los capataces y los banqueros además del propio Sixsmith, sigo sin estar seguro de poder atraparlo. Si Rose Applegate hubiese convencido a la esposa para que declarase cualquier cosa que hiciera más creíble el asesinato de su padre... Entonces sí que lo habríamos debilitado.

Suspiró y miró a Monk con el miedo al fracaso quemándole las entrañas. Formaba parte de la naturaleza de su profesión retar a su propia habilidad, y no siempre podía ganar. Pero cuando era otro hombre quien iba a pagar, la fe en sí mismo se tambaleaba. Era un sufrimiento al que no estaba acostumbrado y por un momento su confusión le asomó a los ojos.

Monk tenía más por la mano lo de dudar de sí mismo. Eso lo había hecho más fuerte para soportar el peso de los aspectos más oscuros de su persona y salir airoso, llegando casi a perdonarse. Deseaba ayudar a Rathbone, pero sabía que en ese momento no era posible. Hay lugares que cada hombre recorre a solas, donde no cabe siquiera la amistad; lo único que ésta puede hacer es aguardar y prestar su apoyo antes y después.

—Voy a seguir buscando al asesino —dijo volviéndose para marcharse.

—Si no lo encuentras en un par de días déjalo correr —respondió Rathbone—. Prefiero soltar a Sixsmith y abandonar el caso a condenar a un inocente. —Sonrió torciendo las comisuras de los labios hacia abajo—. Mi incursión en el campo de la acusación no está siendo un éxito notorio, ¿verdad?

Monk no supo qué decir sin mentir. Esbozó una sonrisa y se marchó, cerrando la puerta sin hacer ruido.

Se hallaba a medio kilómetro de la comisaría de Wapping cuando Scuff surgió de la penumbra. El chico estaba empapado y se veía desmesuradamente complacido consigo. Echó una carrera para alcanzar a Monk.

—¡Lo he hecho! —dijo saltándose el habitual preámbulo de saludos.

Monk lo miró. Su carita resplandecía de triunfo bajo aquella gorra que le iba grande. Monk aún no había encontrado el momento de decirle que necesitaba un poco de relleno.

—¿Qué es lo que has hecho? —preguntó.

Scuff adoptó una expresión indignada.

—¡He descubierto dónde vive el asesino! ¿No era eso lo que teníamos que hacer?

Monk se detuvo en mitad de la acera y se puso de cara a Scuff.

—¿Has descubierto dónde vive el hombre que disparó al señor Havilland? —La idea era abrumadora. De pronto se puso furioso—. ¡Te dije que ni se te ocurriera! —Su voz cortó el aire, áspera por el miedo. Un hombre que había disparado contra Havilland en su propia cuadra no lo pensaría dos veces antes de estrangular a un pilluelo como Scuff—. ¿Es que nunca escuchas? —inquirió—. ¿Ni piensas?

Scuff se mostró confundido y profundamente dolido. Aquello era lo último que esperaba. Se había aferrado a su logro durante todo el trayecto hasta allí confiando en recibir las alabanzas y el júbilo de Monk, y ahora le arrebataban el trofeo de las manos. Se llenó los pulmones de aire y miró a Monk pestañeando para contener las lágrimas.

—¿Entonces no lo quiere saber?

Monk sintió una culpa tan grande que por un instante no halló palabras para describirla y mucho menos para tratar de cambiar el estado de ánimo del niño que le miraba fijamente, expectante.

—Sí, claro que quiero saberlo —dijo por fin. No debía inmiscuirse en la valiosa dignidad de Scuff, puesto que prácticamente era lo único que el chico poseía. Era imperativo actuar como si no lo hubiese visto llorar—. Pero nunca pongo en peligro la vida de mis hombres, ni siquiera por algo así. Espero que hayas aprendido la lección.

—Vaya. —Scuff tragó saliva. Estuvo reflexionando un rato mientras ambos seguían parados bajo la lluvia, mojándose—. ¿La de ninguno?

—La de ninguno —aseguró Monk—. Ni siquiera la de quienes no aprecio, como Clacton, y mucho menos la de mis amigos.

—Vaya —repitió Scuff.

—Así que no vuelvas a hacerlo —advirtió Monk— o tendrás que vértelas conmigo. Por esta vez, pase.

Scuff lanzó un gruñido.

—Entonces quiere saber dónde vive, ¿verdad?

—Pues claro... Dime.

—Vive en la zanja de Blind Man's Cutting, que se mete en el túnel de las cloacas antiguas. Allí abajo vive un montón de gente, pero puedo dar con él. Le acompañaré. Es un tipo de cuidado. Y conoce las cloacas como un alcantarillero, sobre todo las viejas de la parte del Fleet.

—Gracias. Creo que lo mejor será que llevemos a algunos hombres con nosotros. Vayamos a comisaría a buscarlos.

Monk echó a caminar.

Scuff se quedó donde estaba.

Monk paró y se volvió.

—No pienso entrar ahí —dijo Scuff tercamente—. Está lleno de polis.

—Vas conmigo —dijo Monk con calma—. Nadie te hará daño.

Scuff lo miró muy serio con los ojos empañados por la duda.

—¿Prefieres aguardar fuera? —preguntó Monk—. Llueve y hace frío. Dentro se está caliente y tomaremos un tazón de té. A lo mejor hasta queda un trozo de bizcocho.

—¿Bizcocho?

La tentación había encendido los ojos de Scuff.

—Y té caliente, seguro.

—Y polis...

—Sí. ¿Quieres que los haga salir a todos a la calle?

Scuff sonrió de oreja a oreja mostrando los dientes que le faltaban.

—¡Sí!

—¡Ni lo sueñes! —repuso Monk—. ¡Venga, vamos!

Scuff obedeció sin tenerlas todas consigo; caminó al lado de Monk hasta que llegaron a la escalinata y entonces se rezagó. Monk sostuvo la puerta abierta para que entrara y aguardó mientras Scuff avanzaba pasito a pasito hasta detenerse justo traspasado el umbral, mirándolo todo con ojos como platos.

Orme levantó la vista del informe que estaba redactando en su escritorio. Clacton fue a decir algo, pero su mirada se cruzó con la de Monk y cambió de parecer.

—El señor Scuff posee información que puede ser muy valiosa para nosotros —dijo Monk a Orme—. Ha venido a dárnosla, por supuesto, pero quizá sería más agradable con una taza de té y un trozo de bizcocho, si es que aún queda un poco.

Orme miró hacia donde Scuff se encontraba y vio a un chiquillo empapado tiritando de frío.

—Clacton —dijo con aspereza al tiempo que sacaba unas monedas del bolsillo—. Vaya a buscarnos un buen pedazo de bizcocho. Yo prepararé el té.

Scuff se adentró un paso más y luego se fue arrimando a la estufa.

Dos horas más tarde Monk, Scuff, Orme, Kelly y Jones, armados con pistolas, descendieron a la obra a cielo abierto y recorrieron el fondo anegado entre las altas paredes de la zanja de Blind Man's Cutting. Cuando ésta se cerró sobre sus cabezas, encendieron sus faroles.

Monk se fijó en los costados del túnel. Los viejos ladrillos estaban dispuestos con esmero formando una curva que ahora presentaba manchas y chorreaba sin tregua un limo que se escurría lentamente. El olor atoraba la nariz y la garganta y su inequívoca pestilencia delataba su origen humano. Los correteos de las ratas interrumpían el murmullo del agua que corría por el canal central. Por lo demás el único ruido que se oía era el de sus propios pasos resbalando sobre la piedra mojada. Nadie hablaba. Aparte de los débiles rayos de sus faroles, la oscuridad era absoluta. Monk notó que el pánico se iba apoderando de él de una manera casi incontrolable. Estaban enterrados vivos, era como si el resto del mundo hubiese dejado de existir. Sólo acertaba a ver oscuras sombras zigzagueantes y luz amarilla en las paredes mojadas. El hedor resultaba asfixiante.

Tal vez el trecho recorrido cubriera poco más de un kilómetro pero se hizo interminable hasta que llegaron a una encrucijada de canales. Scuff sólo vaciló un instante antes de girar a la derecha. Abrió la marcha hacia un túnel más estrecho donde se vieron obligados a agacharse para no golpearse contra el techo. Sin duda los desembarradores hacía tiempo que no pasaban por allí puesto que los sedimentos acumulados bajo sus pies eran de una considerable y peligrosa profundidad, y entorpecían el avance succionando y tirando de sus pies.

Monk no tenía ni idea de dónde se hallaban. Habían girado tantas veces que ya no sabía en qué dirección avanzaban. Los sonidos resonaban y se perdían dejando tras ellos tan sólo el goteo que los envolvía por encima, delante y detrás. Era como un labe rinto sin fin que atravesara el infierno, preñado de hedor a descomposición.

Uno de los hombres profirió un grito sin querer cuando una rata inmensa cayó de la pared y se zambulló en el agua a tan sólo medio metro de él.

Al cabo de otro medio kilómetro salieron a un túnel seco con el techo considerablemente más alto. Allí encontraron a un par de alcantarilleros que iban atados entre sí para mayor seguridad. Sostenían largas pértigas para pescar objetos valiosos o apoyarse contra los costados cuando los pillaba una corriente repentina después de un chaparrón. Iban vestidos con el equipo habitual de los alcantarilleros: botas altas de goma, gorro impermeable y arnés.

Fue Scuff quien habló con ellos, dejando a la Policía Fluvial en la sombra con los faroles medio escondidos.

Luego siguieron avanzando, penetrando la oscuridad con sus débiles luces. La idea revolvió el estómago de Monk y le apretó la garganta: ¿qué ocurriría si perdieran los faroles? Nunca volverían a salir de allí. Un día, al cabo de una semana o de un mes, un alcantarillero encontraría sus huesos mondados por las ratas.

El último desembarrador al que habían preguntado, medio kilómetro atrás, había dicho que algunas personas usaban aquellas antiguas rutas para ir de un barrio a otro de la ciudad. El hombre a quien andaban buscando, cuyo hombre nadie pronunció, era una de ellas. En el mundo subterráneo apenas había amistad o enemistad, sino una simple coexistencia regida por reglas de supervivencia. Quienes las quebrantaban morían.

Pareció que transcurriera un siglo antes de que Scuff finalmente los hiciera subir por una escalera de mano. Sus pies resonaban en los travesaños de hierro. Poco después cruzaron un canal de desagüe que de tan alto como rugía les impedía oír sus propias voces. En lo alto, en un corredor seco sin salida, había un grupo de hombres y mujeres sentados en torno a un fuego; el humo salía por un agujero cercano y desaparecía en la más absoluta oscuridad.

Una anciana y Scuff mantuvieron un breve intercambio de susurros.

—¿Hacia dónde, doña? —preguntó Scuff tocándose el colmillo para recordarle a quién se refería.

La anciana se estremeció y señaló hacia la izquierda con la cabeza. Un hombre más joven discutió con ella señalando hacia la derecha. Finalmente Orme se avino a seguir la indicación del joven con Kelly y Jones y regresar si no encontraba nada. Monk se llevó a los otros dos hombres y fue con Scuff por donde había dicho la anciana.

Media hora después, tras más giros y escaleras, el grupo de Monk salió a una zanja a cielo abierto donde respiraron con gusto el aire fresco sin que les importara el frío.

—Ha mentido —dijo Scuff con amargura—. Asustada, supongo. Vieja del... —Se abstuvo de decir la palabra que tenía en mente—. Por ahí. —Señaló el túnel del que acababan de salir y en la siguiente bifurcación se volvieron a dividir. Monk y Scuff bajaron solos por otra escalera de mano adentrándose en las entrañas de la tierra.

Monk se detuvo con Scuff pegado a él. Sus faroles iluminaban apenas unos metros delante de ellos y luego la oscuridad era impenetrable. Ahora no había más ruido que el del monótono goteo del techo. A Monk se le había pasado el enojo y ya sólo tenía frío. No podía culpar a la anciana. Él mismo estaba tiritando y encogido de miedo. ¿Había sentido alguna vez un terror tan físico como aquél? No que él recordara. ¿Acaso era posible olvidarlo? Era una sensación primigenia, entretejida en la existencia de uno. La piel se le erizaba como si la tuviera cubierta de insectos y oía todos los ruidos magnificados. Su imaginación trabajaba sin descanso. El río lo mismo podría estar a veinte metros que a veinte kilómetros. ¿Realmente había un asesino avanzando delante de ellos, quizás incluso aguardándolos? Monk no oía más que agua correr, chorrear, salpicar bajo sus pies. Aquella parte de la antigua red de alcantarillado estaba en desuso. La corriente era somera, sólo se alimentaba de la lluvia que bajaba de las canaletas, pero aun así apestaba a excrementos humanos. Los desembarradores hacía siglos que no entraban allí. Los montones de légamo parecían estalagmitas.

Se oyó un ruido más adelante. Monk paró en seco. No eran garras de rata, sino el sonido más pesado de una bota sobre la piedra.

Monk tapó su farol.

—¡Es él! —susurró Scuff agarrando a Monk de la mano.

Oyeron otra vez ruido de pasos y una luz amarilla se reflejó en la antigua pared pegajosa del túnel. Una sombra aumentó de tamaño, avanzando, hinchándose.

Scuff apretó tanto la mano de Monk que le clavó las uñas en la carne hasta causarle dolor. Monk tiró de Scuff hacia él y lo escondió a sus espaldas. El corazón le palpitaba con tal fuerza que se sentía asfixiado. De haberse hallado en la superficie al enfrentarse con aquel hombre, por más que fuese en plena noche, habría conservado la calma aun teniendo los cinco sentidos alerta. En aquellas circunstancias se alegraba de ir armado, aunque aquello era como encontrarse con el diablo en su propio territorio, extraño y espantoso.

El ruido de las pisadas cesó de repente cuando el hombre que avanzaba hacia ellos cruzó un tramo encenagado. Sólo quedó la sombra que proyectaba y el goteo del agua.

Scuff silbaba entre los dientes al respirar y se pegó a Monk para amortiguar el silbido.

El hombre apareció en la esquina a unos cinco metros de ellos. Anduvo otro par de metros antes de percatarse de que las sombras de Scuff y Monk en la pared eran humanas y no basura amontonada. Se quedó inmóvil sosteniendo su farol con firmeza; la luz amarillenta convirtió su rostro en una máscara de cera. Era flaco y el cabello desordenado le llegaba hasta los hombros. Sus cejas parecían dos manchas negras. Tenía la nariz grande y aguileña, y una boca grande y de labios finos. Sorprendentemente, había inteligencia en sus ojos, incluso humor.

Sonrió y Monk vio los colmillos, afilados y desmesurados, el izquierdo mayor que el derecho. A Monk se le heló la sangre en las venas: aquella imagen permanecería grabada para siempre en su memoria.

Entonces el hombre se volvió y echó a correr con asombrosa rapidez.

Fue lo que Monk necesitaba para entrar en acción. Quitó la tapa del farol y sin soltar la mano de Scuff cruzó el cieno y el agua y subió de nuevo al lecho medio seco del torrente en pos del hombre. Ahora Scuff lo seguía con facilidad, de modo que le soltó la mano. El presunto asesino se veía obligado a sostener su farol en alto mientras chapoteaba y resbalaba en su huida; su enorme sombra se proyectaba en los muros y el techo, y al llevar los brazos extendidos semejaba un pájaro herido tratando de volar. La luz amarilla revelaba la humedad negra y brillante de las paredes y la resbaladiza superficie del torrente.

Doblaron un recodo y sólo encontraron la más absoluta oscuridad. Scuff se arrimó a Monk, que se dio cuenta de lo mojado que estaba. Tenía las piernas heladas y el torso cubierto de sudor. Notó que éste le corría por el pecho y la espalda.

Se oyó un ruido delante, como un chapuzón. Se volvió hacia el lugar de donde procedía. El túnel de la derecha.

—¡Ratas! —susurró Scuff con voz ronca—. Las ha asustado. ¡Vamos! —Y sin aguardar a cerciorarse comenzó a cruzar el canal.

Monk estuvo a punto de gritarle que no se moviera, pero se mordió la lengua. Los sonidos retumbaban más abajo. No sabía cuán lejos o cerca se hallaba el asesino, quizás estuviese a unos pocos metros. Corrió detrás de Scuff dando traspiés. El tenue reflejo del agua hacía que la menuda silueta de Scuff se alargara extrañamente al avanzar a trompicones.

La luz de delante volvió a aparecer, brillante. Monk vio al asesino vuelto hacia ellos con el brazo levantado. Se produjo un estallido seco seguido de una llamarada. Scuff soltó un grito y se desplomó, resbalando hacia el agua.

Monk se abalanzó hacia el tirador desenfundando su pistola. Disparó una y otra vez incluso después de perder de vista al asesino, cuando la única luz en la agobiante oscuridad era la de su propio farol.

A continuación guardó el arma, sostuvo el farol en alto y se puso a buscar la menuda figura de Scuff. Ya estaría flotando, arrastrado por la corriente, envuelto en lodo e inmundicia. Lo vio, lo perdió y volvió a encontrarlo. Se inclinó con torpeza, pues no había dónde apoyar el farol, y recogió el cuerpo inerte. Scuff tenía el rostro blanco y mojado, y a Monk le recordó, con una punzada de dolor, el de Mary Havilland, sólo que el del muchacho era mucho más pequeño y macilento, y tenía la piel azulada alrededor de los ojos y la boca. Gracias a Dios todavía respiraba, a pesar de la sangre que manaba a través de su ropa manchándola de escarlata en el hombro y el pecho.

El asesino tenía que estar en algún sitio delante de ellos, pero la idea de abandonar a Scuff hizo que Monk desistiera de ir tras él. Con torpeza a causa del farol, tratando de cargar con Scuff con un solo brazo y sin hacerle daño, se volvió e inició el largo camino de regreso. Apenas sabía dónde se hallaba, lo único que tenía en mente era salir cuanto antes de allí e ir en busca de ayuda.

Desconocía la gravedad de la herida de Scuff, pero no podía detenerse para averiguarlo. Había ratas por todas partes y éstas olerían la sangre. Peor aún, el asesino sabía que había alcanzado a Scuff. El hecho de que Monk no lo hubiese perseguido le indicaría que el muchacho no había muerto y que Monk estaba tratando de regresar a la superficie, cargando con el herido. Cuando estuviese seguro de ello, ¿volvería sobre sus pasos para tratar de liquidar a Monk? ¡Si Monk se hallase en su lugar, sin duda lo haría!

Estaba perdido, delante de otra encrucijada; había tres caminos, dos delante y otro detrás. ¿Por cuál había llegado? ¡Tenía que pensar! ¡La vida de Scuff dependía de ello! El agua fluía velozmente en torno a sus pies. Debía de haber estado lloviendo a cántaros. ¿Qué ocurría en tales casos? ¡Riadas, por supuesto! Agua profunda. Lo suficiente para hacerle perder pie, quizás hasta para ahogarlos a él y a Scuff. ¿Seguía lloviendo? El pánico se estaba adueñando de él. «¡Basta! ¡Basta de estupideces! ¡Piensa!»

El agua fluye hacia abajo. ¿Al llegar habían avanzado a favor de la corriente o contra ella? A favor, por supuesto. Hacia abajo, siempre hacia abajo. De modo que lo que había que hacer era remontarla. Contra la corriente iría hacia arriba. No importaba dónde saliese mientras llegara a la superficie y pudiera pedir ayuda. ¡Cualquier abertura serviría!

¡Así que a remontar la corriente sin pausa, hacia arriba!

Reanudó la marcha. Le costaba llevar a Scuff con un solo brazo, pero también tenía que sostener el farol en alto para ver por dónde iba. El peso le tiraba de la herida que se había hecho durante la pelea en Jacob's Island, aún no curada del todo. Sin embargo, había una cosa buena: si iba hacia arriba, y no forzosamente desandando el camino que habían seguido al bajar, el asesino no tendría ningún rastro que seguir. ¿Por qué no había regresado nunca a ver a Sixsmith para que le pagara la segunda mitad, y al parecer tampoco a Argyll? Quizá nunca llegó a cobrar el segundo pago. ¡Quizá pidió que le entregaran el importe que tenía en mente en el primer pago! Tal vez temía que Argyll quisiera matarlo para no dejar cabos sueltos. ¿Tendría razón?

Rathbone debería retirar los cargos para no correr el riesgo de que ahorcaran a Sixsmith y Argyll quedaría impune. Ni Mary ni su padre serían vindicados jamás.

Pero lo único que importaba ahora era sacar a Scuff de allí antes de que muriera desangrado o por el frío. Monk deseaba examinar la herida pero no sabía dónde tender a Scuff, no encontraba ningún sitio del que colgar el farol para poder ver. Tenía las piernas entumecidas, el corazón le palpitaba desbocado y el hedor de las aguas residuales le daba náuseas, pero seguía avanzando tan deprisa como podía, siempre cuesta arriba, a contracorriente del agua.

Pasó junto a los peldaños de hierro de una escalera de mano pero no había modo de subirla cargando con Scuff.

Dobló una esquina. La claridad parecía aumentar. ¡Debía de estar acercándose a la superficie!

Entonces vio la figura delante de él; era un hombre, delgado, con el brazo levantado. Un grito retumbó en el túnel. Con el rugido del agua que saltaba la presa no logró entender las palabras. La lluvia debía de haber arreciado.

El disparo le pilló por sorpresa; la bala rebotó contra la pared e hizo saltar esquirlas de ladrillo y polvo. Monk se arrojó contra la pared ocultando a Scuff tan bien como pudo con su propio cuerpo.

Se oyó otro grito, y otro, pero sonaban cada vez más lejos. Miró alrededor y al principio creyó que no había nadie más allí. Entonces vio el farol en alto y la conocida silueta de Orme detrás. El alivio se apoderó de Monk como una ola caliente que le arrebatara las pocas fuerzas que le quedaban.

—¡Orme! —gritó—. ¡Aquí! ¡Socorro!

—¡Señor Monk! ¿Está bien?

Orme acudió a la carrera resbalando en el agua, haciendo balancear el farol, con la preocupación pintada en el rostro.

—Han disparado a Scuff —dijo Monk—. Hay que sacarlo de aquí.

—¿Ahora? —dijo Orme, horrorizado—. ¿Justo ahora?

—¡No! No... alcanzamos al asesino y nos disparó.

—De acuerdo, señor. Yo iré delante —dijo Orme con firmeza—. Venga conmigo.

Tras lo que pareció una eternidad, salieron por fin a la zanja. Para entonces Monk se había desecho de su farol y seguía la luz del de Orme. Quería sostener a Scuff con ambos brazos. El muchacho empezaba a volver en sí y de vez en cuando soltaba un gruñido.

Cuando llegaron al final de la zanja y estuvieron al nivel del suelo, se detuvieron. Por primera vez Monk vio el rostro de Scuff a plena luz del día. Estaba muy pálido y tenía los ojos hundidos. A Monk se le encogió el corazón. Levantó la vista hacia Orme.

—Más vale que lo lleve a un médico, señor —dijo Orme, inquieto.

Scuff abrió los ojos.

—Quiero a Crow —dijo con un hilo de voz—. ¡Me duele mucho! ¿Voy a morir?

—No —prometió Monk—. Nada de eso. Voy a llevarte al hospital...

Scuff abrió desmesuradamente los ojos, aterrorizado.

—¡No! ¡Al hospital no! No me lleve, señor Monk, no me lleve, por favor... —dijo jadeando. Se puso aún más blanco. Intentó extender la mano como si quisiera protegerse de algo, pero sólo alcanzó a mover los dedos—. Por favor...

—De acuerdo —dijo Monk—. Nada de hospitales. Te llevaré a casa. Cuidaré de ti.

—Necesita que le administren el tratamiento debido, señor Monk —advirtió Orme con tono de intranquilidad—. Con cuidarlo no bastará. Hay que sacarle la bala, coser el agujero y limpiar bien la herida.

—Ya lo sé —contestó Monk con más brusquedad de la que quería—. Haga que avisen a Crow para que vaya a mi casa. Mi esposa hizo de enfermera en el frente.

Orme comprendió la inutilidad de discutir cuando el tiempo era tan infinitamente valioso. Corrió hasta la calle, detuvo el primer coche de punto que pasaba y ordenó al asustado pasajero que se apeara y buscara otro coche. Prioridad policial. El hombre vio al niño herido y no se hizo de rogar.

Orme fue en busca de Crow.

El viaje resultó una pesadilla. Monk llevaba a Scuff en brazos y le hablaba sin cesar sobre esto y aquello anhelando saber cómo ayudar. El trayecto se hizo interminable, aunque en realidad apenas había transcurrido media hora cuando por fin se apeó, pagó al cochero y llevó a Scuff hasta la puerta principal.

La casa estaba oscura, vacía y fría. ¿Era posible que Hester ya se hubiera ido a Portpool Lane? Podría haber roto a llorar de miedo y soledad al saberse incompetente para lo que había que hacer.

¿Dónde se había metido Hester? ¿Por qué no estaba allí? ¿Qué haría sin ella? Sintió pánico. ¡No había tiempo que perder!

¡Tenía que mantener caliente a Scuff! Se estaba desvaneciendo, perdía demasiada sangre. Estaba pálido y apenas movía los párpados.

Monk tenía que caldear la habitación, cribar el hornillo, añadir combustible, hervir agua. ¡No tenía ni idea de cómo se sacaba una bala! ¡Podría matar a Scuff si lo intentaba!

Se movía deprisa. Atizó el fuego. Debía ir con cuidado; si añadía demasiado carbón corría el riesgo de que se apagara, y entonces tardaría siglos en volver a encenderlo. «¡Rápido! ¡Sóplale, haz que prenda!» Llenó de agua la cacerola más grande y acto seguido cambió de parecer y puso una pequeña. Sería más rápido.

Finalmente, ya no le quedaban excusas para seguir demorándose. Alzó a Scuff de la silla donde lo había dejado y lo tendió sobre la mesa, bajo la lámpara. Tenía que quitarle el abrigo y retirar el trozo de bufanda que Orme había puesto para detener la hemorragia. Estaba empapado en sangre. Las manos le temblaron al quitarlo y ver el agujero escarlata en la piel blanca todavía manando. Scuff estaba inconsciente y apenas respiraba. ¿Acaso ya era demasiado tarde?

¡Por Dios, no! ¡Por Dios, no!

Ni siquiera oyó la puerta principal. Hasta que Hester no estuvo a su lado no advirtió que tenía el rostro bañado en lágrimas de alivio. No preguntó si ella podría salvar a Scuff porque le daba miedo oír la respuesta.

Hester se limitó a dar órdenes:

—Pásame el cuchillo; limpia esto; corta un trozo de mi enagua, es suave; pon esto en vinagre; sí, está limpio. Solían hacerlo así en la armada y en los barcos de línea. ¡Haz lo que te digo!

Trabajaron juntos. Hester buscó a tientas la bala, la sacó, limpió la herida, la cerró y aplicó unos puntos de sutura con una aguja de zurcir desinfectada con agua hirviendo. Utilizó el único hilo de seda que tenía, uno azul marino de un vestido que había estado arreglando. Monk obedeció apretando los dientes, tiritando de frío, de miedo y de cansancio.

Finalmente terminaron. Scuff estaba vendado y vestido con un camisón de Hester, ya que era lo único que no le quedaba excesivamente grande, y reposaba en el lado de la cama que ella solía ocupar.

Sólo entonces Monk se atrevió a preguntar:

—¿Vivirá?

Hester no le mintió. Tenía el rostro transido de tristeza y agotamiento, y su vestido azul presentaba manchas de sangre.

—No lo sé. Tendremos que aguardar. Yo le haré compañía y procuraré que no le suba la fiebre. Ahora no se puede hacer nada más. Ve a lavarte y ponte ropa seca.

Monk había olvidado por completo que aún estaba empapado y que el hedor de la cloaca probablemente llenaba toda la casa.

—Pero... —empezó a objetar, aunque enseguida se dio cuenta de que Hester llevaba razón. No podía hacer nada más por Scuff y que pillara una pulmonía no ayudaría a nadie. Temblaba de frío, los dientes le castañeteaban. Se cambiaría y después prepararía té. Tenía el estómago vacío y revuelto, y el brazo le palpitaba.

Estaba en la cocina con la tetera cuando llegó Crow con el rostro ceniciento y los ojos hundidos.

—¿Cómo está? —preguntó estudiando el semblante de Monk—. ¡Caray! ¡Tiene muy mala cara!

Se le quebró la voz. Tal vez debiera haberse mostrado más profesional pero sus sentimientos estaban a flor de piel y no podía ocultarlos.

—No lo sé —admitió Monk—. Hester le ha sacado la bala y cosido la herida pero está muy debilitado. Está arriba, en mi cama. ¿Podría...?

Crow había llevado su maletín de médico; no lo había soltado ni por un instante. Se volvió y subió la escalera de dos en dos. Monk lo siguió cinco minutos después con el té.

Crow estaba de pie junto a la cama. Hester seguía sentada en la silla con la mano de Scuff entre las suyas. Crow se volvió.

—Ha hecho un buen trabajo —dijo—. No puedo hacer nada más. Es una herida grave, pero le han sacado la bala y se ha limpiado bien. Casi no sangra. Aquí traigo vendas, alcohol y un poco de oporto para entonarlo cuando recupere el sentido.

No dijo «si es que recupera el sentido», pero todos supieron interpretarlo.

—¿Sólo... aguardar? —Monk quería hacer más que eso. Tenía que haber algo.

—Y tomar té —dijo Crow con una lúgubre sonrisa.

Monk lo sirvió y se sentaron dispuestos a pasar una larga noche en vela.

Scuff daba vueltas en la cama. A medianoche tuvo fiebre. Monk fue a buscar un cuenco de agua fría a la cocina y Hester le aplicó al muchacho compresas húmedas en la frente. Hacia la una y media Scuff estaba más tranquilo: su respiración era un poco agitada, pero ya no se retorcía ni estaba empapado en sudor.

Crow le retiró el vendaje para efectuar una cura. La herida se veía limpia, pero aún sangraba un poco. Cuando trató de dar a Scuff una cucharadita de vino, el niño la rechazó.

Monk dormitó un rato en la butaca y luego cambió de sitio con Hester al lado de la cama.

Fuera, la lluvia se convirtió en aguanieve y más tarde en nieve.

A las cinco Scuff abrió los ojos, pero apenas estaba despierto. No dijo nada y parecía no tener ni idea de dónde estaba. Hester lo incorporó un poquito y le dio una cucharadita de vino. Scuff se atragantó, pero Hester le dio un poco más y la segunda vez el chiquillo esbozó una sonrisa. Casi de inmediato volvió a sumirse en la inconsciencia, aunque su respiración era más acompasada.

Monk bajó a avivar el fuego de la cocina para hervir más agua y preparar té.

Poco después de las siete Scuff habló.

—¿Señor Crow? ¡Es usted?

—Sí, soy yo —respondió Crow enseguida.

—Ha venido...

—Claro que he venido. ¿Pensabas que no lo haría?

—No... Ya sabía que sí. Lo he hecho. —Scuff esbozó una débil sonrisa—. Se lo dije.

—¿Qué has hecho? —le preguntó Crow.

—Encontrar al tipo que buscaba el señor Monk. Le he ayudado.

—Sí, ya lo sé —confirmó Crow—. Me lo ha dicho.

—¿De veras? —Scuff frunció el entrecejo. Soltó un profundo suspiro y volvió a sumirse en el sueño, con una sonrisa en los labios.

—¿Se pondrá bien? —preguntó Monk con voz ronca.

—Parece que mejora —respondió Crow sin arriesgar.

A las ocho Crow se marchó, pues tenía que visitar a otros pacientes. Ya no podía hacer más por Scuff, y por su actitud se comprendía que confiaba en la habilidad de Hester tanto como en la propia. Prometió regresar al anochecer.

Monk estaba cansado. Le dolían los huesos y le escocían los ojos cada vez que pestañeaba, como si le hubiese entrado arenilla. Sin embargo, sabía que tenía que ir a contarle a Rathbone que había visto al asesino, exactamente tal como lo había descrito Melisande Ewart, y que había disparado contra Scuff antes de escapar. Al menos podía dar fe de su existencia y su aspecto.

Hester también estaba agotada pero no se atrevía a dormir por si Scuff empeoraba de repente sin que ella se diera cuenta. Aun así, dormitaba cuando el niño le habló.

—¿Quién es usted? ¿Es la esposa del señor Monk? —preguntó con voz sorprendentemente clara.

Hester abrió los ojos y pestañeó.

—Sí, en efecto. Me llamo Hester. ¿Cómo te encuentras?

Scuff se mordió el labio inferior.

—Duele. Me dispararon. ¿Se lo contó el señor Monk?

—Sí. Lo sé todo. Te saqué la bala del hombro. Por eso duele tanto. Pero parece que estás mejorando. ¿Te apetece beber algo?

Scuff abrió ojos como platos.

—¿Miró? ¿No se desmayó ni nada?

—No. Fui enfermera en el ejército. No me desmayo.

El niño la miró fijamente y después intentó moverse. De pronto vio la puntilla de la manga.

—¿Qué es esto? ¿Qué ha hecho con mi ropa?

—Es uno de mis camisones —contestó Hester—. Tu ropa estaba mojada de la alcantarilla y bastante sucia.

Scuff se ruborizó sin dejar de mirarla.

—He atendido a muchos soldados —explicó Hester con toda naturalidad—. En el campo de batalla ocurre lo mismo. Tampoco es que les pusiera mis camisones, claro está. Pero es cuanto encontré y además no tenía tiempo para ir a comprar nada. Y era imprescindible que estuvieses limpio y abrigado.

—Vaya. —Apartó la vista, confuso.

—¿Te gustaría beber algo? —ofreció Hester de nuevo.

Scuff se volvió lentamente.

—¿Qué tiene?

—Té con azúcar y un poco de vino de oporto —contestó Hester.

—No me importaría —dijo Scuff en tono cansino. Era obvio que aún le estaba dando vueltas al hecho de llevar puesto un camisón de Hester y no tener ni idea de dónde habrían guardado los pantalones.

Hester bajó a la cocina a preparar el té y luego lo subió y le añadió unas cuantas cucharadas de oporto. Le ayudó a beberlo sin darle más conversación. Cuando volvió a tenderse Scuff tenía mejor semblante.

—¿Cuidaba soldados? —preguntó dubitativo.

—Sí.

—¿Por qué lo hacía? ¿Al señor Monk no le importaba?

—Entonces no le conocía.

—¿No tenía un papá o una mamá que cuidara de usted?

Hester frunció el entrecejo; aquel muchacho no encajaba en la idea que tenía de un huérfano.

—Sí que los tenía entonces. Lo cierto es que no les gustaba mucho que lo hiciera —dijo Hester con franqueza—. Pero un buen número de señoritas, algunas de muy buena familia, fueron a ayudar a Florence Nightingale.

—¡Vaya! ¿Usted era una de ellas?

—Sí.

—¿Pasó miedo?

—A veces. Pero cuando las cosas se ponen muy feas no piensas mucho en ti misma, sino más bien en los hombres que están heridos y en la forma de ayudarlos.

—Vaya. —Scuff se quedó pensativo un momento—. Yo no necesito ayuda. Al menos, casi nunca. Yo ayudo al señor Monk. No sabe gran cosa sobre el río. No es que no sea listo y valiente —añadió enseguida—. Es sólo...

—Ignorante —dijo Hester con una sonrisa.

—Sí... —convino Scuff—. Si usted ya lo sabía, ¿por qué dejó que fuera?

—Porque si amas a alguien no puedes impedirle que haga lo que cree que tiene que hacer.

Scuff la miró con más seriedad, con el comienzo de algo que bien podría ser respeto.

—¿Por eso su padre dejó que usted se alistara en el ejército?

—Digamos que sí.

—¿Cómo es el ejército?

Hester le contó, ciñéndose bastante a los hechos, cómo fue cruzar el Mediterráneo a bordo de un barco para el transporte de tropas y su primera visión de Scutari. Estaba describiendo el hospital cuando se dio cuenta de que Scuff se había dormido. Su respiración era acompasada y tenía la frente fresca, la piel seca y bastante buen color.

Se tendió en el lado de Monk de la cama y pese a no tener intención de hacerlo se durmió casi de inmediato.

Cuando despertó, Scuff estaba despierto y parecía incómodo. Había estado tendido junto a ella, quizá temeroso de moverse por si la molestaba. No obstante, ahora que podía tampoco cambió de postura y miró con ojos cansados a Hester. Esperaba que ésta dijera algo, quizá que empezara a hacerle preguntas.

Hester sabía que Scuff estaría asustado, solo, falto de amor. Sabía también que si ella le ofrecía cariño demasiado pronto el chico lo rechazaría de plano. Necesitaba su independencia para sobrevivir, eso ella lo sabía de sobra.

—¿Te encuentras bien? —le preguntó finalmente—. Me he quedado dormida.

—Duele —dijo Scuff, y acto seguido se avergonzó de sí mismo—. Pero estoy mejor. Pronto podré irme a casa.

No era momento para discutir con él. Scuff necesitaba tener la sensación de que al menos una parte de su destino estaba en sus manos. Tenía miedo de perder su libertad, de convertirse en un ser dependiente, de acostumbrarse al calor y las camas mullidas, a la comida caliente, incluso a la sensación de pertenencia.

—Sí, por supuesto —convino Hester—. En cuanto te pongas un poco mejor. Voy a buscar algo de comer. ¿Te apetece tomar algo?

Scuff guardó silencio, dudando entre aceptar o no. En su mundo la comida era la vida. Uno nunca la aceptaba o la daba a la ligera. Se encontraba en territorio desconocido y estaba lo bastante consciente como para darse perfecta cuenta de ello.

Hester se levantó y se recogió unos mechones de pelo de cualquier manera. Pese a su determinación de no implicarse demasiado, estaba sumamente preocupada por el niño. Si él se daba cuenta, se molestaría y se sentiría atrapado. No debía dejar que lo notara. Fue hasta la puerta sin volver la vista atrás pero en un descuido de última hora se volvió. Estaba tendido en mitad de la cama, pálido como la nieve, con los labios apretados, ojeroso. Parecía muy pequeño. Era la opinión de Monk la que le importaba, no la de ella.

—Enseguida vuelvo —dijo Hester, y no pudo evitar sentirse estúpida.

Al cabo de media hora regresó tras preparar natillas, receta en la que no era muy ducha. Había tenido que esforzarse para que le quedaran bien. Las había dispuesto en dos cuencos que llevaba en una bandeja. La dejó en el tocador, cerró la puerta y ofreció uno de los cuencos a Scuff.

El chiquillo lo miró sin saber qué contenía y levantó la vista hacia ella, inseguro.

Hester cogió un poco con una cuchara y se la acercó a los labios.

Scuff las probó despacio, con cuidado. Quizá no lo admitiría nunca, pero su expresión dejó claro que le encantaban.

Poco a poco Hester le fue dando el resto y luego se comió las suyas. Tenía una ridícula sensación de triunfo, como si hubiese ganado un gran premio. Le vinieron ganas de prepararle alguna otra cosa.

—¿Esto es lo que dan a los soldados cuando resultan heridos? —preguntó Scuff.

—Si tenemos lo necesario, sí —contestó Hester—. Depende de dónde estemos luchando. Puede resultar complicado llevar las cosas a lugares muy lejanos.

—¿Qué clase de cosas? Tienen que tener comida. ¿Tienen armas y cosas así, también?

—Sí, y munición, y material sanitario, y botas y ropa de repuesto. Toda clase de cosas.

Siguió explicándole cosas sobre la vida en el ejército y Scuff no apartaba sus ojos de los de ella. A última hora de la tarde, cuando llegó Monk, aún estaban conversando.

Subió a la habitación intentando no hacer ruido. Parecía exhausto, pero en cuanto vio a Scuff incorporado en la cama sonrió.

Hester se levantó, preocupada por él. Fuera ya estaba oscureciendo y Monk iba mojado de lluvia pese a haberse quitado el abrigo en la entrada.

—¿Tienes apetito? —preguntó con ternura tratando de descifrar en su rostro qué era lo que necesitaba más.

—Sí —contestó como si se sorprendiera—. Rathbone piensa que Sixsmith puede ser condenado.

—Lo lamento —dijo Hester sinceramente.

—Pruebas aportadas por peones —explicó Monk—. Quizá no tendríamos que haber empezado esto pero es demasiado tarde para deshacerlo ahora.

—¿Qué pasará mañana?

—Más peones, oficinistas, gente que seguramente no tenía ni idea de nada —contestó Monk—. Comamos. He hecho cuanto he podido. ¿Estás hambriento, Scuff?

Scuff asintió con la cabeza.

—Sí que lo estoy —concedió.

# 11

Cuando Monk regresó a casa tras la sesión del juicio del día siguiente ya era oscuro y volvía a llover. Las alcantarillas rebosaban y el agua se derramaba por los adoquines. Los reflejos de las farolas danzaban sobre la piedra mojada y las salpicaduras puntuaban el chacoloteo de los caballos. El viento frío que subía del río arrastraba espirales de neblina que se desplegaban, envolvían árboles e incluso casas, y luego se alargaban y desaparecían.

Dentro, la casa estaba caldeada. La cocina olía a pan recién hecho, ropa limpia y algo sabroso. Hester fue a saludarlo a la puerta.

—Está bien —dijo antes de que Monk preguntara.

Monk sonrió dejándose invadir por la ternura.

—Ha estado durmiendo a ratos —prosiguió Hester—. Tiene mucha mejor cara.

Monk la estrechó entre sus brazos, la besó en la boca y luego en la mejilla, los ojos y el pelo, como si durante un instante precioso el resto del mundo no existiera. Después subió a ponerse ropa seca y ver cómo se encontraba Scuff.

—¿Cómo te encuentras? —preguntó.

Scuff despertó y se incorporó muy despacio, pestañeando un poco. Parecía no saber qué contestar.

—¿Estás peor? —preguntó Monk con inquietud.

Scuff le dedicó una sonrisa torcida.

—Duele mucho —dijo con franqueza—. Pero esa crema de huevo que prepara ella está muy rica. ¿Conoce algún sitio de esos donde Hester dice que ha estado? —Abrió los ojos con asombro y más admiración de la que probablemente era consciente—. ¡Algunos no los había oído en mi vida!

—Yo tampoco —concedió Monk. Entró en la habitación y se sentó en el borde de la cama.

—Me ha contado lo que hacía en el ejército.

—A mí también me lo cuenta, de vez en cuando. No habla mucho sobre eso.

—Es triste, ¿eh? Tantos hombres malheridos. —Scuff frunció las cejas—. Muchos murieron. No me lo ha dicho, pero creo que fue así.

—Sí, a mí también me lo parece. ¿Tienes hambre?

—Sí. ¿Y usted?

—Sí.

Scuff trató de levantarse de la cama, como si quisiera bajar a cenar.

—¡No! —exclamó Monk bruscamente—. ¡Ya te subiré la cena!

—No tiene por qué... —protestó Scuff.

—Prefiero subirte la cena que cargar contigo otra vez —le dijo Monk secamente—. ¡No te muevas de donde estás!

Scuff se dejó caer sobre el colchón y volvió a situarse en medio. Se apoyó contra la almohada, sin apartar la vista de Monk.

—Por favor, no te caigas —dijo Monk con más amabilidad—. Te harías más daño.

Scuff se quedó callado, pero no volvió a moverse.

Estaban los tres en el dormitorio, a mitad de la cena, cuando los interrumpieron. Hester cortaba la verdura de Scuff para que éste la fuera pinchando con el tenedor. Lo hacía con esmero, inseguro al principio sobre cómo hacerlo. Monk comía empanada de carne y riñones con voraz apetito. De repente llamaron a la puerta con insistencia, aporreándola como si la quisieran derribar.

Monk dejó su plato en la bandeja, con un último bocado sin comer, y bajó a ver quién era.

Orme estaba en el umbral bajo la lluvia, el pelo pegado a la cabeza, el rostro blanco. No aguardó a que Monk preguntara qué ocurría ni hizo ademán de querer entrar.

—Ha habido un hundimiento —dijo con voz ronca—. En el túnel de Argyll. De una punta a otra. Sólo Dios sabe cuántos hombres han quedado enterrados.

Era lo que James Havilland había temido, y Monk habría dado cualquier cosa para no tener que darle la razón.

—¿Se sabe qué lo ha causado? —preguntó con voz temblorosa. Incluso la mano con que sostenía la puerta estaba fría y como incorpórea.

—Aún no —contestó Orme haciendo caso omiso de la lluvia que le chorreaba por la cara—. De pronto la pared entera se ha desmoronado; había agua detrás, como un río. Y entonces a unos cincuenta metros de allí ha cedido otro tramo. Yo vuelvo para allá, señor, para ver si puedo echar una mano. Aunque sólo Dios sabe si es posible hacer algo.

—¿Otro corrimiento? ¿Me está diciendo que hay hombres atrapados entre los dos? ¿Hay alguna cloaca allí abajo?

—No lo sé, señor Monk. Depende de qué sea lo que se ha corrido. Está cerca de un tramo de alcantarilla antigua que todavía está en uso. Podría ser. Sé lo que está pensando: gas...

No terminó la frase.

—Voy con usted. —No cabía dudar ni cuestionarse qué hacer—. Entre a resguardarse de la lluvia mientras aviso a mi esposa.

Dejó la puerta abierta y subió la escalera de dos en dos.

Hester estaba de pie asomada a la puerta del dormitorio y Scuff incorporado en la cama detrás de ella.

Ambos habían oído la voz de Orme y percibido su tono de alarma.

—Ha habido un hundimiento. Tengo que irme —dijo Monk a Hester.

—¿Heridos? ¿Puedo...? —Hester se interrumpió.

Monk le dedicó una breve sonrisa.

—No. Tu sitio está aquí, junto a Scuff. Que parezca estar bien no significa que lo esté. Lo sabes mejor que yo. Regresaré en cuanto pueda.

Le dio un beso apresurado, más fuerte quizá de lo que pretendía, se volvió y bajó la escalera, cogió el abrigo del perchero de la entrada y siguió a Orme a la calle.

Había un coche de punto aguardando. Subieron y gritaron al cochero que regresara a toda prisa al túnel. No se hizo de rogar.

Fueron traqueteando por las calles. El látigo restallaba sobre los lomos del caballo y las ruedas salpicaban agua hacia ambos lados. El trayecto duró casi media hora pese a que a aquellas horas de la noche apenas había tráfico. Mientras Orme se apeaba, Monk pagó al conductor con excesiva generosidad y luego corrió tras su subordinado adentrándose en la oscuridad bajo la lluvia. Delante de ellos un laberinto de faroles se movía a trompicones, ya que los hombres sorteaban los escombros y las vigas rotas con tanto cuidado como podían para evitar caerse.

Monk era consciente de los gritos, del azote del viento y la lluvia y, en algún lugar que no veía, del repiqueteo de una de las grandes máquinas que subían escombros. En la periferia de la zona del desastre había carruajes y ambulancias aguardando.

—¡Qué espanto!

Crow surgió en una mancha de luz. Tenía el pelo negro empapado, el rostro ceniciento, los ojos como dos agujeros en la cabeza. Si en algún momento había llevado consigo su maletín de médico, lo había perdido. Llevaba las manos cubiertas de sangre. A juzgar por el tajo en su antebrazo izquierdo, al menos en parte era suya.

—¿Cómo puedo ayudar? —preguntó Monk—. ¿Podemos sacar a alguien con vida?

—Quién sabe —contestó Crow—. En cualquier caso, tenemos que intentarlo. Tenga cuidado, el suelo cede en toda esta parte. Mire dónde apoya el peso y si se hunde, grite. A pesar del ruido, puede que alguien le oiga. Tiéndase, así al menos tendrá alguna oportunidad de dar con una viga o un trozo de lo que sea a lo que agarrarse. Si se queda de pie se hundirá como una flecha.

Mientras hablaba se iba abriendo camino hacia un grupo de faroles que quedaba a unos cien metros y que se balanceaban sostenidos por los hombres que exploraban el terreno para adentrarse en la zona del hundimiento.

—¿Qué ha ocurrido? —preguntó Monk teniendo que levantar la voz por encima del estruendo de la máquina que cavaba y descargaba escombros.

—Habrán estado cavando demasiado cerca de un arroyo —contestó Crow a voz en grito—. El subsuelo de Londres está lleno de ríos. Con tanto horadar y excavar algunos han alterado su curso. Basta un par de palmos, un cambio de arcilla a pizarra o topar con una alcantarilla antigua, un sótano o lo que sea, y puede desviarse por completo. A veces el agua se limita a rodear el obstáculo y volver a su... ¡Cuidado con el pie!

Esto último fue un grito de advertencia al hundirse el pie de

Monk en un agujero succionador. Se lanzó hacia delante justo a tiempo para agarrar el brazo de Orme, sostenerse erguido y arrancar el pie de las fauces del barro que le envolvió la pierna hasta la rodilla. El susto le dejó sin aliento y se encontró jadeando incluso después de recobrar el equilibrio.

Crow le dio una palmada en el hombro.

—Más vale que no nos separemos —dijo levantando la voz—. ¡Vamos!

Monk lo alcanzó de un brinco.

—¿Sería posible que alguien supiera que esto iba a suceder? —inquirió.

—¿Sixsmith? —preguntó Crow sin detenerse.

—Havilland, en realidad —contestó Monk.

Crow se paró en seco.

—¿Asesinado por eso? —Había sorpresa en su voz y pese a los temblorosos faroles su expresión era indescifrable—. No lo sé. Si tuvo la sensatez de escuchar a los desembarradores más viejos, es posible. Los hay que saben cosas que no figuran escritas en ninguna parte. Es tradición oral que pasa de padres a hijos.

Se hallaban en el borde del cráter que parecía un pozo sin fondo. Monk notó que se le encogía el estómago y que el cuerpo entero le temblaba a pesar de tensar todos los músculos para procurar dominarse.

Un hombrecillo cargado de espaldas y paticorto fue hacia ellos. Llevaba una linterna incorporada al casco de modo que tenía ambas manos libres. La gran máquina hacía tanto ruido que ni siquiera intentó hacerse oír. Con un gesto indicó que le siguieran y emprendió el descenso mostrando el camino.

Monk perdió la noción del tiempo y finalmente también el sentido de la orientación, ni siquiera sabía a qué profundidad se encontraba ni qué distancia tendría que recorrer cuesta arriba para encontrar aire limpio o sentir el viento en la cara. Todo estaba mojado. Oía el agua filtrándose por las paredes, goteando, el chapoteo de sus pies, a veces hasta el flujo de un arroyo: una especie de tenue traqueteo constante.

Alguien le había pasado una pala de mango corto. Hizo caso omiso de su hombro dolorido y empezó a trabajar junto a Crow, apartando escombros caídos a la débil luz de los faroles, tratando de alcanzar a los hombres atrapados o aplastados. Entonces Crow se fue arriba otra vez con unos cadáveres y Monk se encontró cavando codo con codo con un fornido peón y un desembarrador con un diente delantero roto que le silbaba al respirar.

La luz era esporádica. A veces el farol estaba quieto, sostenido en alto para ver un brazo o una pierna, distinguir un miembro humano entre las vigas o una cabeza entre las piedras redondas de los escombros. Otras descansaban en el suelo mientras cavaban, tiraban, apartaban con esperanza, para darse cuenta de que no había nada y seguir adelante, bajando hacia lo más hondo.

En un momento dado irrumpieron en un túnel preexistente y pudieron avanzar veinte metros antes de tropezar con otro hundimiento y ponerse a cavar de nuevo. Fue allí donde encontraron dos cuerpos. Un hombre aún estaba vivo pero pese a todo lo que hicieron por salvarlo, falleció mientras lo estaban trasladando. Sus heridas eran tan graves que no habría podido volver a sostenerse de pie ni a caminar, y a Monk le invadió una aplastante sensación de derrota. La mente le decía que aquel hombre estaría mejor muerto que enfrentándose a meses de atroces sufrimientos y al desespero de saber que acabaría tullido, apaleado por el dolor e incapaz de valerse por sí mismo. Pero aun así la muerte suponía la derrota final.

Regresó lentamente, con el cuerpo dolorido, al montón de desperdicios y escombros. Alzó la linterna para ver si era posible sacar al otro hombre e identificarlo antes de enterrarlo o si el mero hecho de intentarlo pondría en peligro más vidas. Se abrió camino con cuidado, aunque a esas alturas ya estaba familiarizado con el terreno, y se agachó acercando el farol hacia donde pensó que estaría la cabeza. Retiró trozos de ladrillo y mortero dejando el cuerpo al descubierto hasta la mitad del pecho. Probablemente no sería demasiado difícil ni peligroso acabar de liberarlo. El fallecido estaba tan empastado de arcilla y polvo que Monk apenas distinguía sus rasgos, salvo que tenía el pelo largo y la cara enjuta y angulosa.

Oyó un crujido de grava a sus espaldas y el alcantarillero patizambo apareció junto a su codo. Trabajaron juntos en silencio. Tardaron un rato pero finalmente liberaron el cuerpo y se lo llevaron medio en volandas, medio arrastrándolo por el suelo de la antigua cloaca. Tuvieron que pasar junto a un arroyuelo que manaba de la pared. El agua era gélida y su curso errático, pero al menos olía a tierra y no a cloaca.

Cuando llegaron arriba Monk acercó el farol al hombre para verle la cara. La pregunta de quién sería murió en sus labios. El arroyo que había cruzado había limpiado el barro y vio el rostro claramente. Le había mirado a la luz de un farol en otra alcantarilla sólo un día y medio antes. El pelo negro y las cejas rectas, así como la nariz de puente estrecho los tenía grabados en la memoria para siempre. Con mano temblorosa le retiró el labio superior. Allí estaban aquellos extraordinarios colmillos, uno más prominente que el otro. ¡Qué ironía! ¡Su escondite había sido la causa de su muerte! El mismo río que había tratado de ocultar le había matado.

—¿Quién es? —preguntó el alcantarillero a Monk frunciendo el entrecejo—. Lo tengo visto pero no sé de dónde.

—Este hombre mataba por dinero —contestó Monk—. La policía le está buscando. Tengo que encontrar al sargento Orme. ¿Puede enviar a alguien a buscarle? Es muy importante.

El alcantarillero se encogió de hombros.

—Haré correr la voz —prometió—. ¿Va a dejarle aquí?

—Me quedaré con él hasta que la policía venga a llevárselo —contestó Monk. De pronto fue consciente del frío, de tener los pies entumecidos y de estar tiritando. ¿Llegaría a tiempo de influir en el resultado del juicio? Al menos serviría para demostrar que Melisande Ewart había visto a una persona real. ¿Bastaría eso para decantar al jurado? ¿O para asustar a Argyll?

Aguardó en cuclillas junto al cadáver, en una terrible confusión de gritos y faroles entre los escombros. Estaba lloviendo otra vez. La luz resplandecía amarilla en los rostros, en las rocas y en los charcos. La máquina gigante retrocedía en la neblina como una monstruosa criatura medio humana, chirriando y golpeando mientras iba izando más escombros. Monk no estuvo seguro de que no fuera su imaginación pero le dio la impresión de que el artefacto se iba hundiendo en la tierra.

Al cabo de una media hora llegó Orme, farol en mano, con Crow pisándole los talones.

—¿Lo tiene? —preguntó Orme agachándose para mirar el cadáver.

—Sí.

Monk no albergaba ninguna duda.

Crow lo miraba fijamente. Tenía medio rostro iluminado y el otro medio en sombra.

—Muerto no parece gran cosa —dijo en voz baja. Entonces se agachó arrugando un poco la frente. Luego levantó la vista hacia Monk—. ¿Cree que murió en el hundimiento?

—Sí. Tiene las piernas aplastadas. Quedaría atrapado. —Estaba medio avergonzado al decirlo—. Debería compadecerme de cualquiera que haya sufrido así pero lo único que siento es enojo por no poder obligarle a decirnos quién le pagó. Le habría llevado al juicio aunque tuviera las piernas y la espalda rotas.

—Scuff se pondrá bien —dijo Orme mirando no a Monk sino a Crow—. ¿Verdad?

—Sí, creo que sí —corroboró Crow—. Pero mire estas piernas, señor Monk.

—¿Qué les pasa? Están rotas.

—¿Ve sangre?

—No. Probablemente la habrá limpiado el agua del arroyo que hemos atravesado. Tuvimos que arrastrarlo; pesa más de lo que parece.

Crow volvió a examinar el cuerpo con más detenimiento. Orme y Monk observaban cada vez más curiosos y al final hasta inquietos.

—¿Por qué es tan importante? —preguntó Monk finalmente.

Crow se levantó, con la pierna dormida, moviéndose torpemente.

—Porque estaba muerto cuando se produjo el hundimiento —contestó Crow—. Los cadáveres no sangran. La única mancha de sangre es la que tiene en el abrigo, del agujero de bala en el pecho. El río no la ha limpiado.

Monk se encontró temblando más convulsivamente.

—¿Quiere decir que ha sido asesinado? ¿Seguro que no se suicidó?

—¿De un tiro por la espalda? —repuso Crow—. La bala entró por debajo del omóplato y salió por delante. Me figuro que quien le contrató saldó las cuentas pendientes.

Monk tragó saliva.

—¿Está completamente seguro?

Crow apretó los labios y puso un momento los ojos en blanco.

—¡Claro que estoy seguro! Pero eche un vistazo usted mismo. No soy médico forense ni me gustaría serlo, ¡pero reconozco un agujero de bala cuando lo veo! Calibre grueso, diría yo, pero pregunte a los expertos.

Monk se incorporó.

—Gracias. ¿Podrían usted y el sargento Orme llevarlo al depósito de cadáveres y avisar al forense? Yo tengo que contárselo a la acusación del caso Sixsmith y al comisario Runcorn. Puede que la vida de un hombre dependa de esto.

Fue una orden, al menos en lo que a Orme atañía, y una petición para Crow.

Orme se relajó.

—Por supuesto —dijo resignadamente—. ¡Vamos!


Monk regresó a Paradise Street para contar a Hester lo ocurrido. Ninguna nota, por más comprensiva o precisa que fuera, la satisfaría, como tampoco la propia necesidad de Monk de verla y referírselo en persona. Estaba confundido y agotado por el horror de ver a tantas personas agonizantes y aterradas a quienes no podía ayudar. Sabía que los fallecidos habían perecido aplastados, enterrados y asfixiados, a oscuras, y con frecuencia solos, sintiendo que la vida los abandonaba sin que nadie los ayudara o lo supiera. Hester no podía curarle aquella herida, nadie podía, como tampoco borrar el recuerdo. Pero lo entendería. Sólo con verla se le aflojarían los nudos que le atenazaban las entrañas.

Fue entonces cuando se dio cuenta, asombrado, de que no había tenido tiempo ni espacio mental para tener miedo. Sintió una grata sensación de alivio. No era un cobarde, al menos en lo material.

Ahora tenía que comprobar por sí mismo que Scuff se estuviera recuperando. Resultaba absurdo que se preocupara tanto por él. No tenía conocimientos médicos y no comprendería nada de lo que Hester no pudiera contarle con palabras. Pero un empeño inexplicable le obligaba a ver el rostro de Scuff con sus propios ojos.

En cuanto abrió la puerta oyó movimiento en el piso de arriba. Antes de llegar a la mitad del pasillo vio luz en lo alto del descansillo y a Hester asomada. Llevaba el pelo suelto y enmarañado pero aún iba vestida, aunque descalza.

—¿William? —dijo con apremio y la voz llena de preocupación. No hizo preguntas concretas ya que todas estaban implícitas en la primera. Su mutua comprensión se fundamentaba en las batallas y las victorias del pasado.

Monk quería saber de Scuff. Hester le informó antes de que preguntara.

—Va recobrando las fuerzas —dijo bajando la escalera sin hacer ruido—. Ha tenido un poco de fiebre a medianoche pero ya ha remitido. Tardará lo menos una semana en poder levantarse, y bastante más tiempo antes de que pueda reanudar su vida. Pero podrá.

Escrutó el semblante de Monk. No preguntó si había sido espantoso; la respuesta era manifiesta en su aspecto: la palidez de la piel, los movimientos acartonados, el hecho de que ni siquiera hubiese intentado contárselo.

Hester sabía más que él sobre batallas y muerte, sobre la pesadilla de las masacres. ¿Qué insensata inmadurez le había llevado a imaginar que deseaba por esposa a una mujer de inocencia infantil que fuese obediente y careciera de sentido crítico? Y lo había imaginado, había soñado en una dulzura que ahora empalagaría, en una obediencia que ahora le aburriría y le dejaría terriblemente solo. Había concebido un ideal de mujer que le vería sin sus flaquezas humanas, sin las debilidades y errores de juicio; pero con una mujer así de inocente, aunque obedeciera todas sus órdenes, nunca podría compartir la pasión, los anhelos y los sufrimientos de la vida. Conversar con el corazón en la mano habría sido imposible.

Cuando Hester terminó de bajar la escalera la tomó entre sus brazos y la estrechó con fuerza sin mediar palabra. Mentalmente bendecía una y otra vez la benevolencia que le había conducido a elegir a una mujer cuya belleza residía en el alma: valiente y vulnerable, divertida, airada y prudente, y a quien no tenía que explicar nada.

Monk no tuvo tiempo de dormir, sólo de lavarse, cambiarse de ropa y tomar un desayuno caliente. Por supuesto, también subió un momento a ver a Scuff, que dormía profundamente. El niño aún llevaba el camisón de Hester con el cuello de puntillas y tenía el brazo torcido por culpa de los vendajes.

A las ocho y media Monk estaba en el despacho de Rathbone explicando los acontecimientos de la noche. Un mensajero había mandado aviso urgente a Runcorn para que acudiera al Old Bailey después de ponerse en contacto con Melisande Ewart para que fuera con él. Si oponía resistencia, sería necesaria una citación.

Hacia las diez el tribunal estaba en plena sesión y Rathbone había solicitado permiso para llamar a Monk al estrado. Monk se asustó al comprobar lo entumecido que estaba y cuánto le dolían las piernas al subir los peldaños. Tuvo que agarrarse a la barandilla para mantener el equilibrio. Pese a la comida y la ropa limpia estaba agotado. El hombro le dolía y la violencia de la noche invadía su mente.

Rathbone levantó la vista hacia él con inquietud. El abogado iba tan elegante como siempre, impecablemente vestido, con el pelo rubio repeinado, pero tenía los ojos ensombrecidos y los labios pálidos y un poco apretados. Dado que Monk le conocía muy bien, percibió su tensión. Sabía lo cerca que estaba de resultar vencido.

Margaret Ballinger estaba sentada en primera fila de la galería con aire entristecido. No apartaba los ojos de Rathbone, aunque la mayor parte del tiempo sólo le veía la espalda o el perfil.

—Señor Monk —comenzó Rathbone—. ¿Tendría la bondad de contar al tribunal dónde estuvo ayer por la noche?

Dobie, que al parecer no estaba enterado, protestó de inmediato.

—Muy bien. ¿Puedo replantear la pregunta? —dijo Rathbone con voz carrasposa—. Tal como algunos de los presentes sabrán, señoría, anoche se produjo un catastrófico hundimiento en las obras de la alcantarilla que está construyendo la Argyll Company. —Se detuvo mientras el público de la galería digería la noticia con algún que otro grito ahogado. Los miembros del jurado intercambiaron miradas de espanto. El desorden cesó a petición del juez.

—¿Lo avisaron para que acudiera al lugar de los hechos, señor Monk? —concluyó Rathbone.

—Sí.

Monk procuró dar respuestas tan breves y directas como fuese posible. Sólo miró una vez a Sixsmith en lo alto del banquillo, su expresivo rostro adelantado, su cuerpo rígido por la tensión y absolutamente inmóvil.

—¿Quién le avisó? —preguntó Rathbone a Monk.

—El sargento Orme, de la Policía Fluvial.

—¿Dijo por qué?

—No. Creo que supuso que como yo había estado investigando el riesgo de que ocurriera un desastre de ese tipo, debido a los temores de James Havilland y a su posterior muerte, querría recabar información de primera mano. Además, por supuesto, estábamos haciendo cuanto podíamos por ayudar, igual que la Policía Metropolitana, el cuerpo de bomberos y numerosos médicos, peones, alcantarilleros y cualquier hombre sano del vecindario.

—Su argumento queda aceptado, sir Oliver —le aseguró el juez. Se volvió hacia Monk—. Me gustaría saber, inspector, qué encontró. ¿Era de la naturaleza de lo que le habían inducido a temer?

—Sí, señoría —contestó Monk—. Eso y más cosas.

—Sea más concreto, por favor.

Aquel era el derrotero que Rathbone tenía en mente tomar, de modo que Monk estuvo encantado de contestar.

—James Havilland había dado a entender que temía una catástrofe de este tipo si no se dedicaba mucho más tiempo y cuidado a las excavaciones. No dejó escrito en qué se fundamentaban sus temores, y si lo hizo, yo no lo encontré. Existe el riesgo de los corrimientos de tierra: deslizamientos, hundimientos de grandes estructuras. Al parecer temía algo más. Según parece lo que ocurrió anoche fue que las excavaciones avanzaban demasiado cerca de un río subterráneo y que ese río reventó las paredes arrastrando una enorme carga de tierra y escombros e inundando los túneles...

Las exclamaciones de horror y angustia del público y el jurado impidieron a Monk continuar, e incluso el juez se mostró anonadado. Obviamente la noticia no había aparecido en los periódicos de la mañana y muy poca gente se había enterado a través del boca a boca.

—¡Silencio! —ordenó el juez, aunque sin enojo en la voz. Llamaba a su tribunal al orden pero sin reproche—. Deduzco, señor Monk, que está usted aquí, después de tan espantosa noche, porque existe alguna prueba que sir Oliver considera pertinente para el caso, incluso a estas alturas de la vista.

—En efecto, señoría.

—Muy bien. Sir Oliver, haga su pregunta, por favor.

—Gracias, señoría —respondió Rathbone—. Señor Monk, a lo

largo de la noche, ¿subió a la superficie algún cuerpo de personas fallecidas o heridas?

—Sí.

—¿Quiénes eran?

—Dos peones con quienes había hablado una vez. Un alcantarillero, un hombre que recupera objetos de valor de las cloacas, y otro hombre a quien también había visto con anterioridad.

Se calló de golpe, falto de aliento por el recuerdo de aquella sofocante oscuridad, luego el disparo de la pistola y Scuff cayendo. Estaba tan cansado que el pasado y el presente colisionaron y la sala del juicio pareció balancearse.

—¿Dónde lo había visto, señor Monk?

Monk se dio cuenta de que Rathbone se lo había preguntado dos veces. Enderezó la espalda y los hombros.

—En las alcantarillas —contestó—. Mientras buscaba al hombre que la señora Ewart vio salir del callejón de caballerizas después de que dispararan contra James Havilland.

—¿No lo arrestó? —preguntó Rathbone afectando sorpresa.

—Disparó contra el niño que me hacía de guía —contestó Monk—. Tuve que sacar al chico a la superficie.

El juez se inclinó hacia delante.

—¿Está a salvo ese niño, señor Monk?

—Sí, señoría. Recibió asistencia médica, le sacaron la bala. Parece que se está restableciendo. Gracias.

—Bien. Bien.

Dobie se puso de pie.

—Señoría, todo esto es muy conmovedor pero en realidad no demuestra nada en absoluto. Ese desdichado que al parecer no tiene nombre está muerto, convenientemente para la acusación, de modo que no puede prestar declaración. Tal vez no sea más que un pobre indigente que tuvo la ocurrencia de dormir tranquilamente en la cuadra de los Havilland. Según parece halló una muerte trágica cuando las excavaciones se hundieron y lo enterraron vivo. No tenemos derecho, ni pruebas, para convertirlo en villano ahora que no puede defenderse.

Sonrió, satisfecho de su argumento, y recorrió la sala con la vista antes de volver a sentarse.

—¿Sir Oliver? —inquirió el juez enarcando las cejas.

Rathbone sonrió. Fue un gesto comedido y sereno que Monk había visto en sus labios con anterioridad, tanto cuando estaba ganando y avanzaba hacia la estocada final como cuando estaba perdiendo y jugaba su última baza a la desesperada.

—Señor Monk —dijo con suavidad en el silencio de la sala—, ¿está seguro de que es el mismo hombre que disparó al niño que le guiaba por las alcantarillas? Sin duda ahí abajo reina una oscuridad casi absoluta. ¿Acaso un rostro, cuando estás desconcertado y posiblemente asustado, no es muy semejante a otro?

Monk esbozó una sonrisa amarga.

—Sostenía el farol en alto, me figuro que para vernos mejor y apuntar. —Aquel instante estaba grabado en su memoria. Se agarró a la barandilla de delante—. Tenía el pelo negro y liso y las cejas rectas, la nariz fina y unos dientes muy peculiares. Los colmillos eran prominentes y más largos que los demás dientes, sobre todo el izquierdo. Ver a un hombre que te apunta con un arma no es algo que resulte fácil olvidar.

Decidió no agregar más. La tensión era demasiado descarnada para abundar en detalles. Resultaría indecoroso. En la sala no se movió nadie salvo una mujer que se estremeció convulsivamente.

—Entiendo —respondió Rathbone—. ¿Y esa desdichada criatura, malévola o no, halló su propia muerte como resultado del desastroso hundimiento de anoche?

—No, lo mataron de un tiro por la espalda. Ya había muerto cuando se produjo el hundimiento.

Dobie se puso de pie de un salto.

—Protesto, señoría. ¿Cómo es posible que el señor Monk sepa eso? ¿Estaba allí? ¿Vio cómo ocurría?

Rathbone se limitó a volverse muy lentamente de espaldas a Dobie para mirar a Monk enarcando las cejas.

Sixsmith, en el banquillo, se inclinó hacia delante.

—Las piernas del sujeto estaban rotas por las vigas y los escombros que le habían caído encima —contestó Monk—. Pero no había hemorragia.

En la galería una mujer dio un grito ahogado. Los miembros del jurado miraban a Monk con el entrecejo fruncido. Dobie negaba con la cabeza como si Rathbone hubiese perdido la cabeza.

Rathbone aguardó.

—Los vivos sangran, los muertos no —explicó Monk—. Cuando el corazón se para se interrumpe el flujo de sangre. El abrigo estaba manchado de sangre seca alrededor de la herida, pero las piernas estaban limpias. Ya tenía el rigor mortis. El forense podrá darles la hora de la muerte, me figuro.

Dobie se sonrojó y guardó silencio.

—Gracias. —Rathbone asintió con la cabeza en dirección a Monk—. No tengo más preguntas que hacerle.

Dobie rehusó añadir más y Monk fue autorizado a marcharse. Bajó del estrado pero se quedó en la sala mientras Rathbone llamaba al forense, que corroboró lo que Monk había dicho.

En ese momento Runcorn ocupaba con discreción un asiento en el otro extremo de la fila de Monk, justo cuando le tocó el turno a Melisande Ewart. Ésta subió al estrado y se enfrentó a la sala. Parecía muy serena, pero incluso quienes no la hubiesen visto antes tal vez percibieran el esfuerzo que le costaba mantener la compostura. Tenía el cuerpo envarado, los hombros en tensión. La chaqueta de lana de color granate oscuro daba a su cutis un toque de color pero alrededor de los ojos y los labios era totalmente blanco.

Monk miró a Runcorn y lo vio con el cuerpo avanzado y los ojos clavados en Melisande, como si pudiera infundirle ánimos a fuerza de voluntad. Monk se preguntó si ella tendría la más remota idea de lo profundos que eran los sentimientos que despertaba en él, y de lo extraordinario que eso resultaba en un hombre como Runcorn. Si así fuera, ¿estaría complacida, asustada, o trataría con ternura aquel enorme cumplido, consciente de la vulnerabilidad que encerraba?

Rathbone se situó en el centro de la sala.

Los miembros del jurado guardaban silencio como hombres tallados en marfil.

—Señora Ewart —comenzó Rathbone—. Me parece que el comisario Runcorn de la Policía Metropolitana acaba de llevarla a identificar el cuerpo del hombre que el señor Monk sacó del hundimiento del túnel. ¿Estoy en lo cierto?

—Sí —dijo con voz clara pero muy baja.

Un murmullo de compasión recorrió la galería. Varios miembros del jurado asintieron con la cabeza y suavizaron su expresión.

Monk levantó la vista hacia Sixsmith. Su tosco semblante permanecía inmóvil, transido de una emoción indescifrable.

—¿Le había visto con anterioridad? —preguntó Rathbone a Melisande.

—Sí —contestó con la voz tomada—. Le vi salir del callejón de caballerizas donde se halla la cuadra de la casa en la que vivo actualmente, así como la de la casa del señor James Havilland.

—¿Cuándo vio a ese hombre?

—La noche en que murió el señor Havilland.

—¿En alguna otra ocasión?

—No. Nunca.

—¿Sólo le había visto una vez antes de hoy y no obstante está segura de que es el mismo hombre?

—Sí —respondió sin el menor titubeo.

Rathbone no podía permitirse dejarlo correr con tanta facilidad.

—¿A qué se debe que esté usted tan segura? —insistió.

—Por su rostro en general y sus dientes en particular —contestó Melisande. Ahora estaba aún más pálida y se sujetaba con fuerza a la barandilla, como si necesitara su apoyo—. El comisario Runcorn ha apartado los labios del hombre para que le viera los dientes. Estoy lo bastante convencida como para declarar bajo juramento que es el mismo hombre.

Runcorn se relajó y apoyó el cuerpo contra el respaldo soltando un prolongado suspiro.

—Gracias, señora Ewart —dijo Rathbone gentilmente—. No tengo más preguntas que hacerle. Le agradezco el tiempo y el coraje para enfrentarse a lo que sin duda ha sido extremadamente desagradable para usted.

Dobie se levantó, miró a Melisande y luego al jurado. Tras alisarse la toga desde los hombros se volvió a sentar.

Entonces Rathbone jugó una carta desesperada. No tenía otra elección. Debía demostrar intención y relación. Llamó a Jenny Argyll.

Iba vestida de luto riguroso y presentaba tal aspecto que parecía que fueran a dictaminar su propia muerte. Sus movimientos eran torpes. No miró ni a izquierda ni a derecha y daba la impresión de que fueran a fallarle las piernas y a caer como un guiñapo al suelo antes de terminar de subir a escalera. El ujier la miraba con inquietud. Incluso Sixsmith se incorporó con el rostro encendido de miedo. Los guardias que lo custodiaban le hicieron retroceder pero no antes de que Jenny levantara la vista hacia él. Ahora sus ojos ardían y parecía que realmente se fuera a desmoronar.

Alan Argyll aún tenía que prestar declaración, de modo que no se hallaba en la sala. ¿Tenía idea de la red que se estaba estrechando a su alrededor?

Rathbone habló con Jenny sonsacándole el desgarrador testimonio que tanto deseaba y que la había llevado al borde de la desesperación pocos días antes.

—¿Escribió usted la carta pidiendo a su padre que fuera a la cuadra a medianoche para reunirse con alguien? —dijo con toda claridad.

—Sí —contestó Jenny con voz apenas audible.

—¿Con quién debía reunirse?

Jenny tenía el rostro ceniciento.

—Con mi marido.

Un grito ahogado recorrió la sala entera.

—¿Por qué en la cuadra? —preguntó Rathbone—. Era una noche de noviembre. ¿Por qué no en la casa, a resguardo de la humedad y el frío, y donde les podían servir algo que tomar?

Jenny tuvo que forzar la voz.

—Para... para evitar que mi hermana los interrumpiera. Iba a ser una reunión secreta.

—¿Quién le pidió que escribiera la carta, señora Argyll?

Cerró los ojos como si el terror y la traición le cayeran encima como el agua negra que había reventado las paredes del túnel y atrapado a los peones bajo tierra.

—Mi marido.

En el banquillo algo indefinible en el fuero interno de Sixsmith se relajó, como si por fin oliera la victoria.

Rathbone prolongó el silencio un terrible instante y entonces hizo la última pregunta.

—¿Sabía que iban a matar a su padre en esa cuadra, señora Argyll?

—¡No! —Ahora su voz sonó fuerte y estridente—. ¡Me dijo que se trataba de una reunión para intentar convencer a mi padre de que se equivocaba con respecto a los túneles y de que impidiera que los peones y los alcantarilleros siguieran causando problemas!

—Tal como nos dijo el señor Sixsmith —puntualizó Rathbone sin poder resistirse—. Gracias, señora Argyll.

Dobie parecía confundido. De repente, justo cuando creía que iba a dejar de hacer pie, la marea cambiaba y se retiraba sin una explicación aparente.

Sólo hizo una pregunta.

—¿Fue su marido quien le pidió que escribiera la carta, señora Argyll? ¿No el señor Sixsmith?

—Exactamente —susurró Jenny.

Le dio las gracias y la autorizó a marcharse.

Monk miró al juez: estaba un poco inclinado hacia delante, con el semblante arrugado por el desconcierto. Parecía que la acusación y la defensa hubiesen cambiado de sitio, arguyendo los casos contrarios. Seguramente había entendido lo que estaba ocurriendo y en la medida en que no se desacatara abiertamente la ley ni se le faltara al respeto, dejaría que los acontecimientos siguieran su curso. Levantó la sesión para ir a comer.


Por la tarde tanto Monk como Runcorn estaban presentes. Dobie llamó a Alan Argyll al estrado, tal como Rathbone había esperado fervientemente que hiciera. Había hecho todo lo posible para que prácticamente no existiera ninguna otra opción.

Argyll cruzó la sala muy pálido y compuesto. Echó una mirada al banquillo pero no quedó claro si sus ojos se cruzaron con los de Sixsmith o no. El acusado estaba inclinado hacia delante. El color había regresado a su rostro pero en dos manchas héticas. Sin duda veía la libertad al alcance de la mano.

Pero Argyll no había estado en la sala mientras su esposa daba testimonio. No sabía que el dominio que ejercía sobre ella había dejado de existir. Aguardaba a Rathbone como si aún estuviera convencido de salir victorioso. Quizá ni siquiera reparara en la hostilidad de los miembros del jurado, a pesar de que era bastante manifiesta. Miró a Dobie sin vacilar y contestó con voz clara.

—No. No pedí a mi esposa que escribiera esa carta.

Incluso se las arregló para afectar sorpresa. Dobie le miró incrédulo.

—No cabe duda de que esa carta existió, señor Argyll, como

tampoco de que su esposa la escribió. Así lo ha reconocido antes a este tribunal. Si no fue a petición suya, ¿a petición de quién haría algo semejante?

Argyll palideció. Monk, por el ángulo de su cabeza y el modo de agarrar la barandilla, reparó en que de pronto estaba asustado. Argyll empezó a levantar la vista hacia Sixsmith, pero se contuvo. ¿Por fin estaba comenzando a comprender?

—No tengo ni idea —dijo con dificultad.

Dobie se puso sarcástico.

—¿Uno de sus hijos, quizá? ¿Su cuñada? ¿O su hermano?

El rostro de Argyll se encendió y sus manos apretaron la barandilla con más fuerza. Se balanceó como si fuera a desvanecerse.

—¡Mi hermano está muerto, señor! ¡Porque Mary Havilland lo arrastró consigo al río! Y usted tiene el valor de plantarse ahí y acusarlo... ¿de qué? ¿Cuánto coraje hace falta para acusar a un hombre asesinado? ¡Es usted indigno del cargo que ocupa y una vergüenza para su profesión!

Dobie se puso blanco, claramente violentado y por un instante perdido y sin saber cómo defenderse.

El juez miró a uno y a otro, luego a Aston Sixsmith, cuyo rostro era inexpresivo, y por último a Jenny Argyll, cuyo cutis había adquirido un color ceniciento y cuyos ojos estaban fijos en el vacío. Parecía que la sostuviera contra su voluntad una visión interior de la que le resultaba imposible zafarse.

Rathbone no dijo nada.

El juez volvió a mirar a Dobie.

—Señor Dobie, ¿desea replantear la pregunta? Parece un tanto inapropiada tal como está.

—Pasaré a la siguiente, con la venia de su señoría —dijo Dobie. Carraspeó y volvió a mirar a Argyll—. James Havilland estaba a solas en la cuadra a medianoche. ¿A quién más habría concedido una cita tan extraordinaria?

—¡No lo sé! —protestó Argyll.

—¿Ha visto alguna vez al hombre que aquí se ha descrito, cuyos dientes al parecer son tan reconocibles —insistió Dobie—, y de quien se ha insinuado que fue el autor material del asesinato de su suegro?

Argyll titubeó.

En la sala nadie se movía. Se oyó una tos en la galería, el crujido de la ballena de un corsé, luego silencio.

Jenny Argyll levantó la vista hacia Sixsmith. Sus ojos y los de él se encontraron y se miraron de hito en hito un momento antes de que ella se volviera otra vez. ¿Qué fue lo que Monk vio en el rostro de Sixsmith? ¿Compasión por lo que ella estaba a punto de perder? ¿Perdón por no haber tenido el coraje de hacerlo antes? ¿O enojo por haberle hecho sufrir hasta ese límite, hablando sólo cuando se había visto obligada? La mirada de Sixsmith era firme, enardecida e indescifrable.

Argyll tragó saliva.

—Sí. Tal como dice Sixsmith, quise contratar a alguien para poner fin al descontento entre los peones a propósito de la seguridad y evitar que los alcantarilleros cuyos territorios estaban desapareciendo se pusieran violentos y entorpecieran las obras. —Tomó aliento—. Tenemos que terminar las nuevas alcantarillas cuanto antes. La amenaza de enfermedades es atroz.

Un susurro de movimientos recorrió la sala.

Monk miraba fijamente al jurado. Había desasosiego entre sus miembros, pero ninguna compasión. ¿Habían creído sus palabras?

—Eso lo sabemos de sobra, señor Argyll —contestó Dobie comenzando a recobrar la compostura—. No es lo que está usted haciendo lo que ponemos en tela de juicio, sólo los métodos que está dispuesto a emplear para llevarlo a cabo. ¿Reconoce que conocía a ese hombre y que entregó a Sixsmith el dinero para pagarle por su trabajo?

Fue como si le arrancaran la respuesta.

—¡Sí! ¡Pero para acabar con la violencia, no para matar a Havilland!

—Pero Havilland era un fastidio, ¿verdad? —Dobie levantó la voz adoptando un tono desafiante. Dio un par de pasos en dirección al estrado—. Creía que ustedes avanzaban demasiado deprisa, ¿no es así, señor Argyll? Temía que perturbaran la tierra, que causaran un hundimiento o incluso que irrumpieran en el curso de un antiguo río subterráneo de los que no figuran en los mapas, ¿me equivoco?

Argyll se había puesto tan blanco que parecía a punto de desmoronarse.

—¡No sé lo que pensaba! —gritó con voz áspera.

—¿De veras? —dijo Dobie con sarcasmo. Dio media vuelta y de repente se giró otra vez hacia el estrado—. Pero era un incordio, ¿no? E incluso después de muerto, tras haberle descerrajado un tiro en su propia cuadra a medianoche y enterrado en una tumba de suicida, su hija Mary insistió en su causa y se la apropió, ¿no es verdad? —Dobie señaló con el dedo—. ¿Y dónde está ahora? ¡También en una tumba de suicida! Junto con su aliado y hermano menor. —Su sonrisa era triunfante—. Gracias, señor Argyll. Este tribunal no precisa nada más de usted, ¡al menos por ahora!

Con un ademán del brazo invitó a Rathbone a interrogar a Argyll si así lo deseaba.

Rathbone rehusó. Casi alcanzaba a tocar el triunfo.

Dobie llamó a Aston Sixsmith. Ya no cabía decir que la estratagema de Rathbone fuese una partida.

Sixsmith subió al estrado. Irradiaba inteligencia y fuerza animal, aun estando agotado. De entre el público se levantó un murmullo de aprobación. Hasta los miembros del jurado le sonrieron. Él los ignoró a todos, reservando sus sentimientos para él, todavía incapaz de revelar la angustia de haberse visto tan cerca de la cárcel e incluso de la horca. Miró una vez a Jenny Argyll. Por un brevísimo instante sus facciones se suavizaron, visto y no visto. ¿Por sentido del decoro, acaso? Su mirada apenas rozó a Alan Argyll. Su antiguo patrón estaba acabado, arruinado. Desde la galería Monk le observaba con una creciente sensación de incredulidad.

Rathbone había vencido. Monk miró a Margaret Ballinger y reparó en su entusiasmo, en lo orgullosa que estaba de Rathbone por su extraordinario logro en nombre de la justicia.

Dobie hablaba con Sixsmith para remachar la victoria.

—¿Se reunió usted alguna vez con ese extraordinario asesino antes de la noche en que le pagó con el dinero que el señor Argyll le había entregado a usted? —preguntó.

—No, señor —contestó Sixsmith sin levantar la voz.

—¿O después de eso?

—No, señor, tampoco.

—¿Tiene idea de quién le disparó o por qué?

—Sé lo mismo que usted, señor.

—¿Por qué le dio el dinero? ¿Con qué propósito? ¿Fue para

que matara a James Havilland porque estaba causando problemas y posiblemente retrasos muy costosos?

—No, señor. El señor Argyll me dijo que era para contratar a unos matones que evitaran que los alcantarilleros y los desembarradores interrumpieran las obras.

—¿Y qué pasaba con el señor Havilland?

—Entendí que el señor Argyll iba a encargarse de él en persona.

—¿Cómo?

La mirada de Sixsmith era penetrante.

—Demostrándole que se equivocaba. El señor Havilland era su suegro y supuse que mantendrían una relación cordial.

—¿Es posible que ese hombre, el asesino, interpretara mal sus instrucciones?

Sixsmith le miró de hito en hito.

—No, señor. Fui muy concreto.

Dobie no supo resistirse a sacarle todo el jugo al momento. Miró al jurado, luego al público.

—Descríbanos la escena —dijo por fin a Sixsmith—. Permita que el tribunal se haga una idea exacta de cómo fue.

Sixsmith obedeció, hablando despacio y con cuidado, como un hombre que saliera de una pesadilla a la luz diurna de la cordura. Describió el interior de la taberna, el ruido, el olor a cerveza, la paja del suelo, los apretones de los hombres.

—Llegó alrededor de las diez, no sabría precisar más —prosiguió en respuesta al apunte de Dobie—. Enseguida comprendí que tenía que tratarse de él. Era bastante alto, enjuto, sobre todo de cara. Tenía el pelo negro y liso, bastante largo, hasta el cuello. La nariz era fina a la altura del puente. Pero sobre todo tenía aquellos dientes tan inusuales que le vi cuando sonrió. Pidió una jarra de cerveza y vino directamente a mi mesa, como si ya me conociera. Alguien me había descrito bastante bien. El sujeto no se presentó, sino que usó el nombre de Argyll para que supiera quién era. Comentamos el problema de los alcantarilleros y le entregué el dinero. Lo aceptó, lo guardó y se levantó. Recuerdo que vació la jarra de un trago y que luego se marchó sin volver la vista atrás.

Dobie le dio las gracias e invitó a Rathbone a contrastar el testimonio si así lo deseaba.

Rathbone admitió la derrota con gentileza y dignidad. Ni siquiera por una sola mirada dejó entrever que en realidad aquélla era la más elegante y tal vez la más complicada victoria de su carrera.

El jurado emitió un veredicto de culpabilidad en intento de soborno y el juez impuso una multa que apenas suponía el salario de una semana.

El tribunal estalló en vítores, el público se puso de pie. Los miembros del jurado se mostraban sumamente satisfechos, volviéndose para estrecharse las manos entre sí y congratularse.

Margaret abandonó el decoro y fue al encuentro de Rathbone mientras éste se dirigía hacia ella. Su rostro resplandecía, pero lo que le dijo se perdió en el tumulto.

Monk también estaba de pie. Hablaría un momento con Runcorn, le daría las gracias por su valentía y su sentido del honor al aceptar reabrir el caso. Luego se marcharía a casa, donde le aguardaba Hester... y también Scuff.

# 12

El juicio había acabado rápidamente, de modo que Monk llegó a casa más temprano de que costumbre. El ambiente era claro y brillante y la tarde de febrero se prolongaba sin nubes, sólo estelas de humo que cruzaban desleídas en el cielo. Iba a helar, y al apearse del bus las losas que pisó ya presentaban una fina película de escarcha. Pero el aire olía a limpio y acarreaba el sabor dulce de la victoria. El sol estaba bajo y su reflejo en los pálidos lechos del río le deslumbraba. Los mástiles de los barcos eran un calado negro, como de hierro forjado, contra los ricos colores del horizonte más allá de los tejados.

Enfiló a paso rápido Union Road hasta Paradise Street y subió el breve sendero que conducía a su casa. En cuanto estuvo dentro llamó a Hester.

Ella sin duda percibió el tono triunfal de su voz. Con cara de entusiasmo apareció en lo alto de la escalera procedente del dormitorio donde había estado haciendo compañía a Scuff.

—¡Hemos ganado! —dijo Monk subiendo la escalera de dos en dos. La abrazó y la hizo girar besándole la boca, el cuello, la mejilla y la boca otra vez—. ¡Lo hemos ganado todo! Sixsmith sólo ha sido condenado por intento de soborno y le han impuesto una multa. Todo el mundo sabía que Argyll era culpable y probablemente, a estas alturas, ya lo habrán arrestado. No me quedé a verlo. Rathbone estuvo genial, soberbio. Margaret estaba tan orgullosa de él que irradiaba felicidad.

La puerta del dormitorio estaba abierta y Scuff los miraba desde la cama apoyado contra las almohadas. Seguía viéndose muy limpio y de un rosa nada habitual. Su pelo era ciertamente mucho más rubio de lo que Monk había supuesto. Al parecer Scuff ya se había olvidado de la puntilla de su camisón e incluso de que en realidad fuese de Hester. El hombro tenía que dolerle, pero a eso también le restaba importancia. Ahora le brillaban los ojos, pues esperaba con ansia que le contaran cuanto había que contar.

Hester condujo a Monk al dormitorio y se sentó en la cama para que les relatara lo ocurrido a los dos.

—¡Ha ganado! —dijo Scuff excitado—. ¿Cogerán a Argyll por matar al pobre Havilland y a la señorita Mary? ¿Van a enterrarlos como es debido?

—Sí —dijo Monk simplemente.

Los ojos de Scuff resplandecían. Estaba sentado cerca de Hester con bastante naturalidad. Ninguno de los dos parecía ser consciente de ello.

—¿Cómo lo hizo? —preguntó Scuff ávido de información. Habría dado cualquier cosa por estar presente y verlo con sus propios ojos.

—¿Te apetece una taza de té antes de que empecemos? —propuso Hester.

Scuff la miró con absoluta incomprensión.

Monk puso los ojos en blanco.

Hester sonrió.

—¡De acuerdo! ¡Pues entonces no pidas nada hasta que nos lo haya contado todo, palabra por palabra!

Monk comenzó por explicar el desarrollo de la vista, relatándola como una historia de aventuras con todo lujo de detalles, atento a la expresión de sus caras y pasándolo en grande. Describió la sala del tribunal, el juez, los miembros del jurado, los hombres y mujeres del público y cada uno de los testigos. Scuff apenas respiraba; se olvidaba incluso de pestañear.

Monk les contó cómo había subido la escalera del estrado y mirado al tribunal reunido debajo de él; cómo Sixsmith había alargado el cuello en el banquillo y Rathbone había hecho las preguntas que condujeron al veredicto final.

—Describí ese hombre al detalle —dijo recordándolo con dolorosa claridad—. No se oía una mosca en toda la sala...

—¿Sabían que era el hombre que había matado al señor Havilland? —susurró Scuff—. ¿Les contó cómo era la alcantarilla?

—Pues claro. He explicado cómo dimos con él por primera vez y cómo se volvió y te disparó. Eso les ha horrorizado —contestó Monk con sinceridad—. Les he descrito la oscuridad, el agua y las ratas.

A Scuff se le escapó un breve escalofrío. Sin darse cuenta, quizás al recordar el terror, se arrimó una pizca más a Hester. Ella no pareció darse cuenta aunque algo cambió en sus labios, como si quisiera sonreír pero supiera que no debía permitir que Scuff lo viera.

—¿Subió a declarar Jenny Argyll? —preguntó Hester.

—Sí. —Monk cruzó con ella una mirada de agradecimiento y recordó el coste que Rose Applegate había pagado—. Lo ha contado todo. Argyll lo negó, por supuesto, pero nadie le creyó. Si hubiese mirado los rostros de los jurados habría previsto su condena en ese mismo momento.

De pronto se dio cuenta de lo tajante que era lo que acababa de decir. Habían conseguido algo aparentemente imposible. Sixsmith era libre y la ley sabía que Alan Argyll era culpable.

—Es curioso —dijo Hester en voz alta—. Nunca sabremos cómo se llamaba.

—¿El autor material de la muerte de James Havilland? Pues no —corroboró Monk—. Pero era sólo el medio para alcanzar un fin y ahora, de todos modos, está muerto. Lo que importa es que el hombre que había detrás será justamente castigado y que tal vez a partir de ahora se tracen con más cuidado los túneles de las nuevas alcantarillas, o al menos que se avance con más precaución.

—¿Y presentarán cargos contra Argyll? —insistió Hester—. ¿Para que Mary Havilland reciba sepultura como es debido... y su padre también?

—Me aseguraré de que así sea —dijo Monk dándole a la afirmación la categoría de una promesa. Al ver la cariñosa mirada de Hester, supo que ella lo había interpretado así.

—¿Prestó declaración Sixsmith? —preguntó Hester interrumpiendo el hilo de sus pensamientos—. Lo explicaría todo. Parecía un hombre honesto, un poco rudo tal vez, pero el suyo es un oficio rudo. Me pareció que... que sentía las cosas profundamente.

Monk sonrió.

—¡Ya lo creo! Siempre es un riesgo hacer subir al acusado al estrado, pero lo ha hecho muy bien. Ha descrito exactamente lo ocurrido, cómo Argyll le entregó el dinero y para qué le dijo que era: para sobornar a los alcantarilleros que causaban problemas. Todo encajaba y saltaba a la vista que el jurado lo creía así.

Recordó el semblante de Sixsmith en el estrado al decirlo.

—Ha dicho que no sabía qué aspecto tenía y que se sentó a esperar. El hombre le reconoció enseguida y fue hacia él. Era bastante alto, delgado, con el pelo negro tapándole el cuello y... —Se calló en seco. La habitación se puso a dar vueltas. De repente sintió los miembros lejanos y fríos, como si pertenecieran a otra persona. ¡Sixsmith había descrito al asesino tal como era cuando lo mataron! No como cuando Melisande Ewart lo había visto la noche de la muerte de Havilland, o como sin duda era un par de días antes del crimen.

—¿Qué ocurre, William? ¿Qué has visto?

Era la voz de Hester llamándolo desde una gran distancia. Parecía asustada. Scuff estaba pegado a ella, con ojos como platos, haciéndose eco de su emoción.

Cuando Monk habló lo hizo con la boca seca.

—Sixsmith ha dicho que llevaba el pelo largo. Ha jurado que lo había visto una sola vez, dos días antes de la muerte de Havilland. Entonces lo llevaba mucho más corto. La señora Ewart dijo que por encima del cuello, pero cuando yo lo hallé muerto los cabellos ya se lo tapaban.

Hester le miraba fijamente mientras el horror le iba llenando los ojos.

—¿Quieres decir que Sixsmith vio a ese hombre... poco antes de que muriera? Entonces...

Se interrumpió, incapaz de formular el pensamiento en voz alta.

—Él lo mató —dijo Monk por ella—. Argyll estaba diciendo la verdad. Probablemente dio a Sixsmith el dinero para sobornar a los alcantarilleros, tal como nos dijo. Fue Sixsmith quien dio la orden de matar a Havilland, y es posible que a Mary también.

—Pero Argyll no podía ser inocente —arguyó Hester—. Fue él quien hizo que Jenny escribiera... —La voz se le apagó—. ¿O tal vez no? Tal vez ella ha mentido y fue Sixsmith quien se lo ordenó. ¿Pero por qué? ¡Tenía mucho que perder!

Scuff la miraba con inquietud, torciendo las comisuras de los labios. Tal vez sólo tuviera ocho o nueve años pero había vivido en la calle. Había visto violencia, palizas, venganzas.

—¿Tanto odiaba a su marido? —preguntó asombrado—. ¡Qué tontería! A no ser que le pegara hasta dejarla medio inconsciente...

—¿Crees pues que ha mentido para incriminar a su marido y liberar a Sixsmith? —preguntó Hester perpleja e indignada—. Argyll quizá sea frío y la aburriera mortalmente, pero ¿en verdad podía amar tanto a Sixsmith sabiendo lo que hizo? ¡Oh, William! ¡Asesinó a su padre y a su hermana! ¿Ha perdido la cabeza por completo? O... —Bajó la voz—. ¿O le tiene tanto miedo que no se atreve a desobedecerle?

—No lo sé —reconoció Monk—. No lo sé.

A su memoria acudía el recuerdo de los ojos de Jenny Argyll en la sala del tribunal, el poder de Sixsmith y el modo en que ella lo miraba. No le había parecido que fuese miedo, entonces, sino más bien ansia.

Scuff los miró a uno y otro.

—¿Qué van a hacer? —preguntó—. ¿Van a dejar que ése se salga con la suya?

Su rostro transmitía incredulidad. Resultaba imposible creer algo así.

—No pueden juzgarte dos veces por el mismo delito —explicó Monk con amargura—. El jurado le ha declarado no culpable.

—¡Pero se ha equivocado! —protestó Scuff—. ¡Fue él quien lo hizo! ¡Pagó al hombre que disparó al señor Havilland! ¡No fue el señor Argyll, después de todo! ¡No pueden dejar que le echen las culpas! No estaría bien, por muy avaricioso que sea...

—Pero a Sixsmith no lo han juzgado por matar al asesino —señaló Hester ansiosamente.

Era cierto. Nadie había presentado ningún cargo concreto sobre el homicidio del asesino; simplemente había quedado implícito que el autor había sido Argyll porque tenía un motivo para hacerlo. ¡Pero a Sixsmith podían acusarlo de eso! ¡Era perfectamente legal! ¡De hecho era imperativo hacerlo! Sólo así podrían retirarse los cargos contra Argyll.

Monk se levantó despacio, un tanto entumecido.

—Tengo que ir a contárselo a Rathbone.

Hester se levantó a su vez.

—¿Esta noche?

—Sí. No hay tiempo que perder. Lo siento.

Hester asintió lentamente con la cabeza. No explicó que no le podía acompañar ni le dijo cuántas ganas tenía de hacerlo.

Scuff lo entendió a la primera.

—¡Yo estoy bien! —intervino.

—Ya lo sé —dijo Hester enseguida—, pero no voy a dejarte solo de ninguna de las maneras, así que no te molestes en discutir conmigo.

—Pero...

Hester lo fulminó con la mirada y Scuff cedió, con cara de inocente, titubeando entre la risa y el llanto, negándose a dejarle ver lo mucho que le importaban sus cuidados.

Monk los miró un momento más y se marchó.


El coche de punto lo dejó frente al domicilio de Rathbone. Pidió al conductor que aguardara. Aunque las luces estaban encendidas, podía significar tan sólo que el criado estuviera despierto, pero al menos éste probablemente sabría dónde hallar a Rathbone.

Resultó que Rathbone estaba cenando en casa con Margaret Ballinger, tal como Monk había esperado. El señor y la señora Ballinger también estaban presentes, perfectas carabinas en aquella fase tan delicada del compromiso de su hija. Además estaban encantados de participar en la celebración de una victoria. Desconocían por completo la naturaleza del asunto, pero se daban perfecta cuenta de la importancia que revestía.

—Perdone —se disculpó Monk ante el mayordomo en el vestíbulo—, pero es imprescindible que hable con sir Oliver de inmediato, y en privado.

—Me temo, señor, que sir Oliver está cenando —se disculpó el sirviente—. Acaban de servir la sopa. No puedo interrumpirles ahora. ¿Puedo ofrecerle algo en la sala de día, tal vez? Es decir, si no le importa aguardar.

—No, gracias —declinó Monk—. Haga el favor de decir a sir Oliver que he descubierto un dato de suma importancia relacionado con el caso. El veredicto no puede quedar tal como está y no hay tiempo que perder.

El criado vaciló, miró más seriamente a Monk y decidió obedecer.

Cinco minutos más tarde apareció Rathbone vestido con imponente elegancia con un traje de noche.

—¿Qué ha pasado? —preguntó mientras cerraba la puerta del resplandeciente comedor a sus espaldas encerrando las voces, las risas y el tintineo de copas—. Estoy en mitad de la cena y tengo invitados. Eres bienvenido a la mesa, si te apetece. Dios sabe que has hecho más que nadie para que alcanzáramos la victoria.

Monk inspiró profundamente.

—No ha sido una victoria, Rathbone. ¿Recuerdas cómo Sixsmith ha descrito al asesino cuando le entregó el dinero?

Rathbone frunció el entrecejo.

—Por supuesto. ¿Y qué?

—Recuerdas la descripción que hizo de él Melisande Ewart de cuando le vio salir del callejón de caballerizas tras haber disparado a Havilland, dos días después de esa reunión?

—Sí. Obviamente era el mismo hombre. ¡No puede haber dos con ese mismo aspecto!

Rathbone estaba desconcertado y a punto de perder la paciencia.

—El pelo —dijo Monk simplemente—. Yo le vi muerto y llevaba el pelo largo por encima del cuello. Igual que en la descripción de Sixsmith. Eso ha sido lo que ha declarado en el estrado.

Rathbone se sonrojó.

—¿Estás diciendo que no le pagó el dinero? ¿Qué...? —Abrió mucho los ojos. De repente, con la sensación de abrir una puerta a un exterior gélido, lo entendió y el color abandonó su semblante—. ¡Sixsmith lo mató! ¡Santo Dios! ¡Era el culpable! ¡Lo hemos salvado! ¡Yo lo he salvado!

—Por matar a Havilland, pero no por matar al asesino —dijo Monk sin levantar la voz.

Rathbone le miró comenzando a comprender lo que se proponía.

Llamaron a la puerta.

Rathbone se volvió despacio.

—Adelante —contestó.

Margaret entró. Miró a Rathbone, luego a Monk, con ojos interrogantes. Iba vestida de un extravagante satén color nácar con un aderezo de perlas en las orejas y el cuello, y su rostro transmitía un afecto que ningún artificio podía prestar.

Rathbone fue a su encuentro de inmediato, tocándola con suma delicadeza.

—Nos hemos equivocado —dijo simplemente—. Monk acaba de hacerme ver que Sixsmith tuvo que ser quien mató al asesino y, aún más importante, que hemos condenado al hombre equivocado. Para liberarlo debemos demostrar como mínimo la culpabilidad de Sixsmith en la muerte del asesino y, si es posible, condenarlo por ello.

Margaret se volvió hacia Monk para corroborar en su rostro si aquello podía ser cierto. Le bastó un instante para ver que así era.

—En ese caso tenemos que hacerlo —dijo con calma—. ¿Pero cómo? El juicio ha concluido. ¿Sería suficiente presentar su testimonio ante una instancia superior?

—No —dijo Monk con certidumbre—. Tenemos que demostrar toda la línea de conexión, el hecho de que conocía al hombre desde el principio. —Vio que Margaret no seguía su razonamiento—. Si acusáramos a Sixsmith ahora —explicó—, fundamentándonos en su descripción del asesino, podría decir que la oyó en boca de Argyll o de cualquier otro. Podría volver a escaparse. —Esbozó una sonrisa sombría—. Esta vez no podemos equivocarnos.

—Entendido. —Su respuesta fue simple. No era una mujer guapa, sus facciones eran un tanto peculiares, pero en aquel momento había auténtica belleza en el rostro que volvió hacia Rathbone—. Ya lo celebraremos cuando tengamos motivo —dijo con toda calma—. Se lo explicaré a papá y mamá, acabaremos de cenar tranquilamente y luego nos marcharemos a casa. Por favor, haz lo que tengas que hacer. Este asunto no debe demorarse. Cueste el tiempo que cueste, por más complicado que resulte, hay que llevarlo a cabo antes de que Argyll sea acusado y juzgado. Lo ahorcarán por la muerte de James Havilland, tal vez por la de Mary también, aunque supongo que podría ser Toby a quien correspondería culpar. ¿Crees que Toby haría algo así por Sixsmith?

Rathbone se quedó meditabundo pero no apartó los ojos de su rostro.

—Es posible, aunque quizá no se diera cuenta de las implicaciones. A lo mejor Sixsmith le pidió que hablara con ella, que intentara convencerla de que la muerte de su padre era un suicidio, después de todo, y que no hacía más que empeorar las cosas con su insistencia. Es casi seguro que intentara convencerla de que los túneles no encerraban ningún peligro.

—¿Era eso lo que temía James Havilland, los ríos subterráneos que no figuran en los mapas? —preguntó Margaret volviéndose hacia Monk.

—Sí, eso creo. Según parece, Toby también estuvo hablando con un montón de alcantarilleros, aunque en su caso quizá lo hiciera para intentar que dejaran de entrometerse en las obras. Eso es lo que pensé al principio. Me parece que nunca sabremos si tenía intención de matar a Mary. Probablemente no. A no ser que entre él y Sixsmith hubiera mucho más de lo que sabemos. —Trató de visualizar de nuevo lo que había visto en el puente—. Creo que fue un accidente. Ella tenía miedo de él. A lo mejor pensaba que Alan Argyll estaba detrás de la muerte de su padre y que Toby se proponía matarla a su vez. Trató de zafarse de él y, tanto si lo hizo adrede como si no, lo arrastró consigo.

Mientras lo decía no estaba seguro de que eso fuera lo que realmente creía. ¿Era concebible que Sixsmith hubiese corrompido deliberadamente a Toby Argyll? Recordó la aflicción de Alan Argyll al enterarse de la muerte de su hermano. ¿Aflicción o culpabilidad?

—Nunca lo sabremos, ¿verdad? —dijo Margaret apenada.

—Probablemente no —admitió Monk.

—¿Y la señora Argyll? —insistió Margaret—. Juró que había sido su marido quien le había pedido que escribiera la carta.

—Ya lo sé —contestó Rathbone—. Hay muchas cosas que aún tenemos que descubrir y demostrar. Y el tiempo apremia. Lo siento.

—No te preocupes.

Margaret le dedicó una sonrisa íntima y un poco triste, pero sólo por la ocasión echada a perder, nada más. Se despidió y salió de la estancia.

Rathbone miró a Monk. Por primera vez desde que Rathbone se diera cuenta de que estaba enamorado de Hester, no había envidia en sus ojos, sólo una profunda felicidad que ni siquiera el fiasco de aquel veredicto podría destruir.

Monk correspondió a su sonrisa, sorprendido de lo complacido que estaba.

—Lo siento —dijo otra vez.

—¿Por dónde vamos a empezar? —le preguntó Rathbone.

Monk miró de arriba abajo la elegante figura de Rathbone.

—Por cambiarnos de ropa, me parece. Tenemos que hallar y demostrar la relación entre Sixsmith y el asesino.

Rathbone abrió desmesuradamente los ojos.

—¡Por el amor de Dios, Monk! ¿Cómo? Sixsmith trabajaba en las excavaciones. Pudo ir adonde quiso mientras estuvo bajo fianza. ¡Sólo estaba acusado de soborno! Y nadie tiene la más remota idea sobre quién era el asesino. ¡Ni siquiera sabemos cómo se llamaba!

—Lo has resumido a la perfección —dijo Monk con otra sonrisa, más amplia, como intentando mostrar más los dientes—. Pienso reclutar toda la ayuda que pueda. Comenzaré por Runcorn y Orme, además de tantos de mis hombres como tenga disponibles. El médico, Crow, estará encantado de ayudar, pues el asesino disparó contra Scuff. Luego me haré con cuantos peones quieran echar una mano, y los habrá, debido al hundimiento, así como alcantarilleros, desembarradores, barqueros, lo que sea. E intentaré enrolar a Sutton, el exterminador de ratas. Conoce los ríos y manantiales subterráneos como nadie, todos los escondites. Mucha gente que no nos diría ni pío hablará en cambio con él.

Había horror, repugnancia y mofa en el rostro de Rathbone.

—¿Y qué crees que puedo hacer yo en esta... búsqueda de lo incalificable?

Ahora Monk sonrió de oreja a oreja.

—Hombre, tú eres el jefe —aseguró a Rathbone—. Nos dirás lo que constituye una prueba y lo que no.

Rathbone le dedicó una torva mirada y se excusó para ir a cambiarse de ropa.


Por una cuestión de simplicidad geográfica, fueron primero a ver a Runcorn. Éste se horrorizó tanto como habían supuesto que lo haría. Más aún, se enojó consigo mismo por no haber reparado en la diferencia entre las dos descripciones del asesino.

—Nadie se fijó —aseguró Monk con sinceridad—. No me he dado cuenta hasta que le estaba contando el juicio a Hester y he repetido la descripción. Este detalle ha sido su único patinazo.

Runcorn puso cara de pocos amigos.

—Voy a rastrear cada paso que haya dado ese cabrón —prometió—. ¡Aunque tenga que trepar o gatear por todas las cloacas de Londres e interrogar a las malditas ratas!

Rathbone torció el gesto con repugnancia sólo de pensarlo, pero no replicó.

A continuación fueron en busca de Orme, a quien sacaron de la cama con una disculpa por las horas que eran, habida cuenta de que seguramente se acababa de acostar tras una dura jornada. Orme no se quejó, ni siquiera haciendo una mueca. Monk esperó sinceramente que no fuera porque no se atreviera. Se había ganado el derecho a exigir respeto y consideración a sus sentimientos, a su bienestar y al hecho de que quizá tuviera otros intereses y ocupaciones en la vida, aparte de doblegarse a las exigencias de la Policía Fluvial en general o de Monk en particular.

—No puedo hacerlo sin usted —dijo Monk con franqueza.

—No pasa nada, señor. ¿Cómo está el chico? —contestó Orme obligándose a despabilarse echándose agua fría a la cara. Estaban en la cocina de su pequeño hogar, donde Monk no había estado nunca antes. Fue incómodamente consciente de que no sólo se había entrometido sin haber sido invitado en el único sitio donde Orme tenía intimidad y mandaba, sino que además había llevado a terceros que eran, exceptuando sus nombres, perfectos desconocidos para su subordinado.

—Se va recuperando bien —contestó Monk—. ¿Le preparo una taza de té mientras se viste?

Orme le miró.

—Ya lo prepararé yo, señor. Si no le importa poner el...

—Yo lo hago —interrumpió Monk—. No estoy pidiendo instrucciones, sólo permiso.

—Sí... señor. El té está en una caja ahí arriba —dijo Orme señalando una lata con motivos indios al fondo del pulcro estante de la cocina—. La tetera, junto al fogón, y hay leche en la alacena. El agua ya está bombeada. Pero...

—Gracias —volvió a interrumpir Monk—. Usted vístase. No es preciso que se afeite. Vamos a bajar a la cloaca.

Orme obedeció. Monk fue haciendo los preparativos en la pequeña e inmaculada cocina mientras Runcorn cribaba los últimos rescoldos del hornillo y los apilaba delicadamente con carbón nuevo para encenderlo otra vez, caldear la cocina y hervir agua. Rathbone se sentó a observar, sabiendo que sus habilidades serían requeridas más tarde.

Siete minutos después Orme bajó vestido con ropa adecuada para el río. Entonces, mientras tomaban una taza de té bien caliente y cargado, establecieron la táctica a seguir en la búsqueda de las pruebas que necesitaban para ahorcar a Aston Sixsmith.

—¿Qué necesitamos, señor? —preguntó Orme a Rathbone.

Rathbone obviamente lo había estado pensando.

—Tenemos que el propio Sixsmith admitió que conocía a ese asesino. —Frunció el entrecejo—. ¡Ojalá pudiéramos llamarlo por su nombre! Pero sólo porque le pagó a petición de Argyll. Necesitamos pruebas irrefutables de que Sixsmith le conocía antes de eso y que quepa deducir que también conocía su ocupación. Parece bastante obvio que Sixsmith refirió a Argyll los problemas que estaban causando los alcantarilleros y otros hombres y que era preciso sobornarlos para que los dejaran en paz. Quizá se pueda averiguar si eso es verdad. ¿Hasta qué punto constituían una molestia los alcantarilleros? Porque las obras continuaron como si nada, aunque el dinero fue a parar a manos del asesino.

Los miró a todos, uno por uno.

—¿Qué pasa con el hundimiento? —preguntó Runcorn—. ¿Sabemos qué lo causó exactamente y si era predecible? ¿Era lo que James Havilland temía? ¿Tiene alguna relación con Sixsmith?

—¿Y Sixsmith lo sabía? —agregó Monk—. ¿Qué pasa con Mary?

—Ésa es otra cuestión —interrumpió Rathbone—. ¿Qué relación había entre Sixsmith y Toby Argyll? Abreviando, Argyll quizá sea técnicamente inocente de haber contratado al asesino pero ¿es inocente de todo? ¿Se trata de un hombre o de una conspiración?

Orme miró a Monk.

—Éstas son las cuestiones, señor: tenemos que encontrar a gente que haya visto juntos a Sixsmith y al hombre de los colmillos antes de que mataran a Havilland, para demostrar que se conocían. Tenemos que encontrar a peones y alcantarilleros que sepan si Sixsmith estaba al corriente de los peligros que entrañaba mover la

máquina demasiado deprisa y horadar sin informarse suficientemente sobre fuentes, ríos y demás corrientes subterráneas.

Rathbone abrió los ojos.

—Exactamente —corroboró—. Muy bien resumido, señor Orme.
—Esbozó una sonrisa—. En realidad, ¿tal vez no precisen que yo
esté presente?

Monk le miró con ironía y le devolvió la sonrisa.

—No sabríamos cómo arreglárnoslas sin usted, Rathbone —contestó Monk evitando tutearle en presencia de los demás.

Pasaron un rato más distribuyendo tareas y planeando dónde
reunirse y con qué frecuencia para comparar sus notas respectivas e
informarse de sus progresos. Se echaron un sueñecito de una hora
sentados en las sillas de la cocina y luego tomaron otra taza de té y
varias tostadas bien gruesas. A las cuatro y media ya iban de camino a la calle principal del barrio, donde tomaron un coche de punto y comenzaron el viaje hacia el túnel.

Se detuvieron para recoger a Crow. Fue un recluta soñoliento y
desconcertado pero demostró buena disposición cuando se enteró
de lo que en verdad había ocurrido. Envió un mensajero a Sutton
para que le comunicara adónde iban y que era extremadamente urgente e importante que se reuniera con ellos. No lo aguardaron,
sino que acordaron una cita con él.

Soplaba un viento fresco y racheado que traía olor a lluvia
mientras bajaban la fangosa cuesta hasta el fondo del túnel. A la luz
de los faroles las paredes rezumaban agua que luego corría lentamente entre los ladrillos rotos y los guijarros del suelo. Los tablones de madera estaban resbaladizos. Cuando Monk alzó su farol
una viga brilló en la neblina de la llovizna, iluminando las paredes
mojadas, las tablas que las sostenían separadas entrecruzándose hacia arriba hasta un cielo invisible. El aire olía a tierra, agua y madera vieja.

Monk arrugó la nariz sin saber si realmente olía el acre hedor de
la cloaca o si sólo era una evocación de la memoria y la imaginación.
Tuvo que hacer un esfuerzo mayor de lo que esperaba para obligarse
a caminar con serenidad bajo el revestimiento de ladrillo del túnel y
el ingente peso de tierra que tenía encima. Sus pies resonaban en las
tablas chapoteando en el agua que las cubría parcialmente y moján-
doles las suelas de las botas. Hacía un frío glacial.

Monk oyó a Rathbone jadear detrás de él y se preguntó si la oscuridad lo asfixiaba tanto como a él, si le bañaba la piel en sudor y le hacía aguzar la vista y el oído en busca de cualquier cosa que le proporcionara un sentido de proporción, de orientación, de cualquiera de las cosas que damos por sentadas.

Al cabo de un kilómetro se separaron con el propósito de cubrir la mayor extensión de terreno posible. Por motivos de seguridad se organizaron en parejas: Runcorn y Orme, Rathbone y Crow, y Monk que aguardaría a Sutton en el lugar previsto.

—¡No vaya solo, señor! —advirtió Orme con la voz tomada por la inquietud—. Un resbalón y está acabado. Si se da un golpe en la cabeza las ratas lo atacarán. No es una forma agradable de morir.

Monk vio la sensible boca de Rathbone torcerse con repulsión y sonrió.

—No lo haré, sargento, se lo prometo.

Orme asintió con la cabeza y fue en pos de Runcorn. La oscuridad los engulló, en un abrir y cerrar de ojos.

Rathbone inspiró profundamente y, muy envarado, siguió a Crow sin volver la vista atrás ni una sola vez. Quizá le daba miedo que al hacerlo perdiera el coraje para seguir.

Sutton llegó veinticinco minutos después, acompañado como siempre por el perrillo.

—Mal asunto, señor Monk —dijo con gravedad—. ¿Por dónde quiere empezar?

La decisión ya había sido tomada.

—Los otros cuatro están investigando si Sixsmith fue visto alguna vez con el asesino y en tal caso, cuándo y por quién. Yo quiero saber más sobre los riesgos de hundimiento que tanto preocupaban al señor Havilland, y establecer cuánto sabía Sixsmith en realidad a este respecto.

—¿Quiere decir que podría haberlo impedido? —preguntó Sutton. Frunció el entrecejo—. No tiene sentido, señor Monk. ¿Qué le impedía ir con más cuidado si realmente había entendido la situación? Un hundimiento no le haría ningún bien.

—Cuando le creía inocente —explicó Monk comenzando a adentrarse en el túnel—, supuse que Argyll daba las órdenes y que él tenía poco margen de maniobra. Di por sentado que temiera lo que temiese se lo había contado a Argyll y éste no le había hecho caso. Pero a lo mejor esto no es cierto. ¿Es Sixsmith un hombre cruel, mala persona, o sencillamente un incompetente?

—¿Por qué querría matar a Havilland? —preguntó Sutton con curiosidad, pisando los talones de Monk—. Sería para que no dijera nada de los riesgos y peligros, ¿no?

—Sí. Pero eso no significa que le creyera. A lo mejor pensaba que Havilland sólo era un alarmista.

Sutton gruñó.

—A lo mejor.

Lo primero que hicieron fue buscar peones en el frente de la excavación e interrogarlos. Tenían que actuar deprisa. Tras la dura prueba del juicio nadie esperaba que Sixsmith acudiera a trabajar ese día, pero no era imposible que se presentara. Era un hombre acusado por error, según la ley, y hallado inocente por sus iguales. Si ahora Monk y los suyos daban la impresión de estar acosándolo, se verían en una posición muy incómoda, por decirlo de manera suave. Cabía que hasta los acusara de excederse en sus atribuciones. La carrera de Monk correría peligro y posiblemente la de Orme y la de Runcorn también. La reputación de Rathbone no saldría beneficiada de su expedición a las alcantarillas en busca de un hombre al que había acusado sin lograr condenarlo. Daría la impresión de que no sabía perder con dignidad y honor.

Los peones no les dijeron nada y, al cabo de una hora o así, Monk se dio cuenta de que estaba desperdiciando el tiempo. Optó por seguir el consejo de Sutton y fueron en busca de unos alcantarilleros que él conocía. Eran padre e hijo y el parecido entre ambos resultaba asombroso: francos y de talante alegre y sarcástico.

—¿Sixsmith? —dijo el padre torciendo la boca—. Un tipo fuerte, no teme a nadie. Sí. Le conozco. ¿Por qué?

Monk dejó que Sutton hiciera la pregunta. Ya habían planeado lo que dirían.

—Resulta que al final no mató a Havilland, después de todo —contestó Sutton con toda tranquilidad—. En realidad pensaba que el dinero era para untar a los alcantarilleros que causaban problemas.

—¡Y yo soy la reina de los mariquitas! —dijo el padre con mordacidad.

—¿Está diciendo que nunca aceptó dinero? —preguntó Sutton con voz casi inexpresiva.

—¡No había nada que aceptar!

—¡Sixsmith es un maldito embustero! —agregó el hijo enojado—. Nosotros no causábamos problemas y lo que es más, señor Sutton, sólo porque cace ratas para los ricos no tiene ningún derecho a decir lo contrario. ¡Entérese bien, cabronazo!

—Me consta que ustedes no lo hacían —convino Sutton—. ¿Pero y los otros? ¿Qué me dicen de Big Jem, o de Lanky, o de cualquier otro?

—No somos idiotas —replicó el padre—. Haciendo que me metan en chirona no saco nada bueno.

—¿El señor Sixsmith lo sabía? —preguntó Monk interviniendo por primera vez.

—¡Claro que lo sabía! —respondió el padre mirándolo con el rostro torcido con desagrado como una gárgola a la luz del farol—. Es muy espabilado, ese cabrón.

—No lo bastante como para evitar un hundimiento —observó Monk.

—¡Claro que lo era! —dijo el padre con los ojos clavados en él—. Sabía tanto sobre ríos y fuentes y vetas de arcilla como cualquiera de nosotros. Sólo que le importaba un carajo.

Interrogaron a otros alcantarilleros, a desembarcadores y de nuevo a peones pero nada de lo que sacaron contradecía la creencia de que no había más problemas que los acostumbrados, sólo alguna que otra disputa o pelea. No había habido ningún sabotaje deliberado y el número de accidentes estaba bastante por debajo de la media en una obra tan compleja y peligrosa como aquélla.

Lo que impresionó a Monk de manera más convincente, y así lo explicó a los demás cuando salieron a la superficie a mediodía, fue que la inmensa mayoría opinaba que Sixsmith era un hombre extremadamente inteligente y capacitado y que conocía a la perfección los riesgos y ventajas de todo lo que hacía.

—¿Significa que sabía de los ríos y manantiales? —dijo Rathbone en tono grave. Estaba crispado. Las ventanas de la nariz resoplaban por el hedor que no había podido eludir. Tenía la ropa salpicada de fango y arcilla y las botas empapadas. Hasta los bajos del pantalón estaban húmedos.

—Sí —confirmó Monk sabiendo cuál era la conclusión ineludible—. Todo indica que no le importaba el riesgo de un hundimiento.

—¡O incluso que lo deseaba! —agregó Rathbone—. ¿Pero por qué? ¿Qué es lo que aún no sabemos, Monk? ¿Qué pieza falta para que este rompecabezas tenga sentido?

Se volvió hacia Runcorn y Orme.

—Conocía al asesino —dijo Orme con el rostro tenso—. Aún no tenemos un testigo que se pueda llamar a declarar, pero seguro que los hay. Sabía lo que se hacía, ese Sixsmith.

—No hable de él en pasado. —Runcorn miró a todos uno por uno—. ¡Todavía está bien presente! ¡Tenemos que apresurarnos antes de que cubra sus huellas... o nos cubra a nosotros!

Monk tuvo un escalofrío. La expresión de Rathbone era grave y enojada. Nadie discutió. Comentaron el paso siguiente a dar y reanudaron sus pesquisas con frío, cansancio y resolución.

Hester durmió mal después de que Monk se marchara. La impresión de la derrota, recibida justo mientras saboreaban lo que ella imaginaba una de sus más dulces victorias, la dejó por un momento aturdida. Fregó los platos de la cena y recogió la casa automáticamente y luego subió a ver si podía hacer algo más por Scuff. De no haber sido por el niño, quizás hubiese aguardado levantada, pero sabía que él no descansaría si ella no lo hacía también.

Alrededor de las cinco de la madrugada yacía despierta preguntándose cómo habían podido cometer un error tan flagrante, cuando Scuff le habló en un susurro.

—¿No está dormida, verdad?

En realidad no era una pregunta. Debió de haberlo adivinado por su respiración.

—No —contestó Hester—. ¿Y tú por qué no duermes?

—Porque no puedo. —Se acercó una pizca hacia ella—. ¿Lo va a arreglar el señor Monk?

¿Debía mentir para consolarlo? Si lo descubría rompería la frágil confianza que estaba construyendo. Quizá nunca podría reparar el daño. ¿Acaso la verdad, por dura que fuera, no era mejor que la soledad del engaño? Eso era lo que haría si se tratase de un adulto. ¿Tan diferente era un niño? ¿Hasta qué punto debía protegerlo y contra qué?

—¿Lo hará? —insistió Scuff.

No la estaba tocando y, sin embargo, Hester supo que Scuff tenía el cuerpo en tensión.

—Lo intentará —contestó—. Nadie gana siempre. Esta vez podría tratarse de un error que no quepa enmendar. No lo sé.

Scuff soltó un suspiro y se relajó, acercándose otro poquito hacia ella.

—El señor Havilland llevaba razón con lo de las máquinas, ¿verdad?

—Me temo que sí —confirmó Hester—. Y se lo diría al señor Argyll.

Al decirlo se dio cuenta, con un escalofrío a pesar de las mantas que la tapaban, de que aquello no era forzosamente cierto. Pero carecía de sentido.

—¿Qué pasa? —inquirió Scuff.

—Al menos supongo que se lo habría dicho al señor Argyll —contestó Hester.

Scuff le apoyó una mano en el hombro tan ligeramente que apenas notó más que su calor.

—Hay algo que no encaja, ¿verdad? ¿Estará a salvo el señor Monk? Tendría que haberle acompañado para cuidar de él. Me parece que Sixsmith es malo de verdad.

—¿Pero qué quiere Sixsmith? —dijo Hester tanto para sí misma como a Scuff—. ¿Dinero? ¿Poder? ¿Amor? ¿Escapar de algo? —Se volvió un poco hacia Scuff—. ¿Crees que puede ser por la señora Argyll? Está enamorada de él, creo. Y su marido es un hombre muy frío. Debe de sentirse terriblemente sola.

—¿El señor Havilland no era su padre también? —preguntó Scuff.

—Sí. No creo que ella supiera que el asesino iba a matar a su padre. Y después pensó que era su marido quien lo había orquestado todo. Puede que aún no sepa que fue Sixsmith quien lo hizo. ¡Y no podemos demostrarlo!

—Pero él sí lo sabe —señaló Scuff—. ¡Así que no lo hizo por ella! Uno no mata al padre de la persona que ama.

—No. —Clavó los ojos en el techo; un tenue resplandor atravesaba las cortinas desde las farolas de la calle—. Quizá no la ama tanto y sólo la desea. No es lo mismo.

—A lo mejor sólo odia al señor Argyll —dijo Scuff pensativo—. Recuerde que lo montó para que pareciera que fue Argyll quien pagó al asesino. Y fue la empresa del señor Argyll la que causó el hundimiento, y es el señor Argyll quien acabará en prisión o ahorcado.

—Eso es una cantidad espantosa de odio —dijo Hester en voz baja, estremeciéndose de nuevo—. ¿Qué puede inspirar un odio tan grande?

—No lo sé —contestó Scuff—. Tiene que ser algo malo.

—Desde luego —convino Hester, aunque su mente ya estaba comenzando a preguntarse qué había sentido Jenny. ¿Creía que cuando su marido fuese encarcelado, o incluso ahorcado, sería rescatada de su aburrimiento y de su desierto emocional por Sixsmith? ¿Tan enamorada estaba de él que no había pensado en lo que vendría luego?

¿Qué ocurriría cuando se demostrara que Argyll era inocente y Sixsmith culpable? Jenny había mentido acerca de quién le había pedido que escribiera la carta; eso era lo que había vuelto las tornas contra Argyll. ¡Sixsmith lo sabía! ¿Qué clase de futuro podía esperar ella, por tanto? ¿Había utilizado a Sixsmith para librarse de Argyll, de modo que sus hijos heredaran la empresa dado que Toby también había fallecido? ¿Y también obtendrían el patrimonio que poseyera James Havilland dado que Mary también estaba muerta? ¿Se figuraba que así retendría a Sixsmith a su lado? ¿Era eso lo que quería? Si aún conservaba dos dedos de frente sin duda temería por su propia vida.

¿O acaso creía que él la amaba, que su amor era verdadero?

—Se le ha ocurrido algo, ¿verdad? —susurró Scuff a su vera.

—Sí —contestó Hester con franqueza—. Tengo que ir a ver a la señora Argyll. Mintió en el juicio y es preciso que sepa lo que eso puede costarle. A primera hora enviaré una carta para pedir a Margaret Ballinger que venga a hacerte compañía mientras yo esté fuera.

—No necesito a nadie —dijo Scuff al instante—. Ya estoy casi bien.

—No, ni mucho menos —replicó Hester—. Y tanto si tú necesitas que venga alguien como si no, yo necesito que haya alguien aquí para poder dejar de preocuparme por ti y centrarme en lo que estaré haciendo. ¡No discutas conmigo! La decisión está tomada. Y además Margaret te caerá bien, creo.

—El señor Monk dijo que era usted más terca que una mula del ejército.

—¡No me digas! Vaya, hombre. ¡El señor Monk no reconocería a una mula del ejército aunque le pegara una coz!

Scuff rió. Obviamente la idea le divertía.

—¡Pero yo sí! —agregó Hester antes de se le pasara por la cabeza insubordinarse.

—Usted le devolvería la coz —dijo Scuff con inmensa satisfacción, y recorrió los últimos centímetros que le separaban de ella. Hester lo rodeó con el brazo sin estrecharlo. En cinco minutos estuvo dormido.


Por la mañana Hester mandó a un chico del barrio a llevar un mensaje a Margaret, aguardar su respuesta y regresar con ella. Le dio el precio de la carrera en coche de punto para ir y volver y algo para él. Era una extravagancia, pero la juzgó necesaria, no sólo para su propia paz de espíritu sino también para la de Monk. Hester no había pasado por alto el afecto que su marido sentía por Scuff, por mucho cuidado que pusiera en disimularlo.

Llegó a casa de los Argyll poco después de las diez. Se le hizo extraño darse cuenta de que el resto del mundo todavía creía culpable a Argyll e inocente a Sixsmith. Por un momento fue presa del terror mientras cruzaba la acera hacia la escalinata de la puerta principal. ¿Y si Sixsmith ya estaba allí? Si él y Jenny eran amantes, ¡quizás habían celebrado juntos su victoria!

¡No! No, eso habría sido una estupidez, aunque Argyll ya estuviera arrestado. Podría levantar sospechas. Para conservar algo de dignidad y credibilidad en su persona, Jenny tendría que interpretar el papel de la desconsolada viuda que al cabo de un tiempo es rescatada por el hombre inocente. De este modo, ambos figurarían como las víctimas de la perversidad de Argyll.

Hester enderezó la espalda y subió los escalones de la entrada con la cabeza bien alta.

Acudió a abrir una doncella de ojos enrojecidos a quien Hester dijo que debía ver a la señora Argyll para tratar de un asunto de gran importancia y urgencia. Hester dedujo por el aspecto de la chica que el señor Argyll ya había sido detenido. La embargó un profundo alivio.

—Lo siento, señora, pero la señora Argyll no se encuentra bien —comenzó la doncella—. Hoy no recibe.

—Ayer asistí al juicio —mintió Hester para arrogarse cierta autoridad ante la criada—. Lo que tengo que decir demostrará la inocencia del señor Argyll.

Se guardó de agregar que también demostraría la culpabilidad de la señora Argyll.

La doncella puso ojos como platos, dio un paso atrás e incitó a Hester a entrar. Estaba nerviosa, contenta y aún asustada. Dejó a Hester en el salón de recibir, el único sitio remotamente caldeado gracias al rescoldo del fuego de la víspera. Tales deberes domésticos se habían desatendido aquel día.

Diez minutos más tarde entró Jenny Argyll. Hoy su vestido negro era de muy buen corte y realzaba su esbelta figura. Llevaba un peinado menos austero que antes pero su rostro seguía presentando un cutis muy pálido y profundas ojeras. Componía una imagen femenina y vulnerable. Los últimos atisbos de duda de Hester a propósito de que Jenny estuviese enamorada de Sixsmith se esfumaron por completo. Tal vez fuese capaz de fingir sus actos, pero sus sentimientos escapaban a su maestría. Y los de Sixsmith no estaban nada claros.

—Buenos días, señora Monk —dijo Jenny con ligera sorpresa. La voz le temblaba un poco. ¿Era tensión, agotamiento o miedo?—. Mi doncella me ha dicho que sabe algo muy urgente e importante sobre el arresto de mi marido. ¿Es eso cierto?

Hester tuvo que obligarse a recordar la humillación de Rose Applegate para decir lo que tenía que decir. Ahora estaba segura de que había sido Jenny quien había envenenado su comida o su bebida con alcohol, no Argyll. Era ella quien tenía el motivo, y lo más probable era que sólo ella estuviera enterada de su debilidad. ¿Acaso la determinación de Rose había flaqueado con anterioridad, o tal vez se había confiado en un momento de debilidad, para justificarse por no compartir el vino con otros invitados, o un brindis con champaña en un acto social? Una bien podía necesitar una excusa para no ofender a nadie, por ejemplo en una boda.

Jenny aguardaba.

—Sí, es verdad —contestó Hester—. Estuve presente al comenzar el juicio creyendo, igual que mi marido, que el señor Sixsmith era inocente de todo salvo del muy comprensible delito de tratar de sobornar a ciertos agitadores para que dejaran de sabotear la obra. La única razón por la que se presentaron cargos contra él fue para exponer al tribunal el asunto de la muerte de James Havilland y demostrar así, durante el proceso, que en realidad el culpable era su marido.

—Pues lo logró —dijo Jenny casi sin expresión—. ¿Por qué se ha tomado la molestia de venir a decirme esto? ¿Cree que me importa? ¿Cree que para mí valen algo los motivos y creencias que pueda usted tener?

Hester la miró. ¿Había algo verdadero en aquella indignación? ¿O mostraba ese sentimiento para disimular la sensación de triunfo que experimentaba ahora que ya casi tenía el premio en sus manos?

—No, está claro que no —admitió Hester con toda calma—. Pero lo que tiene importancia es que estábamos equivocados. Su marido no es culpable, y estoy casi convencida de que podremos demostrarlo.

Jenny se quedó paralizada, con los ojos muy abiertos, desenfocados. Por un momento Hester temió que fuera a desmayarse.

—¿No es... culpable? —dijo Jenny con voz ronca—. ¿Cómo es posible? ¡Lo han arrestado!

Fue una negación, casi un desafío.

Hester esperó que realmente Sixsmith no se hallara en la casa. ¿Estaba corriendo un riesgo innecesario? Ya era demasiado tarde para echarse atrás.

—Pero usted no creerá que es culpable, sin duda.

—Cómo... ¿Por qué no?

—Porque sabe de sobra quién le pidió que escribiera la carta a su padre, y puesto que fue Sixsmith quien pagó para que lo mataran, resulta imposible creer que no fuera también Sixsmith quien lo organizó todo para que fuera a la cuadra —contestó Hester.

Jenny tomó aire y levantó las manos como si quisiera empujar a Hester lejos de sí.

—¡Oh, no! Yo...

—Está enamorada de él —prosiguió Hester—. Sí, ya lo sé. Salta a la vista. Pero por más encaprichada que esté, eso no excusa la muerte de su padre y su hermana, como tampoco la vergüenza de sus tumbas de suicidas. —El enojo y todo su antiguo dolor se derramaron en su voz hasta que también le tembló. Tuvo que tragar aire a bocanadas para procurar serenarse—. Tal vez no lo supiera al principio ¡pero no me diga que no lo sabe ahora!

—¡No, no lo sé! —negó Jenny furiosa—. Está mintiendo. ¡Mi marido es culpable! ¡El tribunal lo sabe! ¡Aston fue absuelto! ¡No tiene derecho a venir aquí a decir cosas tan terribles!

Tenía dos manchas de color en los pómulos.

—¿Terribles? —replicó Hester—. ¿Es terrible que Sixsmith pueda ser culpable de matar a su padre pero no que lo sea su marido? ¡Me parece que ese juicio traiciona sus lealtades con bastante claridad, señora Argyll!

—¡Me está acusando! —contraatacó Jenny.

—Por supuesto. Fue usted quien declaró bajo juramento que fue su marido quien le hizo escribir la carta que condujo a su padre a la muerte. Es imposible que se equivocara en ese particular. ¡Tuvo que ser una traición deliberada tanto a su padre como a su hermana! ¿Qué le ofrece Sixsmith que valga tanto?

Jenny soltó un grito ahogado.

—Váyase de mi casa...

No encontró insultos, desafíos ni ninguna otra cosa con que defenderse.

—¿Tan buen amante es? —prosiguió Hester dejando que su impotencia de antaño dirigiera su ira.

—¿Cómo se atreve? —gritó Jenny—. ¡Estúpida, ignorante y engreída, con sus buenas obras y sus mezquinas ideas! ¿Qué sabrá usted de la pasión?

—Conozco el amor y el odio, y el precio que se paga por ellos —contestó Hester—. Conozco la muerte, y he visto a hombres mejores de los que usted haya conocido jamás entregar sus vidas por aquello en lo que creían. He visto la guerra, el asesinato y la aflicción. He cometido muchos errores garrafales, y he amado hasta el punto de creer que iba a morir de amor. He defraudado a algunas personas porque he sido débil o estrecha de miras... Pero nunca he traicionado a nadie deliberadamente. Usted traicionó a su padre, a su hermana, a su marido y también a Rose Applegate. ¿Realmen-

te merecía la pena todo esto sólo para acostarse con Aston Sixsmith?

Jenny extendió el brazo y dio un soberano bofetón a Hester
con todas sus fuerzas, haciéndola retroceder a trompicones hasta
que cayó encima del sillón que tenía varios pasos por detrás.

Hester se puso de pie lentamente apoyando una mano en la
mejilla ardiente.

—Veo que no —comentó.

Jenny dio un paso hacia ella, roja como un tomate, echando
chispas por los ojos.

Esta vez Hester estaba preparada, con el puño cerrado a punto.

—Sixsmith asesinó al asesino —dijo—. Le disparó y dejó que
fuera aplastado y enterrado por el hundimiento. Y no se moleste en
discutirlo. Eso fue lo que le delató. Describió al hombre tal como
era cuando lo mataron, no cuando Sixsmith dijo que le había pagado. Fue su única equivocación, pero fue más que suficiente. Eso
salvará a su marido de la horca. Pero claro, lo que usted quiere oír
no es esto...

Era una acusación cargada del más despiadado desdén.

—¡No quiero nada de lo que usted dice! —gritó Jenny desesperada—. Está mintiendo. ¡No puede ser verdad!

Hester no se tomó la molestia de discutir.

—Asesinó a su padre y a su hermana, y se dispone a asesinar a su
marido. ¿Es ésa la clase de hombre en quien confía para que cuide de
usted, por no hablar de sus hijos? Si le quedan dos dedos de frente, se
salvará mientras tenga ocasión. Su marido será liberado, haga usted
lo que haga, y a Sixsmith lo colgarán.

Jenny la miró con desprecio.

—¿Y qué provecho saca usted de esto, señora Monk? ¿Por qué
le importa que sobreviva o no? Pienso que miente y que me necesita para traicionar a Aston, para que no se vuelva contra usted y
Alan.

Hester se obligó a sonreír, aunque le constó que era un gesto frío
e incierto.

—¿Está dispuesta a apostar su vida a que nadie encontrará pruebas ahora que saben dónde buscar? Y lo que es más, ¿está convencida de que su futuro será seguro junto a un hombre que matará cuando le convenga, que traicionó al hombre que le daba trabajo y que

confiaba en él, robándole la esposa y haciendo que lo ahorcaran por un asesinato que no había cometido? ¡Mire quién ha sido el último en morir! ¿Está segura de que no será la siguiente, cuando deje de resultarle útil o cuando encuentre a una mujer más joven y guapa que no cargue con los hijos de otro hombre? ¿O acaso sus hijos serán los herederos de todo el patrimonio de los Argyll? ¿No será ése el valor que usted tiene para él? Si se casa con él, ¿a manos de quién pasará? ¡Toby también está muerto! Y Mary.

Jenny tenía el rostro ceniciento, casi gris. Hester se imaginó los recuerdos que debían de estar pasándole por la mente, momentos de intimidad, de pasión. Quizá por el contrario estuviera experimentando la terrible y súbita soledad que te embarga cuando cobras conciencia del abismo que te separa de la persona que amas, un abismo imposible de cruzar, aunque pienses que sí puedes para engañarte durante un breve paréntesis de consuelo. De no ser por todos los que habían pagado por ello, Hester la habría compadecido.

—Vaya a la policía y confiese perjurio —dijo con más suavidad—, todavía está a tiempo. Invéntese un cuento diciendo que la engañaron y que ahora se da cuenta de la verdad. Así al menos quizá sobreviva. Tiene una alternativa, al menos hoy. Vivir con Argyll, que quizá sea un pelmazo y un bravucón, o ser ahorcada con Sixsmith, que es mucho peor. —Se encogió muy levemente de hombros—. Yo no saco ningún provecho, señora Argyll, pero quizá puedan sacarlo sus hijos. Supongo que por eso me importa.

Dicho esto giró sobre sus talones y se marchó. Regresaría a casa y almorzaría con Scuff, y a lo mejor le contaría lo que había hecho. También escribiría una carta a Rose Applegate para informarla, cuando todo hubiese concluido.


Monk y todos los demás compartieron un breve almuerzo con algunos peones. Esta vez, contando con la ventaja de estar mejor informados, los interrogaron no acerca de Argyll sino de Sixsmith. Se hallaban a considerable profundidad bajo tierra, sentados sobre los escombros que habían amontonado allí en vez de sacarlos a la superficie. El constante goteo del agua llenaba el aire de humedad y del hedor de la cloaca. Las garras de las ratas se oían más cerca que los golpes sordos y metálicos de la máquina. Las voces retumbaban de tal modo que costaba saber de dónde venían. La oscuridad los envolvía por todas partes, acosando el frágil corazón del farol. Lo mismo podían hallarse a cinco metros bajo el suelo que a cientos. Monk trató de apartar aquel pensamiento de su mente para que no se le hiciera un nudo en el estómago.

Rathbone bebió un poco de agua, pero se mostró renuente a comer pan basto. Se las arregló para que su expresión no revelara su repugnancia.

—¿De modo que la señorita Havilland pidió ayuda al señor Sixsmith? —dijo otra vez.

—Sí —confirmó el peón que estaba siendo interrogado. Era un hombre corpulento y fornido de pelo rubio y frente despejada con un agradable rostro curtido—. Ya lo creo. Dejó lo que estaba haciendo para darle lo que pedía. También lo hizo por su padre.

—¿La misma información? —preguntó Rathbone.

—Supongo. —El peón arrugó la cara pensativo—. Les ayudó mucho. Nunca ocultó nada. Debió de contar a la señorita Havilland lo que le preguntó porque de ahí dedujo que a su padre lo habían asesinado. O al menos eso pensaba ella.

Rathbone lanzó una mirada a Monk y se volvió de nuevo hacia el peón.

—Me parece que estoy empezando a entenderlo, ¿señor...?

—Finger* —dijo el peón—. Porque perdí el dedo, ¿ve?

Levantó la mano con el dedo anular amputado desde el nudillo.

—Gracias —respondió Rathbone—. Señor Finger, ¿el señor Toby trabajaba también con el señor Sixsmith?

El peón sonrió de oreja a oreja mostrando los dientes que le faltaban.

—Sí, claro que sí. El señor Toby estaba ansioso por aprender todo lo que pudiera sobre la máquina, y nadie sabía más que el señor Sixsmith. El señor Toby se pasaba la mitad del tiempo aquí abajo.

—¿Justo hasta que la señorita Havilland falleció en el río? —insistió Rathbone.

—Sí, incluso el día antes, si no recuerdo mal.

Monk de repente entendió lo que Rathbone estaba pensando, y quizás incluso fuera un paso más allá.

---

\* *Finger* en inglés significa «dedo». *(N. del T.)*

—Finger —dijo enseguida—, ¿por qué preguntaba Toby a Sixsmith sobre la máquina en vez de preguntar a su hermano, Alan Argyll?

—¿A lo mejor su hermano no querría contarle nada? —sugirió Rathbone mirando inquisitivamente a Finger.

—Nadie conoce las máquinas como el señor Sixsmith —contestó Finger convencido.

—Pero el señor Alan fue quien inventó las modificaciones que hicieron que la máquina de la Argyll Company fuese mejor que las de los demás —señaló Monk anticipándose a Rathbone.

—Era el amo —dijo Finger—. Pero las ideas eran del señor Sixsmith. La conocía mejor que el señor Argyll, lo juraría sobre la tumba de mi madre, Dios la tenga en su gloria.

—¡Ajá! —Monk se echó hacia atrás y miró a Rathbone—. O sea que el señor Sixsmith era el lumbrera, pero el señor Argyll se llevaba los laureles y el dinero. Me figuro que este reparto no satisfacía demasiado al señor Sixsmith.

Dieron las gracias a Finger, quien a su vez les indicó dónde encontrar a un desembarrador que podría ayudarlos.

Habían avanzado poco más de medio kilómetro cuando hubo un temblor en el suelo, tan ligero que apenas se notó. Entonces, un momento después, el ritmo de la máquina se alteró levemente.

Una oleada de horror pasó por encima de Monk cubriéndolo de sudor frío para dar paso a un miedo cerval.

Rathbone se paralizó.

—¿Huelen algo? —susurró Sutton.

—¿Si olemos algo? —dijo Rathbone con voz ronca—. El hedor de las alcantarillas, por Dios. ¿Cómo íbamos a evitarlo?

Sutton no se movió. En la titubeante luz del farol resultaba imposible decir si se había puesto más pálido o no, pero de él emanaba una tensión inequívoca.

Entonces se volvió a oír un ruido sordo, más alto esta vez.

—¡Tenemos que salir de aquí! —exclamó Sutton con voz aguda—. ¡Vamos!

Emprendió la marcha. *Snoot* iba a sus pies, con el pelo del lomo erizado.

Se apiñaron detrás de él con los faroles en alto. Monk se fijó en la luz amarilla sobre las paredes. ¿Eran figuraciones suyas, o realmente se estaban hinchando los muros como si en cualquier momento fuesen a resquebrajarse por el empuje del agua, ahogándolos a todos? Respiraba a grandes bocanadas, todo el cuerpo le temblaba. ¿Era un cobarde después de todo? La idea era nueva y demoledora.

¿Era el dolor lo que temía, o la muerte? ¿El final de la oportunidad de intentarlo de nuevo, de hacer las cosas mejor? ¿Alguna clase de juicio cuando era demasiado tarde para comprender o lamentarse? ¿O era el olvido, simplemente dejar de existir?

No, le constaba que tenía miedo del sumo fracaso de ser un cobarde. Y eso era algo que podía controlar. Quizá le costara cuanto tuviera, pero aún estaba capacitado para hacerlo. Estaba dentro de él, no fuera de su alcance. Notó que el pulso se le regularizaba.

Iba pisando los talones de Sutton, y Rathbone los de él; luego Crow, Orme y Runcorn. Avanzaban tan deprisa como podían, con la cabeza gacha para evitar golpearse contra el techo bajo, resbalando por los escombros.

El olor parecía más fuerte. Monk lo notaba espeso y acre en la nariz. No era sólo a alcantarilla, era gas. Aguzó el oído pero no oyó más estruendos, sólo el chapoteo de sus pies en aguas más profundas y el aumento de los correteos y los chillidos de las ratas, como si también ellas fueran presas del pánico. Eso ponía el vello de punta pero le constaba que era infinitamente mejor que el silencio. Si las ratas estaban vivas, era que el aire seguía siendo respirable.

Había otro temor que no se atrevía a expresar pero que le martilleaba la mente. Sixsmith estaba en libertad. Nadie más sabía que era culpable salvo Hester y Scuff. Todos los que podían demostrarlo estaban dentro de aquel agujero bajo tierra, a punto de quedar atrapados, enterrados... ¿por Sixsmith?

Sutton seguía abriendo la marcha pero el agua corría contra ellos. Se agachó y tomó a *Snoot* en brazos. El nivel era demasiado hondo para el perrillo; tenía que levantar la cabeza para respirar.

Nadie reparó en lo evidente. Monk se volvió y miró detrás de él una vez; vio sus rostros manchados, sus ojos reflejando miedo. Rathbone bajó las comisuras pero no dijo nada.

—Manténganse unidos —advirtió Monk—. Será mejor que apoyen una mano en el hombre que tengan delante. Si uno pierde contacto nos detenemos todos. ¡Es una orden!

Siguieron adelante. El olor era definitivamente más fuerte. Hubo otro violento temblor. Sutton se detuvo y se miraron entre sí. Nadie dijo nada.

Reanudaron la marcha y llegaron a una bifurcación. Sutton tomó el desvío a la derecha y nadie lo cuestionó. Diez minutos más tarde el agua era más somera y poco después llegaron a una pared ciega por culpa de un desprendimiento. El paso estaba totalmente bloqueado. Del otro lado no llegaba ni un soplo de aire.

—Lo siento —dijo Sutton con discreción.

Los demás le dijeron que no se preocupara, quitándole importancia. Aún no habían acabado de hablar cuando oyeron un rugido sordo al otro lado del desprendimiento, como si hubiese pasado un tren, y luego un silencio absoluto, angustiante.

A Sutton se le cayó el farol de la mano y fue a estrellarse contra el agua, donde titiló unos instantes bajo la espesa corriente inmunda antes de apagarse.

—¿Qué ha sido eso? —preguntó Runcorn con voz ronca—. ¿Agua?

—No.

Sutton estrechó a *Snoot* con más fuerza.

—¿Pues qué? —insistió Runcorn.

—Fuego —dijo Sutton con la voz tomada.

—¡Dios Todopoderoso!

Rathbone se apoyó contra la pared. Bajo el resplandor amarillo su rostro era gris.

—Apuesto a que Sixsmith sabe que vamos tras él —observó Orme—. Lástima que no lo atrapáramos. Es un mal bicho.

—Eso apenas empieza a describirlo —dijo Crow con amargura—. Regresaremos.

Nadie le contestó; ninguno deseaba discutir la realidad. Dieron media vuelta y volvieron sobre sus pasos hasta llegar de nuevo a la bifurcación.

—¿El otro desvío? —preguntó Runcorn a Sutton.

Sutton negó con la cabeza.

—Por ahí está el fuego. Tenemos que regresar por donde hemos venido.

—Ahora hay más agua —señaló Crow.

—Lo sé.

Sutton echó a caminar sin añadir más. Fueron tras él, cada uno sumido en sus propios pensamientos.

Monk hizo lo posible para mantener la mente apartada de Hester y Scuff. Pensar en ellos le restaría el enojo y la fuerza que necesitaba para seguir adelante por el agua gélida y apestosa que le llegaba a las rodillas. Chocaba con cuerpos de ratas muertas. Delante de él Sutton seguía llevando al perrillo en brazos. ¿Tenía alguna idea de dónde se hallaban o de lo que tenían delante y detrás, aparte de desprendimientos e incendios?

Doblaron varias esquinas y cruzaron una presa. El agua rugía tan violentamente al caer que no se oían entre sí aunque gritasen.

Sutton señaló a la izquierda, indicando otro corredor.

—Eso es... —chilló Runcorn haciendo bocina con las manos pero sus palabras se perdieron.

Orme miró a Monk.

Crow se encogió de hombros y siguió a Sutton.

Monk y Rathbone no conocían los túneles. Los seis y *Snoot* cruzaron al otro lado agarrándose unos a otros para vadear la intensa corriente sin perder el equilibrio.

El túnel trazaba una curva y comenzaba a ascender. Entonces, justo cuando Monk creía que empezaba a respirar aire fresco, terminaba de golpe. Había agua manando desde la izquierda, un chorrito que salía de la tierra arrastrando fango con él y cobrando fuerza incluso mientras lo miraban.

—¡Eso va a reventar! —exclamó Rathbone con voz aguda, fuera de control—. ¡Nos ahogaremos!

Dio media vuelta para buscar una escapatoria. El túnel que tenía a sus espaldas hacía bajada, sería el camino que seguiría el agua.

Monk lo vio y comprendió. No había escapatoria. Curiosamente, ahora que se avecinaba el desastre, mantenía el miedo bajo control.

*Snoot* comenzó a ladrar y a retorcerse para zafarse del abrazo de Sutton.

—Ha olido conejos —dijo Sutton en voz baja—. No tenemos otra salida. Si rompemos esto, el arroyo entrará, pero no es grande. Calculo que hemos topado con lo que solía llamarse el Lark antes de que lo cubrieran. No es muy profundo. Nos mojaremos a base de bien y pasaremos frío, pero si no nos detenemos saldremos al aire libre.

Y sin aguardar aprobación se puso a escarbar la tierra con ambas manos.

Monk miró a Rathbone y luego a los demás. *Snoot* ya estaba cavando con tanto encono como su amo. Monk se adelantó y se unió a ellos. Los demás hicieron lo mismo.

El arroyo irrumpió en la galería de sopetón y faltó poco para que los derribara. Sutton chocó contra Runcorn, y Crow se agachó para ayudarlos a levantarse, empapados. Los faroles quedaron hechos añicos y se sumieron en la más absoluta oscuridad. La única dirección la marcaba el flujo del agua gélida.

—¡Adelante! —gritó Sutton.

Lo único que cabía hacer para sobrevivir era seguirlo hacia el arroyo. Gatearon contra el agua, intentando respirar, agarrarse a lo que fuera, seguir adelante, hacia arriba, clavando manos y pies, jadeando, helados hasta la médula.

Monk no tenía ni idea de cuánto duró, cuántas veces creyó que los pulmones iban a estallarle. Entonces, de repente, hubo luz, auténtica luz gris diurna, y aire. Se desplomó junto a Sutton sobre el lecho de guijarros y subió con torpeza la pared de piedra de la alcantarilla. Se volvió de inmediato para ver quién venía detrás. Uno tras otro, los demás fueron saliendo empapados, sucios y tiritando de frío. Dio media vuelta para dar las gracias a Sutton y con una infinita oleada de alivio vio que sostenía a *Snoot* en brazos.

—¿Está bien? —preguntó.

Sutton asintió con la cabeza.

—Creía que no —dijo con voz temblorosa—. Pero respira.

—Gracias, señor. —Rathbone tendió la mano a Sutton—. Nos ha salvado la vida. Ahora tenemos que ir a encargarnos del señor Sixsmith. Si me permite el consejo, yo de usted llevaría al perro a un sitio caliente. —Rebuscó en un bolsillo y sacó un soberano de oro—. Tenga la bondad de darle una cucharadita de brandy de mi parte.

Monk se vio embargado por una emoción tan grande que se quedó sin habla. Miró a Sutton a los ojos, luego otra vez a *Snoot* para asegurarse de que en efecto respiraba y apretó un momento el brazo de Rathbone. Entonces siguieron a Crow, quien al parecer sabía por dónde había que ir.

Los cinco estaban muertos de frío y sucios de arcilla y restos de aguas residuales cuando llegaron de nuevo a la boca del túnel. Encontraron a Finger y a una veintena más de peones cerca de la gran máquina.

Finger vio a Monk.

—Hemos tenido otro hundimiento muy malo —dijo con gravedad—. ¡Caray! ¿Está bien? ¡Parece que venga del maldito infierno!

—Bien observado —respondió Monk—. Demasiado exacto para ser tildado de lenguaje abusivo. ¿Dónde está Sixsmith?

—Ahí dentro. —Finger señaló hacia la entrada.

Monk la miró y le vinieron náuseas. No se veía con ánimos de entrar otra allí vez. Su cuerpo se negaba a hacerlo. Le temblaban las piernas y se le revolvían las tripas.

Fue Runcorn quien se adelantó con el semblante como de piedra.

—Voy a buscar a ese cabrón —dijo con gravedad—. O le hago subir o hundo todo el puñetero túnel encima de nosotros.

—¡Qué dice! ¡Runcorn! —gritó Monk a su espalda. Soltó un taco. No podía permitir que Runcorn entrara allí. No tenía alternativa. Se abalanzó hacia la oscuridad detrás de él sin dejar de llamarlo.

A unos cincuenta metros de la boca, el túnel aún estaba débilmente iluminado por los faroles de la pared. A los cien el resplandor procedía de delante de ellos y Runcorn se paró en seco.

Monk lo alcanzó.

—Fuego —dijo con voz tomada—. Se nota el calor. ¿Dónde está Sixsmith?

Monk siguió avanzando, ahora muy despacio. Había recorrido otra veintena de metros dando una curva cuando vio la fornida silueta delante de él. Sus andares confirmaban que se trataba inequívocamente de Sixsmith. Caminaba hacia ellos. Sin duda reconoció a Monk en ese mismo instante. Se detuvo y permaneció de pie con los brazos colgando a los lados del cuerpo. Si estaba sorprendido de ver a Monk en ese lugar, nada en su voz lo reveló.

—Más le vale dejarme pasar. Hay un incendio detrás de mí, ¡y soy el único que puede apagarlo! Si no lo hago podría subir a las calles y quemar todo Londres.

—¿Tenía planeado matar a Toby Argyll? —preguntó Monk sin moverse.

—Al final —contestó Sixsmith—. Pero que Mary lo arrastrara

con ella fue un golpe de suerte. Tenía previsto que lo culparan de su muerte, pero tal como resultó fue mucho mejor. No pierda el tiempo, Monk. El fuego no tardará en propagarse. Todo el túnel que tengo a mis espaldas está en llamas. Y aquí hay suficiente aire para alimentarlo.

—¿Por qué lo hizo? ¿Por la Argyll Company?

—¡No sea tan rematadamente imbécil! Por venganza. ¡Alan Argyll se apropió de mi invento, del dinero y, para colmo, de un mérito que era sólo mío! A mí me importa un carajo que toda esta mierda estalle, Monk, pero a usted no. ¡Usted no quiere que la ciudad sea pasto de las llamas, así que apártese de mi camino! ¡Puedo apagarlo! Esos idiotas de ahí fuera no saben qué hay que hacer.

Detrás de Monk, Runcorn se estaba moviendo. Monk dio media vuelta para ver qué hacía y en ese instante Runcorn arrojó la piedra. Dio a Sixsmith justo cuando levantaba la mano empuñando la pistola. Cayó hacia atrás disparando y la bala rebotó contra las rocas.

—¡Corre! —chilló Runcorn agarrando a Monk por la cintura y tirando de él, casi levantándolo del suelo.

Juntos se abalanzaron hacia la entrada otra vez a todo correr golpeándose los hombros contra las paredes. Monk se cayó una vez. Runcorn se detuvo y lo puso de pie de un tirón, casi arrancándole el brazo por la articulación, casi reabriéndole la herida. Pero alcanzaron la boca del túnel justo cuando Finger ponía la gran máquina en marcha obedeciendo órdenes de Orme. La tierra comenzó a estremecerse y cayeron algunas rocas. Los sillares temblaron y la máquina entera se deslizó hacia delante. Las gigantescas estacas que la sostenían se soltaron y la máquina se deslizaba y aporreaba, escupiendo vapor.

Finger saltó y se alejó corriendo mientras el artefacto daba bandazos hacia delante. Los sillares se desplomaron y gradualmente la pared entera y los tablones y tablas que la recubrían se combaron y cedieron. Las vigas cruzadas explotaron como palillos. Con una gran erupción, la tierra se desmoronó con un rugido tapando la boca del túnel, que quedó enterrada como si nunca hubiese existido.

Los guijarros repiquetearon al caer; dentro de la columna blanca de humo hubo una explosión de vapor. Luego se hizo el silencio.

Monk se frotó la cara con las manos y se dio cuenta de que estaba temblando.

—Menos mal que Sixsmith está enterrado —dijo Rathbone con un asomo de su acostumbrado sentido del humor—. No sé si hubiese sido capaz de condenarlo. —Sonrió con picardía—. No vuelvas a traerme un caso durante una buena temporada, Monk. Me has destrozado la ropa.

Los cinco estaban de pie en fila, sucios, helados y extrañamente victoriosos.

—Gracias, caballeros —dijo Monk.

Y nunca en su vida había dicho algo más en serio.